# 그 신부를 믿지 마세요

II

II
그 신부를 믿지 마세요
윤온 장편소설
D&C BOOKS

# 목 차


06. 달콤하지만은 않은 시작 …………… 7

07. 로이스의 수난 시대 ………………… 79

08. 아모몬의 아모몬 ……………………211

09. 거짓과 진실 ……………………… 307

10. 비와 고백 ………………………… 399

# 06. 달콤하지만은 않은 시작

# 06. 달콤하지만은 않은 시작

엘로라의 입궁은 조용히 진행되었다. 마치 결혼식 때처럼.

처음에는 충격과 경악으로 얼룩졌어도 어느덧 한 달이라는 시간이 지났다. 시간은 기억을 마모되게 하고는 했다. 지나가는 사람에게 라하트와 엘로라의 혼인을 물어본다면 이제는 '아, 그랬었지.'라는 반응이 나올 거였다.

딱 그 정도의 화제성을 가진 이야깃거리였다.

한 편의 비극 같은 소식이 생기지 않는다면 공개적으로 결혼을 발표했던 날만큼의 파급력은 갖지 못했다. 이대로 자신과 황자의 결혼이 묻히길 바라던 엘로라로서는 다행인 일이었다.

입궁 절차는 간단했다. 옷가지나 장신구와 같은 필요한 물건은 미리 보내었고, 결혼식도 마친 사이였기 때문에 몸만 가면 되었다.

다시 아르미트 저택으로 돌아올 거라는 생각이 기저에 깔려 있기 때문인지 엘로라는 마치 소풍이라도 가는 듯이 평온했다. 도리어 함께 입궁하게 된 히나가 잔뜩 겁먹은 표정이었다. 대외적으로 그들의 관계는 난폭한 갑과 고통받는 을이었으므로 엘로라는 히나를 달래 주지 않았다.

원래 거짓된 연기보다 진실로 우러나오는 행동이 타인에게 절절히 전달되는 법이었다. 물론 히나의 근본적인 두려움은 엘로라가 아닌 다른 것이었지만. 이미 색안경을 쓴 사람들이 그것을 알 리 만무했다.

이전까지 엘로라는 따로 시녀를 데려가지 않고 홀로 입궁하려 했다. 아르미트 저택 내에 있는 시종인과 사이가 좋지 않다고 소문을 냈으니, 데려간다 하더라도 그들이 해야 하는 일이라고는 마음에도 없는 엘로라 험담하기밖에 없었다. 또 소문이 진실임을 알리기 위해 때리는 척도 지속적으로 해야 하니 서로 곤란하기만 했다.

하지만 라하트로 인해 생각이 바뀌었다. 로이스가 황궁에서 활동하기로 하면서 어쩔 수 없이 히나를 데려갈 수밖에 없었다.

황실에는 히나가 전속 시녀이기에 동반해야 한다고 고집을 부렸다. 이 정도 어리광이야 일대에 떠도는 그녀의 소문을 고려하면 애교라고 생각했는지 별다른 말 없이 허락이 떨어졌다. 애초에 그리 어려운 부탁도 아니었다.

마차에서 내린 엘로라는 고개를 치켜들었다. 앞으로 그녀가 지내야 할 아모몬 궁이 코앞에 있었다. 궁으로 가는 길에 나무가 울창하게 나 있어 마차가 지나갈 수 없었다. 걸어가야 했다. 다른 궁과 다르게 한 번도 보수 공사를 하거나 주위를 손댄 적이 없어서 자연과 어우러져 있었다.

엘로라는 특유의 뒤뚱거리는 걸음으로 궁을 향해 나아갔다. 그녀의 뒤에는 양손 가득 짐을 든 히나가 힘겹게 따라오고 있었다.

솔직한 마음으로는 도와주고 싶었지만 저 짐을 가져온 이유 또한 못난 엘로라의 성격이 이 정도로 고약하다, 라는 걸 알려 주기 위함이었기에 눈길 한 번 주지 않았다.

햇볕은 따갑고, 짐은 히나가 들기에 제법 무거워서 거친 숨소리가 들렸다.

속이 쓰렸다. 속은 텅텅 비고 겉만 거대해 보이도록 노력했는데 실제 들어 보니 예상보다 무거운 모양이었다. 주위에 쳐다보는 시선이 없었기 때문에 걸음을 빨리했다. 늦게 가 봤자 히나만 힘들어졌다.

얼마 가지 않아 궁과 가까워졌다. 겉으로 봐도 다른 궁과 다르게 허름하며, 넝쿨이 벽을 타고 올라와 있었다.

이렇게 외진 곳에 있는 데다 세간에 전설 같은 소문이 떠도는 탓에 지나가는 사람 한 명 없이 조용했다. 엘로라가 딱 원했던 곳이었다.

이곳으로 배정되기까지 아르미트 후작의 의견이 적극 반

영되었다. 황실 측은 그 많은 궁 중 아모몬 궁으로 보내야 한다는 후작의 의견에 반대했으나 괜히 후작이 아니었다. 딸아이에 대한 혐오감을 감추지 않으며 일을 진행시켰다. 모두 엘로라의 계획대로였다.

일단 첫인상은 만족스러웠다. 소문만큼이나 이상한 궁이라는 점이 가산점을 줄 만했다.

길을 걷고 있으니 엘로라와 히나는 미리 대기하고 있던 시종들을 만날 수 있었다. 그들을 보자마자 인상부터 썼다. 뭐든 기선 제압이 중요했다.

"안녕하십니까. 전하를 모시게 될……."

"됐고, 침실로 안내해."

"예, 알겠습니다."

말허리를 잘라 내고 날카롭게 명령했다. 불쾌한 티를 내지 않으며 시녀가 앞장을 섰다.

앞으로 엘로라의 시중을 드는 사람은 총 다섯 명. 히나까지 합치면 여섯 명. 열 명도 채 되지 않았다. 볼흐라스가 제국이라는 걸 떠올리면 매우 적은 인원이었다. 황실 측도 엘로라를 적당히 대해 주는 거였다. 낡은 궁이야 이쪽에서 요구한 거니 그렇다 치지만 시중인의 머릿수를 세어 보니 확실했다. 새삼스럽지도 않았다.

"짐은 제게 주시죠."

시녀를 따라가던 엘로라는 뒤에서 들리는 말소리를 듣고 고개를 홱 돌렸다. 엘로라의 시선이 날카롭게 꽂혔다. 히나는 이미 언질을 받았던 대로 움찔거렸다.

“고작 그게 무거워 봤자 얼마나 무겁겠니. 다른 짓 하지 말고 어서 따라와.”

빠르게 고개를 끄덕인 히나가 제 몸집보다 큰 짐을 들고는 엘로라의 뒤를 따랐다. 그 모습을 다들 측은한 시선으로 바라보았다.

히나는 뒤통수가 따끔함을 느꼈다. 모두 계획대로 움직이는 중이었지만 엘로라가 욕을 먹게 되는 지금 상황이 영 내키지 않았다.

히나와 다르게 본인이 얼마나 많은 욕을 먹고 있는지 알면서도 표정 하나 바꾸지 않은 엘로라는 뒤뚱거리는 걸음으로 침실로 안내받았다.

문이 열리자 살짝 쾨쾨한 냄새가 났다. 냄새뿐만 아니라 방 안 곳곳에서 급하게 정리한 티가 났다. 그도 그럴 것이 개국 후, 딱 한 명만 사용하고 그 뒤로 비워져 있던 궁이었다. 엘로라가 오기 전까지만 해도 궁이라고 부르기에도 민망한 꼴이었을 것이다.

주위를 둘러본 엘로라는 잔뜩 긴장한 시녀를 밖으로 물렸다. 문이 닫히자 실내에는 엘로라와 히나만이 남았다. 두 사람은 연기하는 것을 멈추고 본모습으로 돌아왔다.

“힘들었지? 땀범벅이 되었네.”

엘로라는 짐을 내려놓은 히나에게 다가갔다. 그리고 손을 뻗어서 흐르는 땀을 닦아 주었다. 그런 엘로라의 행동에 두 눈을 크게 뜬 히나가 황급히 주변을 둘러봤다.
“이러다 들키면 어떻게 해요.”
“저들은 노크하고 들어올 테니 괜찮아.”
“그래도……. 어머, 아가씨. 손에 제 땀이 묻었잖아요! 손수건 드릴게요. 어서 닦으세요.”
히나가 부산스럽게 움직였다. 주머니에 넣어 둔 손수건이 찾아지지 않는 듯했다. 호들갑을 떠는 히나를 지켜보던 엘로라는 미소를 지으며 그런 그녀를 저지했다. 히나에게는 고마움과 동시에 미안한 감정이 들었다.
“히나. 사적인 일로 고생시켜서 미안해.”
히나가 두 눈을 깜빡였다. 진중한 엘로라의 사과가 곧바로 머릿속에 입력되지 않았다. 그 푸른 눈동자와 마주하다가 이내 고개를 저었다.
“고생시키다니요. 아가씨께서 부탁하셨을 때 기뻤어요.”
“…….”
“이곳에서는 아가씨 혼자 이겨 내야 하잖아요. 아가씨께서 강한 사람인 건 알지만, 결국 사람인 이상 혼자는 힘드니까 곁에 있고 싶었어요.”
“나 때문에 힘든 일을 하게 됐는데도?”
“홀로 짊어졌을 짐을 나누는 거니까 괜찮아요. 그리고 아가씨를 위해서라면 힘든 일이라고 생각되지 않아요.”
“히나는 나한테 너무 물러.”
“살면서 보기만 해도 마음이 약해지는 상대는 하나쯤 있어야죠."

"난 없는데."

농담 삼아 대꾸하자 히나가 웃음을 터트렸다.

"있으시잖아요. 아르미트 저택에 있는 모든 분께 무르시면서 왜 모르는 척하세요."

"맞아, 서로 그런 관계지. 가끔 보면 아버지나 오라버니들이 나한테 져 줄 때가 많은 것 같아."

걱정 가득한 표정으로 배웅하던 가족의 얼굴이 떠올랐다. 아버지는 눈시울이 붉어져 있었다. 곧 울음을 터트릴까 싶어 조마조마했는데 꾹 참고 계셨다. 저택을 떠난다고 하니 그제야 딸이 결혼했다는 사실이 실감 나시는 모양이었다.

건드리면 정말 터질 듯해 일정 거리를 유지하며 꾸벅 인사만 했다. 손 한번 잡아 줄 수 있었는데 그러지 못하고 떠난 게 마음에 걸렸다.

그날 이후로 아버지는 정말 이혼 얘기를 한 번도 꺼내지 않으셨다. 딸의 선택을 존중하겠다는 맹세를 지키기 위해 매 순간 고군분투하시는 거였다. 엘로라가 아무리 굽힌다 하더라도 아버지에 비하면 반의반도 되지 않는 기분이었다.

오라버니들 또한 마찬가지였다. 이혼, 이혼 그리 노래를 부를 것처럼 굴더니 결국 얌전히 있었다. 불만이 가득한 게 뻔히 보이는데 아무도 입 밖으로 내뱉지 않았다.

대신 선물이라며 라엘과 요제프는 각각 한 자루의 단검과

검집을 주었다. 독특한 문양이 새겨진 호신용 단검이었다. 검집에만 장식을 하는 경우가 대부분인데 특이하게도 단검에도 중간까지 문양이 새겨져 있었다. 단검은 드레스는 물론이고, 남성용 복장을 입었을 때에도 숨길 수 있었다.

그들은 혹시 라하트가 나쁜 짓을 한다면 이걸로 거침없이 베어 버리라는, 살벌한 말 또한 잊지 않았다.

이에 에곤과 아르미트 후작은 따로 선물을 주지 못한 데 있어 아쉬워하는 기색을 숨기지 않았다. 하지만 이미 충분한 선물을 해 주었다.

엘로라는 무작정 입궁하는 게 아니었다. 혹 모를 상황에 대비하여 바깥으로 몰래 탈출하는 루트를 모두 꿰고 있었다. 모두 아버지와 에곤 덕이었다.

황궁 도면은 물론이고, 이미 사장된 자료라 알려져 있는 비밀 통로가 상세히 표기된 지도까지 찾아내었다. 대부분 건물이 노후로 인한 공사를 해 현재 남아 있다 추정되는 비밀 통로는 몇 없었다. 하지만 황궁이 건설된 이후 손댄 적 없는 이 궁이라면 모두 남아 있을 것이었다. 엘로라가 아모몬 궁을 고집한 데에는 다 이유가 있었다.

황실 측에서 이 사실을 알아낸다면 아르미트 가문을 멸문해도 할 말이 없지만, 가족들만 입 꾹 다물고 있으면 무덤까지 갈 비밀이었다.

황궁 도면이나 비밀 통로 위치는 외워 두었다. 기억력이 좋은 편이었기 때문에 모든 자료는 엘로라가 들고 입궁하는 대신 아르미트 가문에서 맡기로 했다.

가족을 떠올리다가 빙그레 미소 지은 엘로라는 히나가 끙끙대면서 들고 온 짐을 풀어 정리했다. 전부 화장품이나 가발과 같은, 변장할 때 필요한 물품이었다. 남성용 옷도 있었다. 미리 보낸 짐은 검열당할 게 뻔하여 겸사겸사 이런 식으로 챙기게 되었다. 화장품이야 그렇다 쳐도 가발이나 남성용 옷은 변명할 거리가 없었다.

하나씩 꺼내어 정리하고 있으니 히나가 걱정스럽다는 듯이 주변을 둘러보았다. 엘로라가 입궁한다 하여 가구를 새로 들인 듯한데, 그래도 원체 오래된 건물이라 히나 눈에는 최악에 가까웠다.

"정말 이 궁에서 지내셔도 괜찮으시겠어요?"

"응. 아버지가 폐하 앞에서 역정을 내면서 겨우 쟁취한 곳이야."

"제가 보기에는 그렇게까지 할 필요가 있다고 생각되지 않는데요."

"이 궁에 비밀 통로가 많아. 나중에 몇 군데 알려 줄게."

"헉, 잡혀가는 거 아니에요?"

"들키지만 않으면 돼. 웬만해서는 들키지도 않을 거고."

자신 있게 말했다. 비밀 통로가 왜 비밀 통로겠는가. 아무도 모르니까 비밀 통로지. 의도적으로 뒤를 밟히는 상황만 아니라면 히나가 걱정하는 일은 일어나지 않을 것이었다.

"애초에 들키지 않으니 비밀 통로라 칭하는 거지."

"무척 즐거워 보이시네요."

"부정적으로 생각해서 상황이 좋아지지는 않으니까. 그리고 네 말만 들으면 마냥 긍정적으로 사는 듯한데, 지금 최대한 객관적으로 상황을 지켜보고 있어. 내가 기분 나빠해야 할 일은 하나도 없는 데다 오히려 너무 순탄하게 풀리니 당연히 기쁘지."

기껏해야 몇 개 있는 개구멍으로 눈치를 보며 황궁을 드나들 줄 알았다. 그런데 황궁이 세워질 때부터 은밀히 숨겨져 있던 비밀 통로라니. 시작부터 흐름이 좋았다.

"히나. 저들을 다 쫓아내면 우리 황궁 탐험을 떠나 보자."

"쫓아낼 생각이세요?"

"응. 당연하지. 보는 눈이 많으면 앞으로 살기 힘들어."

히나는 엘로라가 말하는 '저들'이 누구인지 바로 알아들었다. 황궁 소속 시중인을 뜻하는 거였다.

히나가 따라오지 않았어도 저들을 쫓아내는 건 계획 중 일부였다. 그냥 말로 해서는 쫓아낼 수 없으니 행동으로 보여 줘야 했다. 이를 눈치챈 히나의 표정이 살짝 어두워졌다. 엘로라가 또 욕먹을 짓을 해야 할 미래가 훤히 보이기 때문이었다.

"한동안 바쁘시겠네요."

"환경이 바뀌었으니 어쩔 수 없지. 자, 그러면 히나. 이만 나가 봐. 너무 오랫동안 함께 있으면 변명하기도 힘들잖아."

"혼자서 괜찮으시겠어요?"

"한두 번 한 것도 아니고 괜찮아. 어서 가서 여기 시종들한테 내 욕 실컷 하고 와."

"못되셨어요."

"여기서는 못된 짓만 할 테니 아예 틀린 말은 아니지."

일부러 활짝 웃은 엘로라가 히나에게 어서 가 보라고 손짓했다. 못나게 화장했지만 히나의 눈에는 누구보다 예쁜 얼굴로 저리 웃고 있으니 하고 싶은 말이 쏙 들어갔다. 히나는 자신이 이런 식으로 엘로라에게 무르다는 사실을 깨닫게 되었다.

"필요하시면 부르세요."

"응. 꼭 부를 테니 그동안 힘내고 있어."

"저보다 아가씨께서 더 고생이죠."

한숨을 내쉰 히나가 자리를 떴다. 히나가 나가고, 홀로 남게 된 엘로라는 열심히 화장품과 가발을 정리했다. 화장품은 보이는 데에 놔둬도 되지만 다른 건 아니었다. 숨길 수 있는 장소를 찾고, 숨기고. 그렇게 홀로 고군분투하고 있으니 노크 소리가 들렸다.

대충 정리가 끝났기에 남은 물건은 침대 밑에 밀어 넣은 후에 들어오라고 했다. 조심스럽게 들어온 시녀는 식사가 준비되었는데 어떻게 할 건지 물어보았다. 불퉁하게 당장 차려 놓으라고 하자 시녀가 고양이에게 쫓기는 쥐라도 되는 것처럼 후다닥 나갔다.

첫 만남으로 엘로라의 성격을 파악한 듯했다.

처음에는 반신반의했을 거다. 설마 그렇게 못생겼을까? 설마 그렇게 성격이 더러울까? 하면서. 하지만 못생긴 건 한눈에 확인할 수 있었고, 말허리를 끊고 오만하게 명령하는 걸 보고는 소문이 진실임을 깨달았을 것이었다.

지금쯤이면 히나가 증인이 되어 그 모든 소문이 진실임을 알려 주고 있을 테니 모든 일이 순조로웠다.

시녀들이 들어와 식사 준비를 했다. 갓 만든 음식 냄새가 퍼졌다. 엘로라는 서늘한 시선으로 그것들을 내려다보았다. 차례대로 내어 오는 음식들은 겉으로 보기에도 먹음직스러워 보였다.

황궁 요리사가 만들었으니 맛이 없을 리가 없었다. 그들은 미리 아르미트 가문에 연락하여 엘로라의 음식 기호나 알레르기가 있는 재료 등에 대해 알아내고 철저히 엘로라를 위한 식사를 차렸다. 그것이 원래 절차였다.

이 사실을 아는 시녀들은 잔뜩 긴장하면서도 음식으로 트집 잡을 일은 없을 거라고 스스로를 위안했다.

“입궁을 축하한다는 의미로 폐하께서 저녁 만찬에 초대하셨습니다.”

엘로라는 고개를 한 번 끄덕였다.

첫날에 식사 한 번쯤은 같이할 거라고 예상했던 바였다. 입궁했으니 아예 모른 척할 수 없을 거였다. 엘로라는 그 전에 일을 다 끝내 놔야 되겠다고 생각하며 포크를 들었다. 축객령이 없었기 때문에 시녀 두 명이 근처에서 대기했다.

그들에게 눈길 한 번 주지 않고 차려진 음식을 한입 먹었다. 그리고 몇 번 씹다가 목구멍에 넘기고는 그대로 포크를 내려놓았다.

입술을 꾹 다물고 음식만 쳐다보고 있자, 잔뜩 긴장한 시녀가 조심스레 거리를 좁히며 물어봤다.

"어디 불편하신 데라도……."

"못 먹겠어. 새로 내어 와."

"예?"

"당장 새로 음식을 만들어 오라니까. 내 말이 안 들려?"

"예, 알겠습니다. 금방 준비하라고 이르겠습니다."

시녀들이 분주히 움직였다. 얼마 지나지 않아 새로운 음식을 내왔지만 구체적인 이유 없이 또 음식을 물렸다. 갓 만든 음식이 식탁에 올려졌다가 다시 내려가기를 반복했다.

서너 번 계속하다 보니 시녀들이 눈에 띄게 지쳐 했다. 그도 그럴 것이 한두 번이면 입맛이 까탈스럽구나, 하고 넘어갈 수 있지만 지금은 정도를 넘어섰다.

엘로라 본인도 그 사실을 인지하고 있었다. 인지하고 있기에 계속 그들을 괴롭히는 것이고.

"제대로 된 식사를 들고 올 때도 되지 않았나?"

"……죄송합니다."

"죄송하다는 말로 모든 일이 해결되는 건 아니지."

인상을 와락 찡그린 엘로라는 한 번 먹은 음식을 바닥에 내동댕이쳤다. 접시가 바닥에 부딪히는 소리가 요란하게 났다. 뒤이어 함께 있던 음식과 음료까지 모두 바닥을 나뒹굴었다.

"아까부터 눈여겨보았는데 바닥이 더럽더군. 이런 먼지 구덩이 속에서 발을 디디고 있어야 한다니. 한 번에 치울 수 있도록 도움을 준 내게 고맙다고 생각해."

말도 안 되는 소리였다. 엘로라 또한 자신이 지금 아무 말이나 지껄이고 있음을 깨닫고 있었지만 원래 못난이 엘로라 콘셉트가 이랬다.

약자를 짓뭉개고, 심사가 뒤틀리면 남을 괴롭히기 좋아하는 사람.

그게 세간에 소문난 엘로라였다.

"뭐 해? 치워."

혹 시답잖은 이유로 눈 밖에 날까 봐 고개를 푹 숙인 시녀들이 바닥에서 볼품없이 뒹구는 음식을 정리했다. 엘로라는 다리를 꼰 채 그 광경을 지켜보았다.

시녀들은 엘로라가 그들을 골탕 먹이기 위해 일부러 악하게 행동하는 걸 이미 알고 있었다. 하지만 그 누구도 부당함을 호소하거나 사실을 입 밖으로 내뱉지 않았다.

아버지인 아르미트 후작에게 미움받아 추레한 궁에 배정되고, 결혼마저 쫓기듯이 했지만 결국 그녀는 황자비였다.

황자비가 아니었어도 태생이 아르미트 가문의 영애였으니 그들과 천지 차이인 출신 성분이다.

엘로라는 묵묵히 바닥을 정리하는 시녀들을 당장 트집이라도 잡을 듯이 차갑게 내려다보았다. 그런 그녀의 마음이 편하냐고 묻는다면 전혀 아니었다.

그냥 말로 해서는 나가지 않을 테니 극단적인 방법을 쓰고 있긴 하지만 이게 또 적성에 맞지 않았다. 며칠 고생할 거 하루에 몰아서 한다고 생각해도 고생은 고생이었다.

너무 심하게 대했나, 라는 자괴감이 들다가도 이만한 강도로 하지 않는다면 엘로라 밑에서 일할 바에는 콱 혀 깨물어 죽겠다는 시녀가 나오지 않을 거였다.

서로에게 곤혹스러운, 지옥 같은 시간이었다.

최대한 빨리 바닥에 버려진 음식을 치우고, 쓸고 닦는 듯한데 체감상 1분이 한 시간처럼 거북이걸음이었다. 시간이 흐르는 속도가 더뎌 속이 탔다. 쥐 죽은 듯 조용하여 더욱 긴장된 분위기였다.

엘로라는 입만 열면 시녀를 갈궈야 했기 때문에 침묵으로 일관한 건데 그게 또 시녀를 겁먹게 한 이유 중 하나인지 손을 덜덜 떨고 있었다.

안쓰러워 죽을 것 같았다. 마음 같아서는 스스로 치울 테니 나가서 쉬라고 말해 주고 싶은데 그래서는 안 되는 걸 너무 잘 알았다.

다행히 시간이 아예 흐르지 않은 건 아니었다. 트집이 잡힐까 봐 빠르면서도 정확하게, 바닥이 광나도록 닦은 시녀들이 엘로라가 무어라 하기도 전에 서둘러 나갔다.

홀로 남겨진 엘로라는 오랜 정적 끝에 긴장을 풀고 한숨을 내쉬었다.

저택에 있을 때야 저택에서 일하는 사람들에게 바깥에 나갈 때마다 소문을 퍼트리라고 언질을 주면 되지만, 이곳에서는 아니었다. 직접 실천하려니 양심이 아프다 못해 펑하고 터져 버릴 것만 같았다.

심적인 고통에 의한 보상으로 줄 수 있는 게 재물밖에 없어서 그것이라도 얼렁뚱땅 쥐여 주고 싶은데 괜히 했다가 어설퍼 보일까 봐 걱정이었다.

어서 히나와 둘만 남게 되어 누구도 상처 주지 않길 바랄 뿐이었다.

오늘 일정을 머릿속에 그린 엘로라는 주먹을 꽉 쥐었다. 아직 해야 할 악행이 남아 있었다. 유일한 위안은 오늘만 버티면 된다는 것이었다.

주먹을 쥔 손에 어찌나 힘을 주었는지 푸른 핏줄이 도드라졌다.

여기까지 와서 마음이 약해졌다는 이유로 물러설 수 없었다.

한바탕 폭풍이 지나간 아모몬 궁은 얼마 지나지 않아 다시 분주해졌다. 황제가 초대한 저녁 만찬에 가기 전 치장을 해야 했기 때문이었다. 황족과 대면하는 중요한 자리기도 했고, 여성의 준비 시간은 남성보다 길었기에 일찍이 시녀들이 바쁘게 움직였다.

시녀들을 못 믿는다는 이유로 화장을 거절한 엘로라는 드레스를 고르는 데 열을 올렸다. 아르미트 저택에서 들고 온 드레스와 황궁에서 준비한 드레스가 줄을 이었다.

마음 같아서는 적당히 괜찮은 드레스를 입어 준비를 끝내고 싶었지만 계획을 위해서라면 적당히 해서는 안 됐다.

그 많은 드레스를 한 번씩 입고 벗었다. 옷 입는 걸 도와주는 시녀들의 손이 몸에 닿을 때마다 신경질적으로 반응했다. 손찌검은 필수였다.

시녀들은 엘로라의 심기를 건드리지 않도록 조심하며 옷을 갈아입혀 주었다. 덕분에 시간이 배로 걸린 건 당연한 일이었다.

굉장히 고된 일이었다. 옷을 갈아입는 입장도, 도와주는 입장도.

살면서 단 한 번도 이렇게 많은 드레스를 하루에 입어 본

적이 없었다. 드레스만 봐도 피곤함이 몰려오는 듯했다.

엘로라는 체력에 자신 있다고 자부하는 본인도 이리 힘든데 맞아 가면서 도와주는 사람은 얼마나 힘들까, 하고 생각하니 슬퍼졌다. 묵묵히 일하는 그녀들은 고단한 티가 조금이라도 났다가는 엘로라의 불호령이 떨어질 걸 알았기에 아무런 표정 없이 드레스를 들고 와 입혀 주었다.

잔뜩 지쳤지만 서로 지친 기색을 보이지 않기 위해 노력하는 시간이었다.

이럴 줄 알았으면 저택에서 드레스를 적당히 가져올 걸 하고 살짝 후회도 되었다. 드레스를 계속 갈아입는 건 일종의 시간 끌기였기 때문에 어서 이 드레스의 행진이 끝나길 바랐다.

몸도 마음도 지쳐 쓰러지고 싶을 때쯤, 제법 많던 드레스가 드디어 바닥을 드러내기 시작했다. 엘로라는 속으로 쾌재를 불렀다.

시간도 제법 지났다. 나머지 드레스는 마음에 들지 않는다는 이유로 대충 넘기고, 남은 드레스가 한 벌도 남지 않자 엘로라는 준비해 두었던 대사를 내뱉었다.

"새 드레스를 구해 와."

"……예?"

"당장 내 마음에 들 만한 드레스를 구해 와."

"하지만 만찬까지 시간이 얼마 남지 않았……."

"그래서 이 볼품없는 옷을 입고 거지꼴로 만찬에 가라고?"

분위기가 순식간에 숙연해졌다. 지금쯤 다들 머릿속에 '또 시작했네.'라고 생각하고 있을 거였다. 식사 시간에 이은 2차 악행이었다.

"드레스 하나 구해 오지 못하면서 내 밑에서 일할 생각을 하다니. 군말하지 말고 내가 좋아할 드레스를 구해 와. 당장."

엘로라의 명령에 일부는 선택받지 못한 드레스를 정리하고, 일부는 드레스를 구하러 나갔다. 분주했다. 드레스를 다 정리하고 나서는 시간이 촉박하여 미리 머리를 만져 주었다.

원하는 스타일을 물어보자 퉁명스레 대답한 엘로라는 사사건건 트집을 잡았다. 뭘 해도 좋은 말을 듣지 못하니 시녀는 울상을 지으려다가 꾹 참았다. 여기서 약한 모습을 보여 봤자 더한 모욕을 들을 게 뻔하다는 걸 알고 있었다.

이리저리 의견을 바꾸는 엘로라의 의향에 최대한 맞추어 머리 손질을 마쳤다. 고된 시간이었다. 기진맥진한 시녀들은 거울을 통해 안 그래도 못생긴 얼굴을 잔뜩 찡그려 더욱 못생겨진 엘로라를 볼 수 있었다. 누가 보아도 불만 가득한 표정이다.

"이 우스꽝스러운 머리는 뭐야!"

최대한 엘로라의 의사를 반영한 머리 스타일이었다.

엘로라의 갈굼과 시시때때로 바뀌는 요구에도 불구하고 중도를 잘 잡은 시녀들은 머리칼을 땋아서 왕관처럼 둥글

게 둘러 주었다. 머리 스타일 자체만 봐도 썩 나쁘지 않았다. 은발이 워낙 결 좋고 어여쁜 터라 얼굴을 가리고 보면 누가 봐도 아름다웠다.

"내 얼굴에 이딴 스타일이 어울릴 것 같아?"

어떤 머리를 하든 너무 못생긴 얼굴에 시선이 빼앗겨 결과물은 비슷했을 것이었다. 하지만 숨을 거칠게 내쉰 엘로라는 험악하게 인상을 찌푸린 채 시녀들을 노려보았다.

"너, 이 머리처럼 내 얼굴이 우습다고 생각했지."

열심히 머리를 매만진 시녀가 듣기에는 굉장히 억울한 발언이었다. 나쁜 말을 들어 가며 있는 노력, 없는 노력 다 쏟아부은 머리인데 싸잡아서 우스운 취급 한 거 아니냐고 매도당하다니.

엘로라는 참고 참다가 결국 감정이 표정으로 드러나는 시녀의 얼굴을 힐끗 보았다. 시녀가 노력한 건 바로 옆에서 지켜봤기 때문에 알고 있었다. 그런 그녀에게 모질게 굴어 미안했다. 속으로 그녀에게 백 번은 사죄한 엘로라가 다음 작전에 들어갔다.

"드레스가 올 때까지 진정해야겠어. 차를 내어 와. 그리고 너는 땋은 머리를 풀어."

솔직한 심정으로는 기껏 예쁘게 땋은 머리를 풀고 싶지 않았다. 하지만 어쩔 수 없는 일이었다. 오늘 계획은 최대한 시녀들이 고생하게 만드는 거였다.

땋은 머리가 풀어졌다. 시녀가 조심스러운 손길로 빗질

했다. 무덤덤한 시선으로 거울 건너편에 있는 시녀를 바라보던 엘로라는 곧이어 향긋한 차향을 맡을 수 있었다.

단 걸 먹으면 기분이 나아질 거라고 생각했는지 단내가 났다.

섬세한 사람들이었다. 황궁 전속답게 일 처리도 빨랐고. 만약 이곳이 아닌 아르미트 저택에서 만났더라면 상황이 많이 달라졌을 텐데 아쉽다는 생각이 들었다. 안타깝게도 모든 건 현실이 되지 못할 망상일 뿐이었다.

시녀가 찻잔을 건네주었다. 시선을 거울 건너편에 고정한 채 찻잔을 받은 엘로라는 일부러 찻물이 쏟아지게 슬쩍 쳤다.

힘 조절이 잘못 됐는지 찻잔이 바닥에 떨어지는 소리가 들렸다. 동시에 손등 위로 뜨거운 찻물이 흘러내렸다. 생각보다 더 뜨거웠다. 이 정도로 난장판을 만들 생각은 아니었건만.

인상을 와락 찡그렸다. 원래 찡그려야 하는 상황이기도 했지만 손등이 뜨거웠다.

"전하!"

새파랗게 질린 시녀들이 다급하게 응급 처치를 했다. 다들 당황해하면서도 본인이 해야 할 일은 착실하게 하고 있었다. 약을 바르고, 붕대를 감고. 순식간에 응급 처치가 끝났다.

"저, 저는……."

상황이 어느 정도 마무리되자 엘로라는 차를 들고 온 시녀를 노려보았다. 시녀는 잘못한 게 없건만 대역 죄인이라도 된 듯 바들바들 떨고 있었다. 어떤 불호령이 떨어질지 몰라 잔뜩 긴장한 듯했다.

타인을 찍어 내려야 하는 지금 상황이 딱히 마음에 들지 않지만 마음을 독하게 먹어야 했다. 그래야만 못난 엘로라라는 가면극에서 죄 없는 그들을 끌어내릴 수 있었다.

슬슬 끝을 맺기 위해 입을 연 엘로라는 마침 노크 소리를 듣고 고개를 돌렸다. 드레스를 구하러 갔던 시녀들이었다.

"말씀하셨던 드레스를 구해 왔습니다."

분위기가 나가기 전보다 서늘하여 잔뜩 당황한 듯했다. 얘기하는 그녀의 목소리가 살짝 떨리고 있었다. 고개를 숙인 시녀를 잠깐 보다가 들고 온 드레스에 눈길을 주었다.

어디서 어떻게 들고 온 줄은 모르겠지만 단시간 내에 고풍스러운 드레스를 들고 왔다. 다시금 감탄이 나왔다.

이런 인재들의 능력을 썩게 만들 순 없었다. 드레스를 보고 있자니 마음을 더욱 단단히 먹게 됐다.

"내 명령 하나 제대로 이행하지 못해? 너희는 내가 우습지?!"

찻잔을 던졌다. 물론 이번에도 찻잔은 아슬아슬하게 사람을 피해 갔다. 유리가 깨지는 소리가 요란하게 들렸다. 다들 겁을 먹고, 움찔했다. 이에 표독스럽게 눈을 치켜뜬 엘로라는 목소리에 힘을 주었다.

"다들 나가."

"……."

"내 손에 뜨거운 찻물을 끼얹는 너희 따위 필요 없어. 나가서 다시는 이곳에 돌아오지 마."

엘로라의 날카로운 목소리가 천둥처럼 내리쳤다.

듣기만 해도 심장이 쪼그라드는 사나운 목소리였다.

"이 궁에 한 걸음이라도 내디딘다면 찻잔을 던지는 것으로 끝나지 않을 거야."

"하지만 전하. 저희는 전하를 보필하기 위해……."

"보필? 지금 내 손을 보고도 보필이라는 말이 나와? 심지어 내 취향 하나 맞추지 못하면서 보필이라니. 간사하게 혀를 놀리는 것도 정도껏 해야지."

엘로라의 사나운 기세에 누구도 찍소리 하나 내지 못했다.

흥분으로 인해 거칠게 숨을 내쉬었다. 씩씩대는 소리만 방 안을 울린다. 잔뜩 열이 오른 엘로라는 얼마나 실감 나게 연기를 한 건지 머리가 핑 도는 걸 느끼며, 기다리고 기다렸던 말을 꺼냈다.

이 말 한 번 하기 위해 양심에 통증을 느끼면서도 그리 열심히 시녀들을 괴롭혔다.

"너희와 함께할 바에 혼자 지내는 게 나아. 내가 데려온 시녀를 제외하고 모두 원래 있었던 곳으로 돌아가. 이건 명령이야."

다들 눈치만 봤다. 이런 경우가 없어서 그런지 정말 나가야 할지 아니면 남아서 달래 주어야 할지 고민하는 기색이었다.

말한 대로 나갔다가 나갔다는 이유로 또 미움을 받으면 골치 아픈 건 그들이었다. 이를 눈치챈 엘로라는 쐐기를 박았다.

"뭐 해? 당장 나가!"

불호령이 떨어지자 그제야 시녀들이 썰물처럼 빠져나갔다. 홀로 남은 엘로라는 계속 날카롭게 소리를 질러 아픈 목을 매만졌다.

정말 사람 할 짓이 아니었다.

황궁 소속 사람들이 모두 나간다면 원하는 대로 조용히 살 수 있겠지. 서로 편히 지내기 위해서는 결국 한 번쯤은 지나가야 하는 절차였다.

사람의 가슴에 대못을 박는 일을 한꺼번에 해서 그런지 가슴이 답답하여 한숨이 먼저 나왔다. 그렇게 풀이 죽은 채로 있던 엘로라는 소란을 피웠지만 만찬은 가야 했기 때문에 잠시 후 들어온 히나의 도움을 받아 드레스를 갈아입었다.

현재 상황을 물어보니, 농담이 아닌 진심으로 그들을 내쫓은 것이니 이보다 더한 화를 입기 전에 어서 돌아가라고 히나가 부추겨 현재 궁에 남은 시종은 없다고 했다.

원하는 대로 되어서 좋아해야 함이 분명한데 죄책감에 마음이 아팠다. 나쁜 짓을 저질렀는데 기쁨이 앞설 리가 없었다.

앞으로 이런 일을 벌이지 않길 바라며 엘로라는 정리하다 만 머리도 빗질한 후, 준비를 마치고 걸음을 옮겼다.

열이 식은 손등이 쓰라렸다.

우여곡절 끝에 늦지 않고 만찬 장소에 도착할 수 있었다. 기다리고 있으니 황제와 황후, 그리고 아히발트가 들어왔다. 예상대로 라하트는 없었다. 다들 라하트의 부재에 일이 있어 늦는 모양이라며 말을 얼버무렸다.

하지만 알고 있었다. 라하트는 이 자리에 오지 않을 거라는 사실을. 그가 이런 자리에 성실히 나올 거라 생각되지 않았다. 황후 또한 그런 생각을 하고 있음이 표정으로 여실히 드러났다.

어쨌든 라하트가 이곳에 있든 없든 썩 유쾌한 자리는 아니었다.

소소하게 안부를 묻고 나니 이야기 소재가 고갈되어 묵묵히 음식만 먹었다. 엘로라가 싹싹하게 흐름을 주도하길 원한 건지, 아니면 막상 너무 못생긴 얼굴을 보니 하려고 했던 말도 잊어버린 건지 황제와 황후는 신혼여행은 괜찮았는지, 묵게 된 궁은 어떠한지 묻고 난 후에 더는 말을 꺼내지 않았다.

먹다가 체하는 건 아닐까 걱정될 정도로 침묵이 무겁게 가라앉을 때마다 어색한 분위기를 무마하기 위해 아히발트가 말을 걸어 주었다. 식탁 위의 대화는 주로 아히발트가 말을 걸어 주어 엘로라가 대답하는 형식이었다.

엘로라와 얼굴을 마주하면 충격받은 표정으로 시선을 피하는 황제, 황후와 대비하면 아히발트는 인내심이 강한 편이었다.

물론 대화할 때 눈을 마주하는 게 아닌, 엘로라의 뒤편을 봄으로써 최대한 못난 얼굴을 보지 않는 꼼수를 썼지만 그의 행동을 질타할 수 없었다. 말을 걸어 주는 것만으로도 고마웠다. 그렇지 않았으면 꾸역꾸역 음식만 목구멍에 넘기다가 소화가 되지 않아 밤을 새웠을 게 뻔했으니까.

엘로라가 아히발트와 한두 마디씩 얘기를 주고받으며 만찬의 분위기를 이어 가고 있었다. 그리고 그걸 잠자코 듣고 있던 황후가 불쑥 끼어들었다. 엘로라의 얼굴을 보고 충격을 받아 까맣게 잊고 있었던 기억이 이제야 떠오른 듯했다.

"담당 시종들을 모두 쫓아냈다 하던데, 사실인가?"

이 얘기를 언제 꺼내나 싶었다. 오늘 이 얘기의 마침표를 찍기 위해 폭풍처럼 일을 진행했는데 막상 황후의 귀에 들어가지 않았으면 어쩌나 살짝 걱정이 들던 참이었다.

하지만 다행히 난리란 난리는 다 부려 놓아 그녀의 업적은 이미 황궁에 소문이 쫙 퍼졌다. 소문이 얼마나 퍼졌는지 알 리 없는 엘로라는 그저 황후의 귀에까지 퍼져 다행이라고 생각할 뿐이었다.

"제 밑에 있기에는 모자란 아이들이었어요."

인상을 찡그리며 억울한 일을 당하기라도 한 듯 목소리를 높였다. 물론 그들은 엘로라의 얼굴을 보자마자 시선을 회피했기 때문에 인상을 찡그린 걸 누구도 보지 못했지만, 연기란 자고로 섬세함을 요구하기에 작은 부분 하나 놓치지 않았다.

"저택에서 데려온 제 시녀만큼 빠릿빠릿하지 않더군요."

"서로 적응해야 하는 기간이 부족하다 느낄 수도 있지. 그러면 내가 직접 뽑은 시녀들을 따로 보내도록 하마."

"아니요. 폐하의 호의는 감사하나 알고 있던 얼굴과 지내는 게 편하네요. 새로운 사람은 도저히 믿을 수가 없어서요. 아시잖아요. 처음 만난 시녀들이 저를 얼마나 깔보는지."

실제로 깔보는 건 시녀들이 아닌 엘로라였다. 황궁 시중인이 어찌나 교육이 잘 돼 있는지, 그들은 완벽하게 사적인 감정을 배제하고 '일'이라고 생각하며 근무하고 있었다.

얼마나 못생겼든 결국 엘로라 또한 그들이 보필해야 할 윗사람일 뿐이었다. 짧은 시간이었지만 그들의 마음가짐을 꿰뚫을 수 있었다.

이 때문에 황후는 엘로라의 말을 믿는 기색이 아니었다.

황실의 이름에 누가 되지 않도록 철저히 선발하고 관리한 이들이 윗사람을 깔본다는 건 있을 수 없는 일이었다.

황자비가 시녀에게 모질게 군다는 소문이나 직접 들은 상황 설명에 기초하면 모두 엘로라의 잘못이었으나 차마 새 신부를 책망할 수 없으니 일단 한 발자국 물러서기로 했다.

"황궁에 사람은 많으니 원한다면 언제든지……."

우당탕탕.

이렇게 성정이 못된 아이를 궁에 들여도 괜찮은지, 근심이 한가득인 황후는 말을 끝맺을 수 없었다.

요란한 소음이 사위를 울렸다.

모두 소리의 근원지로 고개를 돌렸다. 순식간에 이목이 문 쪽으로 옮겨졌다. 그리고 그곳에서 익숙한 금발을 볼 수 있었다. 뒤통수가 찬란했다.

"아, 내가 좀 늦었나."

바닥에 엎어진 라하트가 고개를 들었다.

방긋 웃은 그는 으쌰, 하고 바닥에 손바닥을 짚어 앉았다. 일어나지 않고 앉은 것도 이상했지만 애초에 늦은 주제에 제 발에 걸려 넘어져 요란하게 등장한 것도 이상했다.

바닥에 부딪쳤는지, 미소를 지우지 않으며 코를 매만지는 모습을 보고 있자니 너무 라하트다워서 엘로라는 속으로 한숨을 내쉬었다. 동시에 지척에서 한숨 쉬는 소리가 들렸다. 순간 속으로 한숨을 쉰다는 것이 겉으로 해 버린 줄 알고 깜짝 놀란 엘로라가 소리가 난 쪽으로 고개를 돌렸다.

"라하트."

실제로 한숨을 내쉰 황제가 나직한 목소리로 라하트를 불렀다. 그 부름에는 '네가 그럼 그렇지.'라는 뜻이 담겨 있는 듯했다. 직설적으로 말하지 않아도 느껴졌다.

"시간을 착각했어."

라하트 또한 아예 눈치가 없는 건 아닌지 헤실헤실 웃으며 변명했다. 당연히 씨알도 먹히지 않을 변명이었다.

"흉한 꼴로 있지 말고 어서 이리 와 앉거라."

손을 털고 일어난 라하트는 자연스레 엘로라의 옆자리를 차지했다. 라하트가 가까워지자 익숙한 술 냄새와 담배 냄새가 퍼졌다. 또 바깥에 자빠져서 시간 가는 줄도 모른 채 술 퍼마시고, 담배를 피우다가 중간에 들어온 듯했다.

엘로라는 바로 옆에 앉은 그를 무시한 채, 다시 식사를 하기 위해 포크를 들었다. 눈짓으로 가볍게 인사할 수도 있었지만 제정신이 아닌 남자와 굳이 상종하고 싶지 않았다. 언제 어디로 튈지 모르는 만큼 조용히 있어야 하는 자리에서 괜히 긁어 부스럼을 만들고 싶지 않았다.

라하트의 깜짝 등장으로 인해 대화 흐름이 끊겨 식탁은 침묵에 잠겼다. 엘로라 또한 라하트가 오기 이전에 무슨 대화를 했는지 잠깐 생각해야 했다.

짧은 생각 끝에, 오후에 일어난 소란에 대해 얘기하다가 황후의 말이 끊겼음을 떠올릴 수 있었다. 황궁에 사람은 많으니 원한다면 언제든지, 라고 하였으니 엘로라가 먼저 말을 꺼내기 전까지 일단 이 사태에 대해 묵인해 주는 듯했다.

오늘 만찬은 이 문제 때문에 왔다고 해도 과언이 아니었다. 그런데 그 문제가 가볍게 풀렸으니 마음을 놓고 음식을 먹으려고 했다.

스테이크를 썰고 있으니 시선이 느껴졌다. 아히발트였다. 그는 옆에서 입술이 찢어지도록 하품을 하는 라하트를 보고 있었다.

라하트를 제외하고 모두가 불편한 식사 시간이 또다시 찾아왔기 때문에 대화할 거리를 찾고 있는 듯했다. 막 등장한 라하트만큼 대홧거리를 만들기 쉬운 상대는 없었다.

딱 봐도 라하트에게 말을 걸 모습이라 엘로라는 아무것도 모르는 척 시선을 내리깔았다. 그녀는 그저 억지로 아히발트와 얘기를 나누지 않아도 되어 좋았다.

언제쯤 이 침묵을 깨뜨릴까, 하고 있는데 때마침 아히발트가 라하트를 불러 대화를 시도했다.

"라하트, 그래도 잊지 않고 와 주었……."

"손이 왜 이래?"

황족은 말허리를 끊는 특기가 있는 모양이었다. 엘로라는 남자의 손아귀에 잡힌 제 손을 내려다보았다. 피곤한지 하품만 늘어지게 하다가 뒤늦게 붕대를 감은 손을 발견한 듯했다.

이 자리에 있는 사람 중, 이 상처를 눈치챈 사람은 라하트가 유일했다. 주위 반응만 봐도 알 수 있었다. 다들 못난 얼굴을 안 보려고 노력하기 바빠서 붕대를 칭칭 감은 손 또한 보지 못했다.

라하트와 아히발트가 대화할 줄 알았는데 이목이 이쪽으로 집중됐다. 특히 라하트가 힘을 주지 않은 채로 잡고 있는 붕대 감은 손. 다들 이 손을 보고 있었다. 엘로라는 당황하지 않고 침착하게 대꾸했다.

"시녀가 찻물을 쏟았어요."

"얼마나 다쳤어? 붕대 한번 풀어 봐."

"전하께서 보시기에는 흉한 상처예요."

실제로 식사 중에 볼 만한 꼴이 아니었다. 그리 심각하지는 않았지만 고귀한 황족의 식사 시간에 붕대를 풀어 상처를 보여 줄 만큼 엘로라는 생각이 없지 않았다.

이만하면 됐다 싶어서 자연스레 라하트의 손아귀에서 벗어나려고 손을 뺐다. 그런데 라하트가 살짝 힘을 줬다. 놓을 생각이 전혀 없어 보였다.

그의 돌발 행동에 엘로라가 힐끗 라하트를 올려다보았다. 짐짓 심각한 표정으로 붕대를 감은 손을 빤히 쳐다보고 있었다. 대체 왜 이렇게 걱정하는지 엘로라로서는 알 수 없었다.

"걔네가 잘못했네."

잘못한 건 그들이 아니었다. 그러나 엘로라가 한 말만 듣는다면 충분히 시녀의 잘못으로 전가할 수 있었다.

단편적인 정보를 듣고 옹호해 주다니. 까칠한 그녀의 성격이나 세간에 떠도는 소문을 생각한다면 한 번쯤은 추궁할 수도 있는데 그러지도 않았다. 어쩌다 그런 상황에 처했는지, 그 전에 무슨 일이 있었는지 등. 하지만 인과 관계는 전혀 개의치 않아 했다.

라하트는 엘로라의 손을 놓지 않았다. 붕대를 감은 손을 자세히 살폈다. 그에게는 타인의 상처일 뿐인데도 안타까워하는 게 표정에서 드러났다.

사랑하지도 않으면서 사랑하는 것처럼 굴고 있었다. 라하트는.

황제와 황후 앞에서 서로를 물어뜯고 욕하는 것보다는 나았지만 뭔가 찝찝했다. 기분이 이상하다. 타인이라 생각했던 이의 맹목적인 믿음은 엘로라에게 낯선 것이었다.

"많이 아프면 내가 약 줄까?"

"아니요."

잠깐의 고민도 필요치 않고 부정이 나왔다. 습관과도 같았다. 이를 예상이라도 했듯이 라하트가 흐리멍덩한 보랏빛 눈동자로 엘로라를 바라보며 웃었다.

"내가 보증할게. 효과 하나는 제대로야. 나중에 달라고 해도 없어서 못 주는 거니까 준다고 할 때 받아 둬."

순간 엘로라의 머릿속에 빨간불이 켜졌다. 가타부타 긴

설명을 들을 필요도 없었다. 라하트가 주는 약이라면 왠지 해로운 약일 것 같았다.

괜히 그와 가까워지고 싶지 않을뿐더러 혹 모를 가능성은 아예 배제하고 싶었다.

"마음만 감사히 받을게요."

한 번도 발을 내디딘 적 없는 미지의 세계에 대한 위험을 느낀 엘로라가 억지로 입꼬리를 올리며 라하트의 손아귀에 있는 손을 부드럽게 빼냈다. 다행히 이번에는 붙잡지 않았다. 더 권하지도 않았고. 속으로 안도의 한숨을 내쉬었다.

혹 시야에 들어오면 계속 신경 쓸까 봐 붕대를 감은 손을 숨기며, 아직 입도 대지 못한 스테이크를 먹으려 했다. 음식이 입 안에 있을 때는 대화하지 못하니 그동안 아히발트와 다정히 담소를 나누라는 마음에도 없는 배려였다.

그러나 안타깝게도 라하트에게 아히발트는 안중에도 없었다.

라하트가 아예 몸을 엘로라 쪽으로 돌렸다.

이건 또 무슨 신종 괴롭힘이란 말인가!

부담스러운 시선을 느꼈다. 라하트는 음식에는 전혀 손대지 않고 스테이크를 입에 넣는 엘로라를 빤히 쳐다봤다.

충분히 무례한 행동이었건만, 라하트를 내놓은 자식임을 입증하듯 누구도 이를 지적하지 않았다. 라하트이기에 이 행동이 납득되는 듯한 분위기였다. 덕분에 시선을 한껏 받은 엘로라만 부담스러워 미칠 지경이었다. 먹던 음식이 역류해도 이상하지 않을 상황이었다.

이 남자는 도대체 왜 이러지. 붕대를 풀어 달라 했을 때 거절하여 이런 식으로 복수하는 걸까.

아히발트가 라하트에게 말이라도 걸어 관심을 분산시켜 줬으면 좋겠건만, 라하트가 대화할 의지가 없음을 읽은 아히발트는 침묵으로 일관했다. 지금 말을 걸어 봤자 대답이 돌아올 리 없음을 익히 알고 있는 형제의 현명한 행동이었다.

라하트에게 왜 그러냐고 따지고 싶은 걸 꾹 참고 괜히 음식을 꼭꼭 씹어 먹었다. 무언가 불길함을 느꼈기 때문이었다. 그리고 불길한 예감은 틀린 적이 없다고, 더는 씹을 수 없을 정도로 잘아진 고기가 목구멍에 넘어가자마자 라하트가 말을 걸었다.

"아모몬 궁에 유령이 돌아다닌다며? 봤어?"

"……아니요."

왜 그렇게 쳐다보나 했더니 소문의 진위 여부가 궁금했던 듯했다.

세상에 유령이 어디 있는가. 초대 볼흐라스 왕의 명령으로 최소한의 관리만 유지하고 있어 유령이니 뭐니 하는 소문이 떠돌 수 있지만 그걸 믿는 건 또 달랐다.

대충 보아하니 라하트는 궁에 유령이 있다고 믿고 있었던 것 같다. 잠깐 눈에 띄게 실망한 기색을 보이다가 이내 기운을 되찾았다.

이 남자, 가끔 보면 어린아이 같았다. 유령이 있다고 믿다니.

"아, 유령은 밤에 돌아다니지. 혹시 무서우면 날 찾아와."

"그럴 리는 없을 듯하네요."

설령 궁에 유령이 있다고 하여도 라하트를 찾아갈 일은 영원히 없을 것이다. 미쳤다고 제정신으로 라하트를 찾아가겠는가. 무섭다고 라하트에게 갈 바에 유령과 함께 있는 게 나았다. 그도 아니라면 히나와 있지 저 남자가 무엇이 그리 믿음직스러워 찾아간단 말인가.

불퉁한 마음에 생각보다 대꾸가 더 까칠하게 나왔다. 이런 적이 한두 번이 아니라 라하트는 상처받기는커녕 오히려 헤실헤실 웃으며 좋아했다.

술에 잔뜩 취했는지 그 웃는 얼굴이 보통 때보다 더 기분 좋아 보였다. 엎어지면서 들어왔을 때부터 알아봤다.

평소라면 이 남자가 또 이러는구나, 하고 넘어갈 텐데 불현듯 시선이 느껴졌다. 엘로라가 힐끗 주위를 보니 다들 묘한 표정으로 이쪽을 바라보고 있었다. 이제 눈치챘는데 완전 시선 집중이었다.

다들 입 한 번 벙긋 안 하고 있더니, 이쪽을 구경하느라 정신없었던 모양이었다. 황제와 황후, 그리고 아히발트의 얼굴을 쓱 본 엘로라는 갈등했다.

그들이 정확히 무슨 생각을 하고 있는지 알 수 없었기 때문이었다.

정말 묘한 표정이었다. 신혼부부치고는 너무 차갑게 굴

어서 그런 걸까. 부정만 할 게 아니라 조금이라도 다정하게 굴었어야 했던 걸까.

다른 사람이면 몰라도 황족 앞이었다. 그들을 안심시키기 위해 한동안은 겉으로 부부 같아 보여야 하니 밀어내기만 할 것이 아니라 억지로 당기기도 해야 할 것 같았다. 하지만 한 번도 라하트에게 그런 식으로 말한 적이 없어서 곤혹스러웠다.

무슨 말을 해야 하지? 잘 굴러가던 머리가 한순간에 굳어 버린 기분이었다. 당황한 엘로라는 일단 되는대로 지껄였다.

"정 걱정되시면 전하께서 찾아오세요."

"정말?!"

라하트는 엘로라가 예상했던 것보다 더 좋아했다. 라하트의 커다란 목소리가 쩌렁쩌렁하게 울렸다. 바로 옆에서 외친 터라 엘로라는 하마터면 귀를 막을 뻔했다.

빈말이었는데 라하트가 좋아하는 모습을 보니 괜히 말을 꺼낸 것 같았다. 이대로 내버려 두면 당장 찾아올 기세였다. 난처한 기색을 숨기지 않고 있는데, 이를 눈치채지 못한 건지 아니면 눈치채지 못한 척하는 건지 라하트가 생글생글 웃으며 약속 시간을 잡았다.

"오늘 밤 찾아갈게."

"오늘 밤은 너무 갑작스럽네요."

"그러면 내일 밤?"

"내일 밤도 급하다고 생각해요."
"모레는 어때?"
"안 바쁘세요?"
괜찮다고 할 때까지 날짜를 계속 물어볼 사람이었다.
아모몬 궁에 라하트를 들일 생각은 전혀 없었다. 그렇기 때문에 궁에 오겠다는 라하트에게 해 줄 대답은 거절밖에 없는데 이렇게 대화를 이어 가다가는 끝이 나지 않을 것 같았다.
물음을 던지면서 은연중 라하트가 바쁘다고 해 주길 바랐다. 그는 정말 바빴으니까. 궁에 가만히 궁둥이 붙이지 않고, 매일 바깥에 돌아다니는 걸 여기 있는 모두가 알았다. 게다가 그는 공적인 업무 때문에 바쁜 게 아니라 사적인 놀음으로 항상 바빴다. 그 사실을 본인이 자각하길 바랐다.
이런 엘로라의 텔레파시가 통한 듯, 라하트가 "아, 그렇지."라고 했다. 이에 일말의 기대를 걸었다. 하지만 항상 그렇듯 기대는 산산이 부서졌다.
"나야 항상 바쁘지. 하지만 내 신부님이 기꺼이 초대했는데 시간을 만들어서라도 가야 되지 않겠어?"
아니요. 바쁜데 굳이 시간을 만들어서 오지 않으셔도 되는데요.
아무도 듣지 못할 마음의 소리가 울렸다. 절규에 가까운 소리였다.
또 사랑하지도 않으면서 사랑하는 척한다. 그에게는 습

관 같은 사탕발림이었다. 그만큼 말에 무게가 없었다.

하지만 저런 식의 사탕발림은 듣기가 좋으니 이 언변에 넘어간 여인만 해도 손에 꼽을 것이었다. 로이스의 모습으로 라하트를 처음 만났을 때도 옆에 여자를 끼고 있었다. 최근에 엘로라의 시야에서 여자를 끼고 다니지는 않았지만 제 버릇 개 못 준다고, 보이지 않는 곳에서 무슨 짓을 하고 다닐지 알 수 없었다.

서로의 사생활을 신경 쓰지 말자고 계약서를 썼기에 여자가 열 명 있든 백 명 있든 상관하지 않을 테지만, 제발 다른 여자를 대하듯 사랑하는 척하지 말았으면 했다. 필요 이상의 관심은 부담스러우니 사양이었다.

"이 얘기는 나중에 저희끼리 있을 때 하도록 하죠."

"좋아."

둘만 있을 때면 말하기가 편했다. 지금은 눈치가 보이니 말할 수 없지만 둘뿐이라면 그저 빈말이었다고 쐐기를 박을 것이었다.

일단 한숨 돌린 엘로라는 얘기도 끝났건만 자신을 바라보는 라하트를 무시한 채 식사를 계속했다.

해바라기처럼 엘로라만 바라보는 라하트 덕에 두 사람은 겉으로 보기에 꿀 떨어지는 신혼부부였다. 유심히 그 모습을 지켜보던 아히발트가 드디어 말허리가 끊기지 않고 라하트에게 말을 걸었다.

"라하트, 네가 이리 쩔쩔매는 모습은 처음 보는구나."

그 말을 듣자마자 엘로라는 경악했다. 쩔쩔매다니. 아히발트는 분명 현실을 왜곡해서 보고 있었다.

그동안 라하트가 엘로라에게 쩔쩔맨 적은 없었다. 오히려 하고 싶은 대로 밀어붙이면 밀어붙였지. 잠자코 듣고 있던 엘로라는 어이가 없다 못해 황당할 지경이었다.

엘로라는 일단 속내를 숨겼다. 이곳에선 라하트만이 자신의 얼굴을 봐 주지만 감정이 여실히 드러난다 하여 좋을 게 없었다.

아히발트의 말이 끝난 후, 무뚝뚝한 표정을 유지하고 있는 엘로라에게 잠깐 시선을 준 라하트가 산뜻하게 대답했다.

"하나뿐인 내 신부님이잖아. 잘해 줘야지."

객관적으로 맞는 말이었다.

엘로라는 라하트의 하나밖에 없는 신부였다.

뒤에 잘해 준다는 발언은 습관적인 사탕발림이거나 다른 이들이 있으니 부부처럼 보이기 위해 언급했다고 생각하면 되었다. 그러나 듣는 이들의 사정은 다른지, 다들 감동받은 표정을 지었다. 어린아이가 첫걸음마를 했을 때 부모님이 지을 만한 표정이었다.

다른 이들이 보기에는 라하트가 드디어 정신을 차리려고 하는 것처럼 보이는 모양이었다. 환장할 노릇이었다.

엘로라가 아는 라하트는 전혀 변한 게 없었다. 여전히 막무가내인 남자였다. 천성이 나쁘지 않은 게 정말 다행이었다.

“결혼하니 정착하려는 모습이 보기 좋구나.”
“정착?”
매일 바깥을 싸돌아다니는 라하트에게 ‘정착’이란 낯선 단어였다. 대체 결론이 왜 저렇게 도출되는지 라하트 본인도 알지 못해 어리둥절해했다.
역시 라하트였다. 조금 전 발언은 별생각 없이 내뱉은 말이었음을 증명하고 있었다. 옆에서 지켜보던 엘로라만이 상황을 정확히 파악하고 속으로 한숨을 내쉬었다. 분명 한자리에서 대화를 나누고 있건만 다들 머릿속이 꽃밭이었다.
황제와 황후가 속닥거렸다. 들리지 않아도 무슨 말을 나누는지 대충 짐작이 갔다. 제국의 대표 추녀라 할 수 있는 엘로라에게라도 결혼을 시켜 다행이라고 얘기하고 있을 것이었다. 그들에게는 라하트의 결혼 상대가 누구든 상관없었다. 그저 결혼을 했고, 그로 인해 라하트가 바뀌려는 조짐을 보인다는 게 중요했다.
대세는 이미 제정신이 아닌 라하트에겐 결혼이 답이었다는 쪽으로 기울고 있었다.
굉장히 잘못된 방향으로 흐르는 듯했지만, 엘로라는 굳이 나서서 정정할 필요를 느끼지 못했다. 이 덕에 한동안 황제와 황후의 관심에서 벗어날 것을 예상했기 때문이었다. 부부 사이가 좋지 않아 보인다고 괜한 간섭을 받기 싫었다.
엘로라에게 당장 필요한 건 무관심이었다. 그래야 자유

롭게 행동할 수 있었다. 이번 만찬을 통해 아히발트를 포함한 황족이 안심을 하고 엘로라에게 관심을 주지 않을 거라는 사실이 이 잘못된 생각의 흐름보다 중요했다.

의도치 않게 얻어 갈 걸 다 얻어 가게 되었다.

잃은 게 없으니 이득이라고 할 수 있었다.

이후 만찬은 단조롭게 진행되었다. 아히발트가 말을 걸지 않아 급격히 말수가 적어진 엘로라는 차분히 식사만 했다.

대화의 흐름은 주로 아히발트와 라하트 위주로 흘러갔다. 아니면 황후와 라하트. 안타깝게도 라하트가 멍 때릴 때가 많아서 대화보다는 라하트의 정신을 깨우는 시간이 더 길었다.

그렇게 기나긴 만찬이 끝났다. 황제와 황후가 먼저 자리를 뜨고 신혼부부를 너무 오래 붙잡아 두는 것도 예의가 아니라면서 아히발트가 사라지자 엘로라는 궁으로 돌아가기 위해 일어났다.

피곤한 하루였다. 한시라도 빨리 침대에 누워 푹 쉬고 싶었다. 잔뜩 지친 엘로라의 뒤를 라하트가 말없이 쫓았다. 무시하려 했지만 저보다 훌쩍 큰 남자가 계속 뒤를 따라오니 신경 쓰고 싶지 않아도 신경 쓸 수밖에 없었다.

궁에 금은보화를 숨겨 놓은 것도 아니건만 이 남자가 왜 이러나, 생각하던 엘로라는 만찬 때 했던 빈말을 라하트가 아직 기억하고 있다는 사실을 뒤늦게 눈치챘다.

"전하."

"응?"

"그만 따라오세요."

"왜? 날 초대해 줬잖아. 둘만 있을 때 따로 얘기하자면서 다른 날짜를 잡지 않았으니 지금 가자는 거 아니었어?"

논리 한번 대단했다.

라하트는 사고 회로가 신기하게 돌아갔다. 너무나 당연하다는 듯이 말해서 마치 엘로라가 이상한 사람처럼 보였다. 엘로라는 상황을 정리할 필요를 절실하게 느꼈다.

"궁에 초대하겠다는 건 그냥 해 본 말이었어요."

"너무한 거 아니야? 나는 네 말에 잔뜩 들떠 있었는데."

정말 억울하다는 듯이 라하트가 성큼 다가왔다. 뒷걸음질하여 좁혀진 거리만큼 거리를 벌린 엘로라가 덤덤한 표정으로 라하트를 훑어보았다.

술 냄새를 풍기는 것치고 꼴은 멀쩡했다. 옷차림도 이 정도면 딱히 문제 될 건 없었고, 특히 얼굴 하나만큼은 멀끔했다. 저 보라색 눈동자가 흐리멍덩하지만 않았어도 제정신이라고 생각했을 터였다.

"오기 전에 술 마셨죠?"

"어. 어떻게 알았어?"

그런 눈빛을 하고 있는데 어떻게 모를 수가 있을까.

거울을 가져와 들이대고 싶었다. 하지만 라하트라면 제 얼굴을 보고서도 '뭐가 문제야? 아, 너무 잘생겨서 문제인가.'라는 망발을 던질 가능성이 매우 높았다.

정말 냄새가 나나 싶어 라하트가 팔을 들어 팔목에 코를 대고 냄새를 맡았다. 그러면서 “아무 냄새도 안 나는데.”라고 중얼거렸다. 코가 마비된 게 분명했다.

작게 한숨을 내쉰 엘로라는 일말의 감정도 담기지 않은 목소리로 얘기했다.

“전하께서 잔뜩 들뜬 이유는 술 때문이에요. 술을 마시면 맥이 빠르게 뛰고 흥분하게 되죠. 그러니 본인의 감정을 착각하지 마세요.”

“냉정하네.”

“전하께서 스스로를 객관적으로 살피지 못하는 것뿐이에요.”

“네가 자세히 몰라서 그렇지 난 정말 객관적인 사람이야.”

“오늘 하신 말씀 중 가장 재미있는 농담이네요.”

“정말?”

“아니요. 이것도 빈말이에요.”

내버려 두면 저 좋을 대로 망상 회로를 돌리는 사람이니 또 착각할까 싶어 차갑게 내쳤다. 무엇이 그리 즐거운지 라하트가 소리 내어 웃었다.

“내 앞에서 알맹이를 채운 말 좀 해 줘.”

“노력해 보도록 할게요.”

노력한다고 했지 당장 실천한다고 말하지 않았다.

적당히 넘긴 엘로라는 라하트를 따돌리고 궁으로 돌아가려 했다. 라하트와 하는 대화는 모두 영양가 없는 것뿐이었다. 상대가 깃털처럼 가벼운 사람이니 그럴 수밖에.

안녕을 고하려는 순간 라하트가 먼저 말을 꺼냈다.

“일단 시간은 비워 놔.”

“제가 왜요?”

“선물을 준비했거든.”

“……선물이요?”

“응. 내가 아닌 선물이 널 찾아갈 거야.”

로이스를 두고 하는 말이었다.

그가 선물이라고 부를 만한 건 현재 로이스밖에 없었다. 그 외 다른 수작을 저지르고 있지 않은 한. 찾아간다고 표현했으니 로이스를 두고 하는 말이 맞을 것이었다.

일단 엘로라는 라하트가 무슨 짓을 벌이고 있는지 몰라야 했기 때문에 아무것도 모르는 척 평소처럼 대했다.

“그 선물, 거절한다면요?”

“네가 좋아할 만한 선물이야.”

“애초에 제 의사는 필요 없다는 말이네요.”

“좋아할 거니까.”

눈이 마주쳤다. 라하트가 또렷하게 엘로라를 직시했다. 생기가 도는 보랏빛 눈동자는 확신에 가득 차 있었다. 그녀가 거부할 리 없을 거라는 확신을.

사람은 원래 선한 마음만 있는 게 아니었다. 라하트가 너무 단정 지으니 로이스를 때려치우고 싶다는 생각이 슬금슬금 들었다.

만약 로이스를 죽인다면 제대로 라하트의 뒤통수를 치게

되는 격이었다. 로즈에 이어서 로이스까지. 누가 보면 라하트가 접근했던 인물은 무조건 죽는 징크스가 있는 줄 알 것 같았다.

잠깐 나쁜 충동에 시달린 엘로라는 이내 마음을 접었다. 이왕 약속을 했으니 지켜야 한다는 올곧은 마음이 더 강했기 때문이었다.

습관이 무섭다고, 이제껏 타인에게 누가 될 만한 일은 절대 하지 않는 것이 충동을 저지하는 데 큰 힘이 되었다. 사적인 감정이 깊지 않은 이상 약속하면 꼭 지켜야 했다. 로즈의 경우가 굉장히 이례적이었다.

"이상한 거 보내시면 반송할 거예요."

"나는 반송 안 하는 쪽에 걸게."

"지금 내기하자는 게 아니에요."

"아, 미안. 습관처럼 돈을 걸 뻔했네."

이 남자, 분명 도박도 한다.

따지고 보면 술, 담배 거기다 여자도 가리지 않고 만나는데 도박이 대수겠는가. 겉으로 보면 남편뿐 아니라 인간 대 인간으로서도 최악의 조건을 가진 사람이 아닐까 싶었다.

"전하께서는 황족이 아니었으면 이미 패가망신하셨을 거예요."

"하지만 나는 황자지. 이 정도 쓴다고 재정이 기울지 않아."

지금이 볼흐라스의 황금기라고 불리는 시기가 아니었다면 라하트는 진작 폐위되지 않았을까.

본인이 양아치임을 알지만, 굳이 죄책감을 느끼지 않는 라하트를 힐끗 보다가 휘휘 손을 저었다. 어서 떠나라는 손짓이었다.

"얘기 다 끝났으면 갈 길 가세요."

"데려다줄게."

"필요 없어요."

"유령 나오면 어쩌려고."

어린아이도 아니고 계속 유령 타령이었다. 유령을 직접 보기라도 한 걸까? 아니면 유령에게 괴롭힘을 당해 트라우마라도 있는 걸까? 아모몬 궁에 있다는 유령에 대한 라하트의 올곧은 집착에 엘로라는 학을 뗐다.

"전하께서는 유령을 믿으세요?"

"있을 수도 있지. 뭐든 가능성은 열어 둬야 하잖아?"

"전 안 믿어요. 그러니 이만 가셔도 돼요."

"네가 믿지 않는다 해서 있는 존재가 사라지지 않잖아."

"적어도 거품 물고 쓰러지지는 않겠죠. 그리고 유령이면 실체도 없는데 별일 있겠어요."

"유령이 갑자기 나타나서 이렇게 저렇게 너한테 나쁜 짓을 하면 어쩌려고?"

격한 손짓으로 '이렇게 저렇게'를 표현했다. 무슨 짓을 한다는 건지 구체적으로 알 수 없지만 대충 엄청나게 나쁜 짓을 뜻하는 듯했다. 애초에 유령의 존재 여부를 믿지 않는 엘로라로서는 공감할 수 없는 말이었다.

당장 큰일이라도 일어날 듯이 호들갑을 떠는 라하트였다.

"해 봤자 얼마나 나쁜 짓을 한다고 그러세요. 그렇게 치면 무서워해야 하는 건 유령이 아니라 사람이에요."

"그러면 내가 제일 무서운가."

"전하는 예외로 치죠."

"나도 사람인데 너무하네."

라하트는 무서움과 거리가 먼 사람이었다. 지나가던 고양이도 라하트를 두려워하기는커녕 코웃음을 치며 지나갈 것 같았다.

엘로라의 단호한 부정에 웃는 얼굴로 너무하다고 한 라하트가 갑자기 짧게 고민했다. 지켜보는 엘로라로서는 이 남자가 또 어떤 독특한 발언을 할지 몰라 절로 긴장하게 되었다.

"아, 나는 무해하다는 뜻인가."

"……그렇게 들으셨다면 유감이네요."

"내 신부님은 생각보다 날 좋아하고 있구나."

"꿈꾸세요?"

대체 결론이 왜 이렇게 나는 건지.

여기서 더 대화를 이어 봤자 득 될 게 없다고 판단한 엘로라는 라하트의 어깨를 잡고 살짝 밀어내었다. 강한 힘은 아니었지만 충분히 의사를 전달할 수 있는 행동이었다.

"여기서 헤어지도록 하죠."

"아쉽네. 유령 보고 싶었는데."

유령이 두렵지 않니 뭐니 하더니 결국 목적은 따로 있었다.
계속 따라오려고 한 이유가 존재 여부도 불확실한 유령을 목격하기 위함이라니. 헛웃음도 나오지 않았다. 유령이라는 존재가 라하트의 호기심을 자극하는 부분이 있는 모양이었다.
"없으니까 돌아가요."
"감성이 메말랐어."
"유령이랑 감성은 또 다른 분야죠. 궤변 그만 늘어놓고 자러 가세요."
"난 이제 낮인데."
"예, 달이 중천에 떴으니 놀러 나가세요."
계속 대꾸해 주고 있다가는 말려드는 듯해 아예 라하트에게서 등을 보였다. 성큼 앞으로 걸어가자 그런 엘로라의 뒷모습을 빤히 쳐다보던 라하트가 문득 그녀를 불렀다.
가까운 거리임에도 불구하고 못 들은 척, 뒤돌아보지 않으려 했다. 다시 얼굴을 마주하게 되면 라하트가 원하는 대로 될 것만 같아서 더욱 단호하게 나아가려고 했다. 그런데 뒤에서 계속 신경에 거슬리는 말을 외쳤다.
"많이 화났어?"
"……."
"내가 오늘 너무 늦었지?"
"……화난 적 없어요. 그리고 약속 시간 안 지킨 게 한두 번도 아닌데 왜 그러세요. 그거 때문에 부르신 거면 정말

가 볼게요. 붙잡지 마세요."

목소리가 어쩐지 처연하여 뒤를 돌아볼 수밖에 없었다. 마음 약해지면 안 되는데. 작게 한숨을 내쉰 엘로라는 다시 가던 길을 가려고 했다. 그런 그녀를 보고서는 라하트가 다급히 물었다.

"만찬 때, 별일 없었어?"

"또 무슨 말을 하려고……."

"부모님이나 형이 네가 상처받을 만한 말을 한 건 아니지?"

알고 있는 걸까. 억지로 결혼시키기는 했어도 얼굴 탓에 썩 반기는 분위기는 아니라는 것을. 아무 생각 없이 돌아다녀서 전혀 모르는 줄 알았더니 그 정도 눈치는 있는 듯했다.

하지만 라하트가 하기에는 쓸데없는 걱정이었다. 설혹 그들이 상처를 주었다 하더라도 라하트가 무엇을 할 수 있는가. 이미 지나간 일인 데다 본인 처신도 제대로 못하는 사람인데.

엘로라와 라하트는 이혼을 목적으로 결혼했다. 그러니 외부적인 요인으로 누가 상처를 받든 말든 신경 쓰지 않아도 되었다. 어차피 헤어질 사이니까.

어찌 보면 깃털처럼 가벼운 인연이었다. 그들은.

"그런 일 없었어요. 망상 그만해요."

"다행이네. 그러면 어서 가. 아, 조만간 찾아갈 선물을 기대해!"

"아, 예."

시큰둥하게 대꾸한 엘로라는 다시 라하트에게서 등을 보였다. 이제 귀찮게 졸졸 따라올 생각을 접었는지 라하트의 발소리가 멀어지는 게 들렸다. 안심한 엘로라는 곧이어 '쿵!' 하는 커다란 소리를 들을 수 있었다.

대체 무슨 일이지? 고개를 돌리면서도 라하트가 관련된 일이라는 걸 직감적으로 느낄 수 있었다. 근처에 두 사람밖에 없는데 엘로라에게는 아무 일도 없으니, 소리의 주범은 라하트였다.

"……아야."

벽에 부딪쳤는지 엉덩방아를 찧은 라하트가 이마를 문지르고 있었다. 그 광경을 지켜보고 있자니 절로 한숨이 나왔다. 저렇게 본인 몸 하나 제대로 돌보지 못하면서 상처받을 만한 말을 들었는지 안 들었는지 물어보는 건 뭘까 싶었다.

남 걱정할 시간에 본인 몸이나 잘 챙겼으면 좋겠다. 물론 절대 그러지 않을 듯하지만.

괜히 라하트에게 다가가 일으켜 주지 않았다. 겨우 헤어지는 분위기가 되었는데 다시 가 봤자 귀찮은 일만 잔뜩 늘 거라는 걸 알고 있었다.

엘로라는 라하트를 외면했다. 제대로 일어설 수는 있는지 걱정되기는 했지만 매몰차질 필요가 있었다. 고개를 두 번 돌린 걸로 족했다.

피곤함으로 지친 몸을 이끌고, 마차를 탄 엘로라는 다시 아모몬 궁으로 돌아갔다. 어쩐지 만찬을 끝낸 직후보다 배로 피곤한 기분이었다.

⁂

궁으로 돌아온 엘로라는 가장 먼저 화장부터 지웠다. 가면처럼 두꺼운 화장을 벗겨 내자 몸이 한결 가벼워진 듯했다.

히나의 도움을 받아 보석이 주렁주렁 달린 무거운 드레스를 벗어, 잠옷으로 갈아입었다. 잘 준비를 마치고 나니 침대가 그 어느 때보다 푹신하게 보였다. 누우면 바로 깊은 잠에 빠질 것만 같았다.

"만찬은 어떠셨어요?"

"별다를 것 없었어."

엘로라의 머리를 빗겨 주며 히나가 물었다. 만찬 중에 특이한 사항이라고는 라하트의 요란스러운 등장밖에 없었지만, 그 얘기를 굳이 꺼내고 싶지 않아 시큰둥하게 대답했다.

"그러셨군요." 하고 히나가 대꾸한다. 부드럽게 머리를 빗는 손길을 느끼며 거울 속의 자신을 빤히 쳐다보던 엘로라는 문득 드는 생각에 화제를 바꾸었다.

"궁에 유령이 돌아다닌대."

"저도 그 얘기 들었어요!"
"유명한가 봐."
"네. 실제로 유령을 본 사람도 있대요."
"착각한 거겠지."
"저도 그랬으면 좋겠지만, 목격자가 한두 명이 아니라 다들 여기에 배정되길 꺼려 한 모양이에요."
"하루 만에 내보내서 다행이네."
목격자가 아무리 많다 한들 엘로라는 여전히 궁에 유령이 있다는 사실을 믿지 않았다. 사람은 원래 공포에 질리면 헛것을 보고는 했다. 소문을 사실이라 믿고 왔다면 사람과 비슷한 형체를 띠는 그 무엇을 유령이라고 생각했을 것이다. 나무나, 풀숲이나. 이런 것들을.
처음부터 있지도 않은 존재가 두려워 궁에 오길 꺼려 했다 하니, 하루 만에 시중인들을 쫓아낸 건 잘한 일인 듯싶었다. 지랄 맞은 윗사람에 매일 밤 유령이 나타날까 두려워해야 한다니. 엘로라였더라면 일주일만 지내도 화병이 났을 듯했다.
"그래도 손은 너무하셨어요."
"어쩔 수 없지. 남의 손에 찻물을 쏟을 수 없는 노릇이니까."
"속상해요."
"덕분에 일이 빨리 진행됐잖아."
달래 주기 위해 미소를 지었다. 거울을 통해 엘로라의 얼굴을 본 히나가 입술을 꾹 깨물었다. 눈길이 붕대를 감은 손으로 옮겨졌다. 눈빛에서도 속상함이 묻어나 있다.

"말 나온 김에 붕대 갈아드릴게요."

"고마워."

"저 없었으면 어쩔 뻔했어요."

약과 붕대를 가져오며 히나가 타박하듯이 말했다. 히나가 없었더라면 혼자서 약 바르고, 붕대를 감았겠지만 차마 그 사실을 입 밖으로 내뱉지 않았다. 혼자서 모두 처리했을 거라고 하면 분명 섭섭해할 테니까. 그래서 빙긋 미소만 지어 주었다.

예쁜 얼굴로 아무 말 없이 그린 듯한 미소만 지으니 히나가 한숨을 폭 내쉬었다. 말하지 않아도 대충 엘로라가 무슨 대답을 하려고 했는지 예상한 듯했다.

서로 아무 말을 하지 않았다. 고요함 속에서 히나는 꼼꼼하게 약을 바르고 단단히 붕대를 감아 주었다. 그러면서도 붕대가 아프게 조여 오지 않았다. 거듭 고맙다고 한 엘로라는 이만 히나를 보낼 시간이 왔음을 느꼈다.

"이제 잘 테니까 들어가 봐."

"네. 필요하신 것 있으시면 언제든 부르세요."

히나가 나가고, 불을 끄고 침대에 누웠다. 예상대로 눈을 감자마자 잠이 몰려왔다. 엘로라는 그대로 깊은 수마에 빠졌다.

만약 귀에 거슬리는 소리를 듣지 않았더라면 다음 날 아침까지 푹 잤을 테지만 안타깝게도 그러지 못했다.

엘로라를 깨운 건 여인의 울음소리였다. 너무 피곤하여 무시하고 계속 자려고 했지만 거슬리는 울음소리는 멈추지 않았다. 오히려 바로 옆에서 들리듯이 점점 커져 갔다.

잠이 아예 달아나 버린 엘로라는 몸을 일으킬 수밖에 없었다. 창밖을 보니 아직 밤이었다. 강제 기상이었다.

도대체 누가 오밤중에 울고 난리인가.

수면을 방해받아 인상을 와락 찡그린 엘로라는 설렁줄을 당겼다. 당긴 지 얼마 지나지 않아 벌컥 문이 열리고 히나가 들어왔다. 하얗다 못해 파랗게 질린 히나는 두 눈을 크게 뜬 채 예의도 잊고 외쳤다.

"아, 아가씨! 아가씨도 들으셨어요?!"

"누군가 우는 소리라면 확실하게 들었어."

"유령인가 봐요!"

순진하게 유령이라고 추측하는 히나를 보니 저도 모르게 웃음이 튀어나왔다. 비웃는다고 생각했는지 히나가 성큼 다가왔다.

"아가씨께서도 이 소리가 들리잖아요! 분명 궁에 유령이 있는 게 틀림없어요."

"우는 소리 하나만으로 단정 짓기는 이르지. 히나, 등불을 가져와."

"등불이요?"

"침입자라면 잡아야지."

"바깥에 나가실 생각이세요?!"

"응. 유령인 척하면서 무단으로 궁에 머무는 건 충분히 잡아갈 사유가 돼. 잡아가지 않더라도 이제는 내 궁인데 마음대로 있게 둘 순 없지."

그렇게 말한 엘로라는 베개 밑에서 단검을 꺼냈다. 라엘이 선물한 검이었다. 다수라면 몰라도 한두 명쯤은 이 검으로 제압할 수 있었다.

검집에서 검을 꺼내자 잘 벼려진 날카로움이 드러났다. 이를 지켜본 히나가 덜덜 떨기 시작했다.

"진짜 유, 유령이면 어떻게 해요?"

어지간히 유령이 두려운지 말까지 더듬었다.

안정적인 자세로 검을 잡은 엘로라는 대수롭지 않게 대꾸했다.

"차라리 유령인 게 낫지. 흉기를 지닌 사람이면 골치 아프니까."

"헉, 흉기를 지닌 사람이면 어쩌려고 바깥에 나가신다고 하세요!"

유령도, 흉기를 지닌 사람도 두려웠다.

울음소리가 나긴 했지만 정체를 알 수 없다는 점에서 충분히 두려움의 대상이 되었다. 히나는 소리의 근원을 정확히 파악하지도 않았으면서 검 하나만 믿고 나간다는 엘로라가 걱정되기 시작했다. 두려움을 넘어선 감정이었다.

"네 말대로 여기 얌전히 있는 게 안전하긴 해. 하지만 정황을 봐서는 딱히 위협이 되는 것 같지 않아. 누군가를 해칠 생각이었다면 이미 유령이 사람을 죽였다고 소문이 났을 테니까."

사람을 죽이다니!

히나는 소리 없는 비명을 질렀다.

살인과 동떨어진 삶을 산 그녀에게는 상상도 할 수 없는 참혹함이었다. 너무나 덤덤하게 반응하고 있는 엘로라가 이상하게 보일 지경이었다.

"무서우면 여기 있어."

히나가 두려움으로 인해 한 발자국 움직이는 것도 힘들어하는 듯해 근처에 있던 촛불에 불을 붙여 촛대를 들었다. 당장이라도 나갈 듯한 엘로라의 기세에 정신을 차린 히나가 그 뒤를 따랐다.

"어떻게 아가씨를 위험한 곳에 혼자 보낼 수 있어요."

"난 기절한 널 업고 다닐 만큼 힘이 세지 않아."

"기절 안 할게요."

대꾸는 잘해도 영 걱정이 될 수밖에 없었다. 침입자가 히나를 인질로 삼는다면 난처해질 테니까. 쉴 틈 없이 울고 있어 상대가 진이 빠져 있을 수도 있지만, 우는 소리가 진짜 우는 소리가 아닐 수도 있었다. 직접 마주하기 전엔 다양한 가능성을 열어 두어야 했다.

"아니야. 여기 있어."

"하지만……."

"대신 주위만 둘러보고 금방 돌아올게."

"정말요?"

"응. 약속할게."

엘로라와 시선을 마주한 히나는 어쩔 수 없이 고개를 끄덕일 수밖에 없었다. 따라가고 싶었지만, 지금 이 상태로는 짐밖에 되지 않을 것 같았다. 더불어 히나는 엘로라와 달리 마땅한 무기조차 없었다.

괜히 따라가서 짐이 될 바에 얌전히 기다리는 게 나았다. 엘로라라면 위협을 받지 않는 적정한 선에서 상황을 파악하다가 돌아올 거라는 믿음 또한 있었다.

히나가 고개를 끄덕이는 걸 확인한 엘로라는 망토를 걸치고 바로 바깥으로 나갔다. 은발을 가리기 위해 망토에 있는 모자까지 쓴 그녀의 걸음에서 두려움은 찾아볼 수 없었다.

히나를 뒤로한 채, 소리의 근원을 찾기 위해 나선 엘로라는 기척을 죽였다.

희미한 불빛이 사위를 밝혔다. 오래되었다고 생각했던 건물은 밤이 되니 더욱 흉흉하게 느껴졌다. 게다가 간헐적으로 들리는 울음소리까지 합하면 유령이 나온다는 소문이 날 만했다. 딱히 별다른 무언가가 나오지 않아도 공포감을 조성했다.

하지만 엘로라는 애초에 유령을 믿지 않았기 때문에 두렵다는 감정보다는 대체 어떻게 된 일인지에 대한 의문만 생겼다. 울음소리의 정체는 무엇일까. 들으면 들을수록 묘한 울음소리였다.

어쩌면 길을 잃은 고양이일지도 모른다는 생각이 퍼뜩 들었다.

사람이 아닌 고양이었으면 좋을 것 같았다.

반대로 사람인 데다 의도치 않게 맞닥뜨린다면 최악의 일이었다.

제발 피를 보는 일이 없기를.

주위를 샅샅이 훑어보며 소리가 나는 방향으로 나아갔다.

엘로라의 발걸음이 멈춘 곳은 정원이었다. 동시에 울음소리가 뚝 끊겼다. 주위에 사람이 있는 걸 눈치챈 걸까? 근처에 누군가 있을지도 모른다는 생각에 황급히 촛불로 사방을 밝혀 보았다.

하지만 시야에는 제대로 관리하지 않아 무성한 풀과 나무만 보였다.

어둠이 주위의 모든 것을 삼키고 있었다. 숨을 죽였다. 귀를 쫑긋 세워 소리를 들었다. 누군가가 다가온다면 바로 반응할 수 있도록. 그러나 바람만이 엘로라를 스쳐 지나갔다.

그 무엇도 다가오지 않았다. 살아 있는 생명체가 있다고 느껴지지 않았다. 죽음 같은 적막이었다.

분명 울음소리는 정원에서 났다. 사위가 어두워 촛불이 없으면 당장 눈앞에 무엇이 있는지도 알지 못했다. 온 신경을 곤두세운 채 서 있던 그녀는 결국 날이 밝으면 다시 와 보기로 결정했다.

발걸음을 돌렸다. 방으로 돌아오자 히나가 힘껏 달려왔다. 엘로라는 히나의 얼굴을 보자마자 안절부절못하고 잔뜩 걱정하고 있었음을 알 수 있었다.

“아가씨! 괜찮으세요?”

“응. 괜찮아.”

“혹시 유령을 보셨어요?”

“아니. 아무것도 못 봤어.”

정말 아무것도 보지 못했다. 그 무엇도.

“아무래도 날이 밝으면 다시 확인해 봐야 할 것 같아.”

“황실에 요청해서 따로 사람을 불러야 하는 건 아닐까요?”

“아니. 그건 안 돼.”

히나의 제안을 단호히 거절했다. 정체 모를 존재를 아무리 찾기 힘들다 하더라도 여기서 주목을 받아선 안 됐다. 황궁 사람을 끌어들일 바에 차라리 매일 밤마다 울음소리를 듣는 게 나았다.

“괜히 일을 크게 만들어 사람들의 시선을 끌 필요는 없어. 우리의 목표는 마치 죽은 듯이 이 궁에서 사는 거야. 알겠지?”

“……예. 알겠어요.”

썩 내켜 하지 않았지만 엘로라의 말이니 어쩔 수 없이 고개를 끄덕였다.

당장이라도 외부에서 사람을 불러들여 저 괴기한 울음소리의 정체를 밝혀내고 싶건만, 엘로라는 너무나 덤덤했다.

일단 지금은 울음소리가 그쳐서 딱히 무섭다는 생각은 들지 않았으나 매일 저 소리를 들어야 한다는 생각에 몸서리치는 히나였다.

대충 상황을 정리한 엘로라는 다시 침대에 누워 잠을 청하려 했고, 슬슬 눈치를 보던 히나는 돌아가려고 했다. 그런데 밖으로 나가기 위해 한 발자국 내딛는 히나의 모습이 부자연스러워서 결국 그녀를 불렀다. 진짜 유령이라도 본 듯, 깜짝 놀란 히나가 뜨끔하며 엘로라를 돌아봤다.

"아, 아가씨. 부르셨어요?"

"무서우면 여기서 자고 가."

"제가 어떻게 그럴 수 있겠어요. 돌아갈게요."

"히나. 내가 괜찮아. 그리고 여기에 우리밖에 없으니 예의를 지킬 필요도 없어."

"그래도……."

혼자 자기에는 무섭고, 그렇다고 같이 자기에는 스스로가 용납되지 않았다. 원칙상 제안을 뿌리치고 나가야 하는데 두려움이 너무 커서 그러지 못하는 게 보였다.

엘로라는 차마 선택을 내리지 못하는 히나를 다정하게 달래 주었다.

"괜찮아. 침대도 넓은걸."

안심하라는 의미로 미소를 지으며 손바닥으로 팡팡 침대를 쳤다. 그러나 이렇게 해도 히나가 곧장 결정을 내리지 못하여 아예 손을 잡고 이끌었다.

마지못한다는 듯이 침대에 눕게 된 히나가 자리가 불편한지 손을 꼼지락거리더니 이내 편하게 누웠다. 그런 히나의 머리칼을 쓸어 준 엘로라는 두 눈을 감았다.

채 풀리지 않은 고단함이 몰려왔다. 정체 모를 존재 때문에 이게 무슨 고생인가 싶었다. 다시 잠들기 위해 모로 누운 엘로라는 나지막한 부름을 들었다.

"아가씨."

"응."

무슨 말을 하려는지 머뭇거리던 히나가 겨우 질문을 내뱉었다.

"아가씨께서는 유령이 무섭지 않으세요?"

"너는 유령이 왜 무서워?"

"예?"

역으로 질문을 받으리라고 생각한 적 없어 당황한 히나가 곰곰이 고민해 보았다.

막상 떠올려 보면 유령이라는 존재가 화들짝 놀랄 정도로 무섭다고 인식되기만 했지 정확한 이유는 없었다. 살면서 유령에게 해코지를 당한 적도 없었고.

인상이 찡그러질 정도로 열심히 고민을 한 히나가 겨우

대답을 내놓았다.

"……정확히 알 수 없는 존재잖아요. 어디서 나타나 놀라게 할지도 모르고, 어떤 식으로 해를 끼칠지도 모르니까 무서워요."

"그렇지. 파악되지 않은 존재니까 두려움을 느끼는 거지. 하지만 역으로 생각하면 정체를 알게 되면 더는 무섭지 않다는 거잖아."

"……."

"세상은 알 수 없는 것투성인데 굳이 유령이라는 존재에 두려움을 가질 필요가 없다고 생각해. 그리고 애초에 나는 그 존재를 믿지 않아."

"소리를 들으셨잖아요!"

"소리가 존재의 전부는 아니지."

히나는 이런 엘로라의 생각을 이해하지 못하는 듯했지만, 어찌 되었든 엘로라는 소신껏 발언했으니 되었다고 생각했다.

모든 사람이 같은 생각과 가치관을 가질 수는 없는 노릇이었다. 히나라 하여 모든 의견이 맞는 건 아니었다. 그들은 다른 사람이었고, 각기 다른 걸 보고 자랐다.

"두려움은 믿음에서부터 시작되는 거야."

말을 끝맺은 엘로라는 베개에 얼굴을 파묻었다.

그리고 간헐적으로 퍼지는 정체불명의 울음소리를 듣지 못할 정도로 까무룩 잠들었다.

황궁에 도착한 첫날 밤이 그렇게 지나갔다.

해가 뜨자마자 절로 눈이 떠졌다. 상체를 일으켜 기지개를 켠 엘로라는 주위를 둘러보았다. 평범한 아침이었다. 항상 그녀가 보던 광경이 아니라는 것만 제외하면 지극히 평범했다.

엘로라가 일어나자 옅게 잠들어 있던 히나가 기척을 느끼곤 눈을 떴다. 처음에는 어리둥절해하던 히나는 곧 상황을 파악하고 다급히 자리에서 일어났다.

무슨 생각을 하고 있는지 표정에서 빤히 드러나 엘로라는 작게 소리 내어 웃었다. 유쾌한 아침이었다.

황궁 소속 사람들을 모두 내보냈기 때문에 모든 일은 히나가 도맡아 해야 했다. 작은 일부터 큰일까지. 히나는 먼저 세숫물을 가져오겠다며 방을 떠났다. 가만히 보고 있자니 그 모습이 다른 때보다 분주했다.

애초에 혼자 궁에 왔다면 스스로 했어야 할 일이었기에 엘로라는 얌전히 있기만 하지 않고 옆에서 거들어 주었다. 처음에 기겁하던 히나는 결국 엘로라의 고집을 이기지 못했다.

입궁했다기보다 둘만 어디로 피신 온 기분이 들었다. 그것도 꽤 나쁘지 않아 아침부터 기분 좋은 상태로 식사를 하고 가벼운 외출복으로 갈아입었다. 둘만 있어 화장을 따로 하지 않아도 된다는 점은 편했다. 시종들을 어렵사리 내쫓은 보람이 있었다.

준비를 마친 엘로라는 챙이 넓은 모자를 쓰고 정원으로 나가 보았다. 울음소리의 근원지였다. 날이 밝았으나 두려움은 여전한 건지 히나가 뒤에서 조심스럽게 따라왔다. 성큼성큼 걸어가는 엘로라와는 대조적인 걸음이었다.

그렇게 정원에 도착한 엘로라는 눈앞에 펼쳐진 광경을 보고 순간 말이 나오지 않았다. 화창한 날인 터라 정원의 상태가 적나라하게 드러나 있었다. 어둠 속에서는 볼 수 없었던 광경이었다.

"생각보다 상태가 더 심각한데."

급하게 보수 작업을 하느라 신경 쓸 곳이 너무 많아 정원은 미처 손대지 못한 듯했다. 아니, 손대긴 손댔는데 너무 난장판이라 하다가 만 걸지도 몰랐다.

어찌 됐건 자연 그대로의 모습이었다.

정원이라기보다는 차라리 숲이라고 부르는 게 더 옳은 것 같았다.

"어쩌실 거예요?"

정원 꼴을 보고 있자니 히나도 막막한 듯, 형용할 수 없는 이상한 표정으로 정원을 보다가 힐끗 엘로라의 눈치를 봤다. 한숨을 내쉰 엘로라는 결정을 내렸다.

"일단 침입자의 흔적이 있는지 둘러보자. 만약 그 존재가 유령이라면 해가 떠 있으니까 모습을 드러내지 않을 거야."

어둠이 아닌 밝은 곳에 있으니 유령을 두려워했던 자신이 조금 부끄러워진 듯, 히나의 얼굴이 빨개졌다. 그런 히나를 짧게 쳐다본 엘로라는 단잠을 깨운 울음소리의 근원지를 찾아내기 위해 이동했다.

정원을 거닐던 엘로라는 이 정도로 관리를 안 했으면 없던 유령도 나타날 것 같다는 것과 심심할 때마다 와서 관리를 해 줘야겠다는 생각을 했다.

이혼하자마자 떠날 거라 하여도 최소 1년에서 2년은 이곳에서 지내야 했다. 그런데 산책하기 위해 정원으로 나올 때마다 이런 꼴이면 스트레스만 쌓이지 않을까 싶었다.

"생각보다 해야 할 일이 많겠어."

오늘만 해도 비밀 통로가 제대로 있는지 확인해야 했다. 어제 너무 피곤하여 미룬 일이었다. 그리고 정원 가꾸기도 시작하고, 겸사겸사 로이스가 되어 그림까지 그리면 한동안 심심할 일은 없을 듯했다.

정리하고 보니 결혼 후에도 여전히 바빴다.

정원을 가꾸는 계획을 세우며 엘로라는 히나와 힘을 합쳐 정원을 꼼꼼히 뒤졌지만 사람의 흔적은 없었다. 그저 무성한 풀이 숲을 이루고 있을 뿐. 울음소리가 날 만한 것은 그림자조차 보이지 않았다.

정원을 두 바퀴 빙 돌고 나서 이상한 게 없다는 결론이 내려졌다. 히나는 유령이 있다는 쪽으로 마음이 기울고 있는 듯했다. 낙후된 궁의 환경이 이런 히나의 가설에 추를 얹고 있었다.

"히나."

"네, 아가씨."

"일단 오늘은 황궁 탐방을 한 후 날이 지기 전에 다시 정원으로 돌아오자."

"저, 정원에는 어째서요?"

날이 지기 전이라고 했건만 마치 깜깜한 밤중에 돌아오자고 했다는 듯이 히나가 기겁했다. 울음소리가 났던 이곳은 여전히 두려움의 대상이었다. 날이 밝아 감정이 희석된 거지, 만약 사위가 어두웠다면 지금쯤 덜덜 떨고 있을 거였다.

히나의 두려움을 읽은 엘로라는 불쑥 장난기가 들었다. 짐짓 진지한 척 목소리를 깔고 말했다.

"정원을 방치한 탓에 분노한 정원의 요정이 울고 있는 게 아닐까, 하는 생각이 들거든."

"요정이요?!"

이번에는 '요정'이라는 괴생물체가 엘로라의 입에서 나오자 히나가 두 눈을 크게 떴다. '요정'을 운운하면서도 웃음기라고는 찾아볼 수 없었던 탓인지 히나는 엘로라의 말을 곧이곧대로 믿었다. 만약 요정에 대해 주절주절 설명했더라면 요정이 정말 있다고 믿을 듯한 기색이었다.

토끼 눈이 된 히나를 보고 웃음을 터트린 엘로라는 손을 저으며 분위기를 다시 가볍게 만들었다.

“농담이야. 요정은 핑계고, 매일 볼 곳인데 난장판이니 마음이 썩 좋지 않네. 당장은 햇볕이 따가우니 무리고, 열이 좀 식을 때쯤 정원을 가꿔 보자.”

“하루 이틀 해서는 티가 안 날 것 같아요.”

“이제 우리에게 남아도는 게 시간이잖아. 어차피 시간 때울 만한 게 필요했으니 차근차근 해내는 거지. 뭐든 한 번에 이룰 수 없으니까.”

티끌 모아 태산이었다. 하루가 모이고 모여 일 년이 지났다.

조금씩 가꾸어 나가면 궁에서 나갈 때쯤엔 이 정원도 원래 모습을 찾을 수 없을 정도로 바뀌어 있지 않을까.

엘로라는 풀숲이 무성한 정원을 둘러보았다. 정원을 가꾸면서 겸사겸사 침입자의 흔적을 발견할 수 있으면 더할 나위 없었다.

푹 자야 다음 날을 산뜻하게 맞이하는 법이었다. 누군지 모르겠지만 매일 밤마다 잠을 깨우면 없던 신경질도 생길 것 같았다. 지금은 첫날이라 별 느낌이 없어도 1년, 2년, 3년을 지내다 보면 조용히 자는 게 평생 소망이 돼 있을 것이었다. 그러기 전에 범인을 찾아내길 바랄 뿐이었다.

“정원은 다 둘러봤으니 이제 가자!”

비밀 통로를 찾으러!

사실 울음소리의 진원을 찾아내는 것보다 비밀 통로를 찾는 걸 가장 기대하고 있었다.

볼흐라스가 제국이 아닌 왕국이었을 때부터 존재했던 미지의 통로! 그곳을 방문하는 첫걸음! 마치 모험가가 된 듯한 기분에 엘로라는 잔뜩 들떠 있었다.

"아가씨, 위험한 건 아니겠죠?"

반면 히나는 유령인지 뭔지 모를 존재가 비밀 통로에 숨어 있는 건 아닐까 걱정하고 있었다. 워낙 오래된 건물이다 보니 어떤 위험이 도사리고 있을지 짐작도 되지 않을 법했다. 하지만 히나가 던진 조심스러운 물음에 엘로라는 고개를 저었다.

"위험했더라면 아버지도, 오라버니도 아예 얘기를 꺼내지 않았을 거야."

아버지나 에곤이라면 분명 한번 확인하고 엘로라에게 알려 줬을 것이다. 본인이 먼저 지나가 봤을 수도 있고, 사람을 시켜 조용히 확인을 거쳤을 수도 있었다.

엘로라가 이곳저곳 쏘다닐 걸 뻔히 아는데 무턱대고 자료를 넘겨줄 사람들이 아니었다.

"히나는 아르미트가의 유능함을 믿지?"

"네."

다른 건 몰라도 능력 하나만큼은 인정해 줘야 했다. 피로 엮인 가족이 아니었더라도 엘로라는 분명 그들을 대단하다고 생각했을 것이다.

황제는 아르미트 가문이 볼흐라스 건국부터 시작하여 대대로 황실에 충성을 맹세한 가문인 걸 다행으로 여겨야 했다. 만약 반대파였더라면 꽤 골치 아파졌을 테니까.

집에서는 평범한 한 가정의 아버지이고, 오라버니들이지만 어떤 일을 이룩해 냈는지 세간의 소문으로 충분히 알 수 있었다. 대단한 사람들이었다.

새삼 자신이 대단한 가문에서 태어났음을 깨달은 엘로라는 뿌듯함을 느끼며, 머릿속에서 지도를 펼쳤다. 무수히 많은 비밀 통로가 잘 이어져 있는지 확인할 시간이었다.

# 07. 로이스의 수난 시대

## 07. 로이스의 수난 시대

며칠 동안 이어진 황궁 탐방은 무사히 끝낼 수 있었다. 워낙 오래되어 먼지가 쌓였다거나, 거미가 집을 만들어 놓았다거나 하는 점 빼고는 통로 모두 지도에 표시된 그대로 위치해 있었다. 물론 세월의 흐름을 생각한다면 위 사항은 문제점도 아니었다.

밤마다 간헐적으로 들리는 울음소리도 며칠 지나니 그러려니 하게 되었다. 원래 인간은 환경에 적응하는 동물이었다.

히나는 아직 유령이 있는 궁이라고 믿어 두려움에 떠는 듯했다. 그건 울음소리가 아예 사라질 때까지 엘로라가 어찌해 줄 수 없는 원초적인 공포였다.

처음에는 마치 잘못 끼워진 퍼즐 조각처럼 아모몬 궁에 있는 게 어색했던 그들이었다. 하지만 시간이 지날수록 적응하게 되었다.

정원도 차차 가꾸고, 황궁 탐방을 무사히 끝낸 그날. 엘로라는 드디어 로이스로 활동하기로 마음먹었다. 정확한 날짜를 기약한 것이 아니라 언제 행동하느냐는 순전히 엘로라의 마음에 달려 있었지만 빨리 시작해서 빨리 끝내는 것만큼 이상적인 일이 없었다.

그간 라하트의 행적을 돌이켜 본다면 언제 입궁하느냐고 들들 볶을 만도 한데 잠잠했다. 참을성을 기르기라도 한 것처럼. 로즈 때는 그토록 조급해했다는 걸 떠올린다면 믿을 수 없는 일이었다.

그게 또 예상한 바와 달라 신경이 쓰였다.

라하트에 대해 떠올리면 조금 이상한 기분이었다.

명확히 정의할 수 없는, 그런 기분.

좋지도 나쁘지도 않다. 모호했다.

로이스로 변장한 엘로라는 히나의 머리에 은색 가발을 씌워 주었다. 오늘 하루, 엘로라는 병약한 화가 로이스였고 히나는 라하트의 하나뿐인 신부인 엘로라였다.

이 역할을 수행하기 위해 히나와 함께 입궁한 거였다. 엘로라가 둘로 쪼개지지 않는 이상, 무조건 둘이어야 가능한 일이었다.

꼼꼼하게 히나까지 변장시켜 주고 기지개를 켰다. 오랜 시간 화장에 몰두해서 그런지 어깨가 뻐근했다. 한 사람이면 몰라도 두 사람이었다. 두 배로 고생한 격이었다. 타인을 화장해 준 적은 없다 보니 살짝 힘에 부쳤다.

엘로라가 가볍게 스트레칭을 하는 동안 히나가 빤히 거울을 쳐다보았다. 거울 속에 담긴 자신의 얼굴을 오랫동안 주시했다. 아무 말 없이 보기만 하고 있으니 너무 못생겨서 충격받은 건 아닐까 걱정이 될 정도였다.

히나는 원래 못생긴 얼굴이 아니었다. 하지만 그 어여쁜 얼굴도 못생기게 만드는 엘로라의 화장술이다. 히나의 귀여운 얼굴은 흔적도 남기지 않고 사라졌다.

히나와 엘로라의 이목구비가 다른 탓에 완벽하게 똑같지는 않더라도 최대한 못난이 엘로라를 흉내 냈다. 눈동자 색이 아예 같다고 할 수 없지만 히나 또한 벽안이었고, 체격도 비슷한 데다 은색 가발까지 썼으니 웬만해서는 히나가 가짜라는 것을 구별해 내지 못할 거였다.

어차피 저 못생긴 얼굴을 똑바로 쳐다볼 수 있는 얼굴은 몇 되지 않았다.

기껏해야 라하트만이 다르다는 사실을 알아낼 것이었다. 그는 항상 엘로라의 얼굴을 직시하며 대화했으니까. 한 번도 못생겼다는 이유로 피하지 않았다.

인생 참 기구했다. 다른 이도 아닌 망나니 황자만이 알아볼 차이라니.

"너무 못생겨서 충격받았어?"

"예?!"

엘로라의 물음에 히나가 화들짝 놀랐다. 그제야 자신의

얼굴에서 시선을 떼고 엘로라를 쳐다봤다. 살짝 혼란스러움이 담긴 시선이었다.

"살짝 놀랐어요. 아가씨가 화장하는 걸 지켜볼 때도 그랬지만…… 직접 해 보니 기분이 묘하네요."

"내 얼굴 같은데 내 얼굴은 아니고, 미묘하지? 처음에는 그래. 자주 봐서 익숙해지는 것밖에 답이 없어. 그리고 혹시 모를 외부 방문 때문에 나인 척하는 거니까 너무 부담 갖지 마."

"예……."

엘로라의 차분한 반응에 진정이 된 듯했다. 가볍게 히나의 어깨를 토닥여 주고 밖으로 나갔다. 비밀 통로로 가는 엘로라를 히나가 뒤쫓았다.

"아가씨. 언제쯤 돌아오세요?"

"그러게. 되도록 일찍 오려고 노력하긴 하겠지만 전하의 성격을 생각하면……."

아무래도 늦지 않을까.

라하트는 절차에 맞춰 빠르게 일을 진행하는 유형이 아니었다. 아마 쓸데없는 말도 많이 하고, 쓸데없는 행동도 많이 하여 일 진행이 느릴 듯했다.

엘로라는 미소를 지으며 말을 끝맺었다.

"최대한 일찍 돌아오도록 노력해 볼게."

"네. 조심하세요."

"응, 너도."

벽에 걸려 있는 액자를 오른쪽으로 네 번 돌리자 숨겨져 있던 통로가 모습을 드러냈다. 지하로 내려가는 계단이 그 끝을 알 수 없게 이어졌다.

사위를 밝힐 촛불을 든 엘로라는 적막이 감싼 어둠을 향해 걸어갔다. 시간이 지나자 뒤에서 문이 닫히는 소리가 들렸다. 촛불이 없었다면 완벽한 어둠이었다.

엘로라는 묵묵히 걸었다. 계속 걸어가다 보니 물소리가 들렸다. 지하 수로에 가까워졌다는 증거였다. 이 비밀 통로는 지하 수로와 이어져 있었다.

수로에 도착한 엘로라는 길을 따라갔다. 이전에 한 번 와봐서 눈에 익은 길이었다.

이쯤 돼서 올라가면 되었지, 하고 생각할 때쯤 사다리가 보였다. 그대로 사다리를 타고 바깥으로 나갔다.

황궁과 멀찍이 떨어진 골목이었다. 인적이 드문 골목이기 때문에 누구도 엘로라가 지하에서 올라온 걸 보지 못했다. 그곳에서부터 다시 걸어서 황궁으로 돌아갔다.

다행히 미리 언질을 해 두었는지 로이스라는 이름을 대자 별다른 절차 없이 궁에 들어갈 수 있었다. 하지만 일이 잘 풀리는 건 반대의 경우가 있다는 거였다.

응접실로 안내된 엘로라는 라하트가 궁에 없어서 기다려야 한다는 얘기를 들었다. 한 번 외출하면 외박도 서슴지 않고 하는 라하트의 성격상, 아마 오래 기다려야 할지도 모른다는 것 또한. 히나에게 일찍 돌아가겠다고 약속했는데 그 약속을 지키기가 생각보다 어려울 것 같았다.

최소한 전날이라도 연락을 했었어야 한다는 생각에 아차 싶었다. 이건 분명 엘로라의 실수였다. 그 성정을 깜빡하고 라하트가 얌전히 황궁에서 기다려 줄 줄 알았다. 한시도 가만히 있는 남자가 아니라는 걸 알면서 간과하고 말았다.

응접실에 있는 소파에 앉게 된 엘로라는 이대로 얼마나 기다려야 할지 가늠도 되지 않았다. 늦게 돌아간다 하여 불이익을 받는 건 없었지만, 아무것도 하지 않고 시간을 죽여야 한다는 게 참 난감했다.

일단 라하트에게 손님이 찾아왔다고 연락해 보겠다고는 하는데, 수도 어딘가에 있을 라하트를 찾는 것도 일이었다. 여기저기 쏘다닐 테니 찾는 것이 보통 일은 아니겠지. 차라리 황궁이 아닌, 지나가는 길에 술집에서 라하트를 발견하는 게 더 빠를 것 같았다.

모자를 푹 눌러쓴 엘로라는 바닥만 쳐다보았다. 얼마 지나지 않아 시녀가 들어와 다과를 내어 왔다.

딱히 입에 대고 싶은 생각은 없었지만 남는 게 시간이었다. 바닥만 내려다보며 멍하니 있는 것보다 뭐라도 입에 넣어야 지루함을 달랠 수 있을 것 같았다. 입에 단 게 들어가면 그냥 다 때려치울까, 하는 충동도 누를 수 있을 듯하고.

내일 또 온다고 하고 당장 돌아가는 것도 나쁘지 않았지만, 웬만하면 하루라도 빨리 일을 처리하고 싶었다. 라하트가 얼마나 늦을지 모르니 조금만 기다렸다 안 되면 돌아가자고 마음먹은 엘로라는 차를 마셨다.

차와 과자를 조금씩 먹고 있자니 주위를 둘러볼 여유가 생겼다. 그녀를 지켜보는 사람은 없었다. 고개를 든 엘로라는 뒤늦게 응접실이 어떻게 꾸며졌는지 구경할 수 있었다. 그리고 한쪽 벽을 보자마자 입이 딱 벌어졌다.

"……세상에."

벌어진 입술이 다물어지지 않았다. 흔들리는 시선으로 벽에 걸린 그림을 보았다. 분명 엘로라가 그린 그림이었다. 전시회에서 비싼 값을 주고 낙찰했다고 하니 걸어 두지 못할 것도 없었다.

하지만 가장 사람이 많이 오가는 응접실에 떡하니 걸려 있으니 심장이 빠르게 뛰고 무어라 형용할 수 없는 감정이 치솟았다.

라하트가 그림이 마음에 들어서 걸어 두라고 직접 지시한 걸까? 그도 아니면 마구잡이로 사 온 그림을 보고 시녀장이 아무 데나 걸어 둔 것일까?

그림을 산 건 단순히 라하트의 돈지랄이라고 생각했다. 그는 돈을 물 쓰듯이 펑펑 쓰는 자이니까. 전시회에 있는 그림을 모두 사들인 건 로이스를 포섭하기 위해 밑밥을 깔아 둔 거라고 추측했다. 그러니 창고 어딘가에 먼지가 쌓여도 모를 만큼 처박혀 있어도 이상할 것 없었다. 하지만 아니었다. 그림이 마음에 들었다는 말은 거짓이 아니었던 것 같았다.

하필이면 가장 아끼는 그림을 이곳에 걸어 두다니.

로이스의 마지막 작품이 될 거라 생각했던 침잠하는 여인.

수면 아래에 은발을 흩날리는 여인을 빤히 쳐다보았다.

누군가가 다가오는 줄도 모르고.

"오래 기다렸어?"

"아, 아닙니다."

기척을 느끼지 못했다. 화들짝 놀란 엘로라는 재빠르게 고개를 숙였다. 낯을 가린다고 미리 말을 해 둔 탓인지 라하트는 별다른 지적을 하지 않았다. 대신 엘로라를 빤히 내려다보다가 살짝 부정확한 발음으로 말을 꺼냈다.

"오늘은 어쩐지 여기서 자고 싶더라. 자려고 가는 길에 네가 날 찾아왔다는 소식을 듣고 뛰어왔어."

엘로라는 저도 모르게 창밖을 보게 되었다. 태양이 떠 있었다. 제 존재감을 눈부실 정도로 알리는 대낮이었다.

밤도 아니고 해가 중천에 떠 있는 이 시간에 자려고 왔다니. 게다가 뛰어왔다고 했지만 라하트는 숨이 찬 기색도 없었다. 힐끗 보니 머리칼도 단정했다.

저 망나니가 손님을 보러 오기 전에 제 모습을 확인했을 리는 없으니, 뛰어왔다고 착각하고 있는 모양이었다. 은은히 풍기는 술 냄새가 이를 입증했다.

라하트가 한 말은 두 문장뿐인데 어디서부터 지적해야 할지 모르겠다. 언제나처럼 아예 지적하기를 포기한 엘로라는 대꾸하지 않고 가만히 있었다.

고개를 숙인 채 미동도 하지 않고 있는데 코앞에 불쑥 무언가가 나타났다. 담배였다.

혼자서 하기에는 심심한지 라하트가 담배 한 개비를 건네주었다.

"한 대 피울래?"

빠르게 고개를 저었다. 명확한 거절이었다.

그녀는 비흡연자였다. 더불어 로이스 또한 비흡연자였다.

"죄송하지만 몸이 안 좋아서……."

"그럴 것 같았어."

애초에 받아 줄 거라 생각하지 않고 그냥 건네준 것이었는지 시큰둥하게 반응한 라하트가 그대로 담배를 입에 물었다. 그리고는 맞은편 자리에 앉았다.

딱히 먼저 말을 걸어야 할 분위기가 아니라서 조용히 있었다. 그런데 이때쯤이면 나야 할 담배 냄새가 나지 않았다.

공기가 맑았다. 연기가 폴폴 나야 함이 정상인데. 의문을 느낀 엘로라는 고개를 들었다. 흐리멍덩한 시선으로 저 너머, 어딘가를 바라보며 담배를 물고만 있는 라하트가 시야에 잡혔다.

"안 피우세요?"

"……담배 연기 마시면 네가 바로 쓰러질 것 같아서 자제하고 있어."

잠시 다른 세상에 갔다 왔는지 대답이 한 박자 늦었다. 분명 한 공간에 있는데 서로 다른 곳에 있는 기분이었다.

대화를 주고받을 수 있다는 사실 자체가 신기하게 느껴질 지경이었다.

"일하라고 불러 놨는데 기절하면 곤란하잖아."

"그렇죠."

걱정해 주는 듯한데 어딘가 꺼림칙함을 느낀 엘로라가 일단 동조했다. 다행히 말투에 사적인 감정이 묻어 나오지 않았다.

엘로라는 혹여나 말투에서 본심이 묻어 나올까 봐 바짝 긴장해야 했다.

"오늘부터 그릴래? 준비는 다 해 놨어."

"예, 오늘부터 시작해도 괜찮습니다."

빨리 시작해서 빨리 끝내면 엘로라야 좋았다. 선뜻 긍정했건만 무엇이 걸리는지 라하트가 고민하는 기색을 보였다. 엘로라는 생각에 푹 빠진 그를 내버려 두었다.

작동을 멈춘 듯, 꽤 오랫동안 그 시간이 이어졌다. 기다리는 시간이 지루하여 하품이 나오려고 할 때쯤에야 라하트가 입을 열었다.

"아, 아니다. 내 신부님부터 찾아가 볼래? 아마 지금쯤 잔뜩 기대하고 있을 거야. 어쩌면 설레서 밤잠 못 자고 있을지도 모르지."

못 자고 있는 건 맞는데, 그것이 정체 모를 울음소리 탓이지 라하트가 준다는 선물 때문에 설레서 그런 건 아니었다. 어떻게 해야 저런 생각을 할 수 있을지 의문이었다. 망상도 망상 나름이지. 순간 인상을 찌푸릴 뻔한 엘로라는 겨우 표정을 갈무리했다.

“네 얘기를 바로 꺼내면 재미없으니까 간단하게 암시만 해 놓았거든. 네 얼굴을 보자마자 깜짝 놀랄걸.”

“그렇군요.”

얼굴을 보니 진짜 설렘이 가득한 건 엘로라가 아니라 라하트인 듯했다. 살짝 올라간 입꼬리나, 주절주절 떠벌리는 모양새를 보아하니 이날이 오기를 적잖이 기대하고 있었던 것 같다.

이때까지 로이스를 조용히 기다려 준 게 대단하다는 걸 다시금 느끼게 됐다.

아무것도 모르는 척, 라하트의 말에 동조했다. 주절주절 얘기를 꺼내 놓던 라하트가 벌떡 일어났다. 도저히 말로만 해서 성에 차지 않는다는 표정이었다.

“겸사겸사 담소라도 나눠야지. 같이 가자.”

“예?”

그들은 사이좋게 담소를 나눌 만한 사이가 아니었다.

일단 엘로라가 알기로는 그러했다. 그런데 라하트는 너무나 자연스럽게 나가려고 했다.

같이 가자는 건 빈말이 아니었다. 연기도 아니었고. 모두 진심이었다. 잔뜩 들뜬 라하트의 얼굴을 보니 엘로라는 말문이 막혔다.

“얘기를 나누다 보면 너무 재미있어서 시간 가는 줄도

모를 정도야. 가는 김에 유령도 만났으면 좋겠다."

망할 놈의 쾌락주의.

엘로라는 라하트를 위한 광대가 아니었다. 골이 아파와, 머리를 짚고 싶은 걸 꾹 참았다.

분명 오기 전에 연락하라고 그렇게 얘기를 했는데 귓등으로 들었는지 또 막무가내로 나왔다. 얌전해질 때가 없는 남자였다.

콧노래까지 부르는 걸 보니 내버려 두면 정말 같이 따라갈 기세였다.

라하트라면 은색 가발을 쓴 히나를 보자마자 진짜 엘로라가 아님을 눈치챌 거였다. 다른 이는 몰라도 라하트라면 분명했다.

최악의 시나리오다. 상황이 복잡하게 흘러갈 게 뻔히 보여 다급히 라하트를 불렀다.

"저, 전하!"

일단 부르긴 불렀는데 뒷말이 곧장 떠오르지 않았다. 최대한 둘만 알고 있는 사항에 대한 언급은 하지 않으면서 라하트를 뜯어말려야 했다.

마음 같아서는 작작 하고 얌전히 있으라고 하고 싶지만 그게 되지 않았다. 그의 신부 입장으로 있었다면 계약에 대한 얘기라도 꺼낼 텐데 로이스는 그러지 못했다. 머리를 굴렸다. 당장 라하트를 말릴 만한 말이 필요했다.

"……아무런 말 없이 가면 불편해하시지 않을까요?"

"깜짝 선물의 묘미지."

아니, 당신은 선물이 아니잖아!

본인까지 왜 묶어서 선물하려고 하는지. 은근슬쩍 끼어들려는 의도가 명백했다. 뻔뻔한 라하트의 작태에 엘로라는 흥분하지 않고 최대한 이성적으로 말하려고 노력했다.

"비전하께서도 여인이신데 갑자기 찾아가면……."

"싫어하려나."

"네!"

소리가 너무 크게 나왔다. 이 상황에서 너무 긍정하는 모습을 보여도 이상하게 여겨질 수 있었다. 말을 내뱉고 나서 라하트가 수상하게 생각할까 봐 잔뜩 걱정했는데 딱히 개의치 않아 하는 듯했다.

다행이었다. 가끔 보여 주는 날카로운 모습이 지금 나타나지 않아서 정말 다행이었다.

"그건 좀 곤란한데. 지금이라도 연락할까?"

"제가 먼저 가서 상황을 파악하겠습니다."

엘로라는 재빨리 기회를 잡았다. 혼자 가겠다는 의사를 담았다. 혹 라하트가 거절할까 봐 그럴듯한 명분도 만들어냈다.

"가서 분위기가 괜찮으면 전하에 대한 얘기를 꺼낼 테니 일단 쉬고 계시는 건 어떠십니까. 피곤해 보이시네요."

"그래 보여? 오는 길에 잠 깼는데."

"눈이 충혈되셨어요."

라하트가 피곤해 보이는 건 하루 이틀 일이 아니었다. 웃고 있을 때는 좀 나았지만 멍하니 있을 때면 술 때문인지 퀭해 보였다.

하지만 엘로라는 지금 유독 피곤해 보인다는 식으로 얘기했다. 눈이 충혈된 것도 거짓이 아니니 방금 만든 명분치고는 꽤 그럴싸했다.

"자주 빨간 눈이 되는 병을 앓고 있어서 그래."

"……아. 그러시군요."

저번에는 한곳에 얌전히 못 있는 병을 앓고 있다고 하더니 이제는 빨간 눈이 되는 병이라고 한다. 말만 들으면 희소병이란 희소병은 다 앓고 있는 사람 같았다.

물론 엘로라는 이 모든 게 거짓말임을 알았다. 피곤 탓으로 자주 눈이 충혈되는 걸 병이라고 일컫고 있는 거겠지. 끝까지 라하트는 자신만의 화법을 구사하고 있었다.

속으로 한숨을 내쉰 엘로라는 혹, 단순 병일 뿐이니 같이 가자고 고집부리는 건 아닐까 걱정했다. 하지만 걱정이 무색하게도 라하트가 의외로 순순히 보내 주었다.

"한숨 자고 있을 테니 갔다 와."

이번에는 좋아하는 티를 너무 내지 않기 위해 고개만 끄덕였다. 빠르고 현명하게 선택을 내려 줘서 다행이었다.

"네가 피곤해 보인다고 하니까 잠 온다."

라하트가 길게 하품했다. 겉으로만 피곤해 보이는 게 아니라 실제로 피곤한 듯, 지그시 두 눈을 감았다. 침실로 가지 않고 이대로 응접실 소파에서 자려는 듯했다.

엘로라는 라하트가 변심하기 전에 조용히 자리에서 일어났다. 기척을 죽이고, 응접실을 나가려는데 벽에 걸린 그림을 보고 우뚝 제자리에 서게 되었다.

그림이 낯선 공간에 걸려 있다는 것 자체가 어색하게 느껴졌다.

"저 그림이 제일 마음에 들어서 걸어 뒀어."

뒤에서 라하트의 목소리가 들렸다. 고개를 돌리니, 그는 흐리멍덩한 시선으로 그림을 쳐다보고 있었다. 사실 피곤해서 그런 건지 아니면 술기운 탓에 그러는 건지 정확히 구분이 가지 않았다.

"……영광입니다."

"너도 저 그림이 가장 마음에 들지?"

"좋아서 그린 건데 우선순위가 있겠습니까."

"그래? 왠지 이 그림을 가장 공들여 그렸을 거라고 생각했는데 아니었나 보네. 어쨌든 난 마음에 들어. 저 그림."

말을 끝낸 라하트가 늘어지게 하품했다. 하품하는 모습을 빤히 쳐다보는 것도 실례라서 엘로라는 그림으로 시선을 옮겼다. 그림은 미동 없이 그 자리를 지키고 있었다. 변한 건 없었다.

"저번에 은발에 대해 물었잖아."

"네, 그랬었죠."

또 무슨 얘기를 꺼내려고 하는 걸까.

아무렇지 않은 척하며, 어떤 말이 나와도 태연하게 대답하기 위해 긴장했다.

"그 뒤로 생각해 보니 물의 요정을 모티브로 삼고 그린 것 같은데 괜한 질문을 했던 것 같아. 난처했다면 미안."

"아닙니다. 그럴 수 있죠."

볼흐라스 건국 초는 신화시대였다. 현재 남은 문서나 그림, 구전되는 설화에서 요정은 심심찮게 나왔다.

신뿐만 아니라 요정 또한 종종 그림 모델이 됐기 때문에 라하트가 저리 생각하는 것도 이상할 건 아니었다. 흔치 않은 은발인 데다 배경이 물이니. 의도치 않게 한고비 넘겼다.

"그녀에게 꼭 내 얘기 해 줘야 해."

"예."

피곤에 전 목소리였다. 어쩐지 지친 것 같기도 하고.

라하트가 보지 않음을 알면서도 꾸벅 고개를 숙여 인사를 하고, 응접실을 나왔다.

대기하고 있던 시녀에게 사정을 얘기하자 따라오라고 했다. 고개를 푹 숙인 그녀는 시녀의 발꿈치를 쳐다보며 묵묵히 그 뒤를 따라갔다.

히나와 한 약속대로 일찍 돌아가는 길이었다.

궁에 배속된 시녀를 모두 쫓아내는, 이 충격적인 사건에 대한 소문이 쫙 퍼졌기 때문에 화가 로이스를 아모몬 궁까지 안내한 시녀는 그를 응접실까지 데려다주었다. 원래 아모몬 궁에 배정된 시녀가 해야 하는 일이지만 두 사람밖에 남지 않은, 휑한 궁이었다. 심지어 히나는 엘로라 행세를 하는 중이라 그들을 반겨 줄 만한 사람은 없었다.

우여곡절 끝에 다시 아모몬 궁에 도착한 엘로라는 응접실에서 히나를 만날 수 있었다. 두 사람이 한자리에 앉는 걸 확인한 시녀는 제 할 일을 다 했다고 판단했는지 떠났다. 외부인의 존재로 인해 침묵을 지키던 두 사람은 그녀가 나가자마자 입을 열었다.

"엄청 일찍 오셨네요?"

"기다리는 것밖에 안 해서 그래."

실제로 라하트를 기다리는 시간이 제법 길었다. 기다리는 시간만 아니었다면 거의 나가자마자 돌아오는 수준이었을 것이다.

"오늘 일과는 끝나신 거예요?"

"아니. 아직 해야 할 일이 남았어. 히나, 심부름 하나만 부탁할게."

"네. 어떤 일이든 맡겨만 주세요."

"일단 화장을 지우고 와. 옷도 원래대로 갈아입고."

"네."

고개를 끄덕인 히나가 자리에서 일어났다. 잠시 손가락으로 테이블 위를 두드리던 엘로라 또한 자리에서 일어나 종이와 펜을 들고 왔다. 아무래도 타인의 입을 빌리는 것보다 자필 편지를 남기는 게 라하트가 납득하기 쉬울 거라는 판단 때문이었다.

함께 있을 때 얘기하지 않았지만, 이대로 시간이 지나면 라하트는 로이스를 제 궁에 묵게 하려 들 것이었다. 일전에 얘기할 때 언급했던 사항이기도 하고. 하지만 미쳤다고 라하트의 궁에서 지내겠는가. 괜히 일을 복잡하게 만들 필요는 없었다.

펜을 잡은 엘로라는 고민 끝에 서두를 열었다. 히나가 화장을 지우고, 옷을 갈아입은 후 다시 돌아왔을 때는 편지지를 곱게 접어 봉투에 넣고 있었다.

"히나. 이 편지를 라하트 전하께 전해 줘. 지금쯤 주무시고 계실 테지만 웬만하면 편지 읽는 모습을 확인하고 와."

돌발 행동을 할지 모르니까.

편지를 읽고 마음에 안 든다는 이유로 마구잡이로 쳐들어온다면 난감했다.

히나는 엘로라가 방금 라하트를 만나고 왔는데 그에게 편지를 건네주라고 하니 의아한 모양이었다. 하지만 그들

관계는 마음 터놓고 대화를 나누는 친구가 아니었다. 엘로라가 하는 일에 토를 달 수 없기 때문에 호기심을 누른 히나가 고개를 끄덕였다.

"다녀올게요."

"응, 갔다 와."

히나를 보낸 엘로라는 이만 화장을 지우기로 했다. 더는 로이스로 있을 필요가 없었다. 대신 곧 사람들이 올 테니 못난이 엘로라로 있어야 했다. 바쁜 그녀였다.

라하트의 피곤한 얼굴을 떠올리니 히나가 꽤 늦게 올 것 같은 예감이 들었다. 히나에게는 지루한 시간일 테지만 엘로라에게는 충분히 준비할 수 있는 시간이었다.

방에 들어가 가발을 벗은 엘로라는 방금 적은 편지 내용을 떠올렸다. 편지의 대략적인 내용은 이러했다.

깜짝 선물이 굉장히 마음에 들며, 너무 마음에 들어서 그림이 완성될 때까지 로이스를 아모몬 궁에 두어 이곳에서 계속 그림을 그리게 하겠다는 거였다. 선물이니 이 정도는 양보해 주실 수 있을 거라는 내용 또한 추가해 놨다.

로이스는 주에 총 세 번, 라하트의 초상화를 그리기 위해 방문할 것이며, 이의가 있다면 무조건 편지로 답을 해야 한다고 적어 놓았다.

만약 이를 어기고, 아무런 언질 없이 찾아온다면 계약을 이행하지 않겠다는 뜻으로 간주하고 불이익을 주겠다는 것으로 편지를 마쳤다.

한마디로 제멋대로인 데다 반쯤 협박이 담긴 편지였다.

충분히 무례하다고 여길 수도 있었다. 평범한 사람이 이 편지를 읽는다면 엘로라를 두고 말괄량이라며 혀를 찰 만했다.

그러나 엘로라는 원래 성격이 지랄 맞다고 알려져 있었다. 조신하고 고상한 영애가 아니었다. 라하트 또한 이를 알고 있고, 상대가 조신하고 고상한 평범한 영애였다 하더라도 이 정도 무례쯤은 눈감아 주는 남자였다. 본인도 제멋대로이니 타인에게 뭐라 하지 않았다.

그러니 황당한 계약에도 수락한 것이고, 로이스에게 초상화를 그려 달라고 부탁한 것이다. 상식이라는 선을 넘은 사람이었기에 모두 가능한 일이었다.

다시 못난이 엘로라로 돌아오고 나니 얼마 후 히나가 돌아왔다. 화구를 잔뜩 들고 온 장정과 함께였다. 아모몬 궁에 널리고 널린 것이 빈방이었기 때문에 그들은 엘로라가 지정해 준 방에 화구를 내려놨다.

그들이 로이스가 쓸 화구를 들고 왔다는 건 라하트가 편지 내용에 이의를 달지 않았다는 의미였다. 그렇게 계획대로 차근차근 진행되어 갔다.

화구를 옮긴 사람들이 떠나고 히나와 엘로라, 두 사람만 남자 히나가 조심스럽게 엘로라를 불렀다.

"아가씨."

"응, 히나."

"라하트 전하께서 이 말을 꼭 전해 달라고 하셨어요."

고개를 갸웃거렸다. 히나의 표정이 썩 좋지 않았기 때문이었다.

딱히 모진 말을 할 상황은 아니었는데 히나가 왜 저런 반응을 보이는지 알 수 없다. 엘로라의 의아한 시선을 받으며 마른침을 삼킨 히나는 조심스럽게 말을 꺼냈다.

"선물만 너무 예뻐하는 것 같아서 섭섭하니 한 번쯤은 놀러 오시래요."

"……."

"그리고 그…… 라하트 전하, 본인도 예뻐해 달라고…… 그렇게 얘기하셨어요."

말을 더듬었다. 라하트가 했던 어휘를 그대로 사용하는 게 힘들어 보였다. 듣는 엘로라도 당황스러운데 히나는 오죽할까.

겨우 마침표를 찍은 히나는 숨을 크게 들이켰다. 저도 모르게 안쓰러운 시선으로 그런 히나를 바라보게 됐다.

"내가 힘든 일 시켰지? 수고했어."

엘로라는 히나의 어깨를 토닥여 주었다. 라하트의 저런 말에 면역이 전혀 없는 히나로서는 아주 힘든 여정이었을 것이었다.

게다가 히나는 라하트를 좋아하지도 않았다. 아르미트 가문에 몸담은 사람이 다들 그렇듯 비호감에 가까웠다.

다 듣고 나서 차마 입 밖으로 내뱉지는 않았지만 이 남자

뭐지 싶었을 거다. 그건 엘로라도 항상 느끼는 감정이었다.

예뻐해 달라니. 마음에도 없는 소리를 또 남 앞에서 잘도 했다.

평범한 남자였다면 수치스럽다는 이유로 그런 말을 안 했을 텐데 역시 뼛속부터 바람둥이 기질이 넘쳐흐르는 남자였다. 진지하게 한 말이 아니라, 그냥 농담 삼아 한 말임을 아는 엘로라는 이번에도 라하트의 말을 흘려들었다.

진심으로 예뻐해 주는 일은 절대 없을 거였다.

이래도 되는 걸까 싶을 정도로 일이 순조롭게 풀린 덕에 엘로라는 평화로운 나날을 보낼 수 있었다. 일찍 일어나 식사하고, 그림을 그리다가 햇볕이 덜 따가울 때 나가 난장판인 정원을 가꾸었다.

아르미트 저택에 있을 때도 따로 하는 일이 없으면 취미 생활을 했기 때문에 결혼했다 하여 삶이 크게 변한 건 아니었다. 장소만 바뀌고, 행동에 제약이 생겼다는 것뿐이다. 그마저도 딱히 불편하지 않은 게 엘로라는 비밀 통로를 알고 있었다. 이를 통해 언제나 바깥에 나갔다 올 수 있었기에 이 생활도 나름 괜찮다고 받아들였다. 물론 이혼하겠다는 생각은 변함없었지만.

평화로우면서 부지런하게 움직이는 날이 지나고, 오늘은 라하트의 초상화를 그려 주기로 한 날이었다. 이른 시간부터 히나를 변장시켜 주고 자신은 로이스로 변장한 엘로라는 모자를 쓰고 장갑을 끼는 것을 잊지 않았다.

저번에 입은 화상은 하루 이틀 만에 사라질 상처가 아니었다. 불편해도 계속 장갑을 껴야 라하트의 의심을 피할 수 있었다. 작은 부분 하나라도 엘로라, 그녀를 떠올리게 해서는 안 됐다.

히나의 배웅을 받고 라하트를 보러 갔다. 아예 약속 시간을 정해 두었기 때문에 라하트는 궁에서 얌전히 기다리고 있었다.

그림 그릴 환경은 라하트 측에서 미리 준비해 놨고, 라하트가 어디로 새지 않아 기다리는 시간도 없었기에 이젤 앞에 서는 건 금방이었다.

부담스러운 점이 한 가지 있다면 실내를 로이스의 그림으로 꾸며 놓았다는 것 하나뿐이었다. 낯선 장소에 걸려 있는 제 그림을 보고 있자면 어색한 기분이 들었다. 시선이 계속 그쪽으로 향했다.

하지만 지금 같은 일이 처음은 아니었다. 이미 응접실에 걸린 그림도 본 전적이 있었다. 어색하다 하더라도 한두 번 보고 말 것도 아니니 익숙해져야 했다. 되도록 신경 쓰지 않도록 노력했다.

라하트가 단상 위로 올라갔다. 그리고 의자에 앉았다. 습관처럼 삐딱하게 앉던 그가 턱을 괴며 물었다.

"자세는 어떻게 할까?"

"편하신 대로 앉아 계세요."

여기서 '편하신 대로'의 의미는 얼굴이 잘 나오는 정자세를 일컬었다. 그도 그럴 것이 웬만한 귀족이라면 '편한 자세로 앉아 계세요.'라는 말에 허리를 꼿꼿이 세우고 턱을 살짝 들었기 때문이다. 예의를 중시하는 그들에게 정자세는 일상이었다.

제아무리 망나니라 불려도 황족이기에 엘로라는 당연히 그가 정자세로 앉아 있을 줄 알았다. 하지만 이어지는 라하트의 말에 그녀는 당황하고 말았다.

"나는 누워 있을 때가 제일 편한데. 누울까?"

"아니, 그건 좀……."

"안 돼?"

"……네. 조금 곤란해요."

라하트는 벌써 눕기 위해 자세를 잡고 있었다. 곤란하다는 말에 살짝 난처한 기색을 띤다. 실제로 난처한 건 엘로라였다. 망나니라도 태생은 황족이라고 생각했건만, 망나니는 그냥 망나니였다. 너무 무리한 요구를 해 버리고 말았다.

"곤란하다고 할 거면 편한 대로 앉으라고 말해선 안 되지."

"제가 실언했습니다."

"그럴 수 있어."

특별히 아량을 베푼다는 듯이 라하트가 대꾸했다.

어이가 없었지만 로이스는 아무 힘도 없는 가난한 화가였다. 황당한 감정을 겉으로 드러내서는 안 됐다.

나는 로이스다. 로이스다.

아무렇지 않은 척해야 한다.

엘로라는 그렇게 속으로 되뇌었다.

"내가 어떻게 앉길 바라?"

"허리를 세우시고 바른 자세로 앉아 주세요."

엘로라의 요구대로 라하트가 순순히 바른 자세로 앉았다.

입을 다문 채 꼿꼿하게 허리를 펴고 앉아 있는 라하트는 그럴싸해 보였다. 다른 건 몰라도 껍데기만큼은 인정할 만했다. 그러나 문제가 하나 있었다.

"됐어?"

"음, 죄송하지만 전하."

웬만해서는 바로 작업에 들어가고 싶었으나 시선이 너무나 강렬했다. 라하트가 엘로라를 뚫어져라 쳐다봤다. 그 시선이야 캔버스에 가려지겠지만 은근히 부담스러웠다. 모자를 쓰고 있어도 적나라하게 느껴지는 시선에 엘로라는 결국 결단을 내렸다.

"의자 각도를 살짝 다르게 하는 게 좋을 듯싶습니다."

"어떤 식으로?"

"잠시 일어나 주세요."

엘로라는 직접 단상 위로 올라가 의자를 45도 돌렸다. 이러면 부담스러운 시선을 피할 수 있었다. 만족스럽게 의자를 내려다보고 있는데 성큼 다가온 라하트가 의자를 원상 복구시켰다.

"이러면 벽만 보고 있어야 하잖아. 그건 별로야."

확실히 그 자세로 앉으면 보이는 건 휑한 벽뿐이긴 했다.

라하트의 시야 따위 딱히 신경 쓰지 않았던 엘로라는 반대쪽을 보았다. 반대 방향으로 45도 돌리면 그림이 걸려 있었다. 라하트 또한 로이스의 그림을 퍽 마음에 들어 했으니 이번에는 괜찮을 거라고 생각했다.

"반대 방향으로 할까요? 마침 벽에 그림이 걸려 있네요."

"아니, 원래대로 하자."

단호했다. 절대 물러섬이 없는 라하트의 반응에 머리를 짜냈다. 적당한 구색이 필요했다. 꼭 이 각도로 앉아야만 하는. 그러지 않으면 그림 그리기 위해 라하트의 얼굴을 볼 때마다 자신을 부담스럽게 쳐다보는 자안과 마주하게 될 터였다.

이유는 만들어 내기 나름이었다. 번뜩 떠오르는 생각에 엘로라는 한순간 간사한 아첨꾼에 빙의하여 말했다.

"전하, 이 각도로 있으면 얼굴이 더 잘생겨 보일 거예요."

"난 원래 잘생겼어. 여기서 더 잘생겨 보일 수는 없으니 괜찮아."

"아, 예……."

본인이 잘생긴 걸 누구보다 잘 알고 있는 남자였다. 그 사실을 간과했다.

아침끈에 빙의하여 라하트를 잘 구슬리려고 했던 계획은 어긋났다. 의욕을 잃은 엘로라는 원상태로 돌아온 의자를 힐끗 보고 단상 아래로 내려왔다. 의지가 꺾이니 구색이 더는 떠오르지 않았다.

"모자는 안 벗을 거야?"

"예."

"우리가 아직 친해지지 않았다는 증거네."

고작 두세 번밖에 보지 않았건만, 마치 십년지기 친구가 아직도 낯을 가리고 있다는 듯이 말했다. 모자를 벗을 생각이 전혀 없는 엘로라는 적당히 라하트의 말을 넘겨들었다.

친해질 일이 없을뿐더러 친해질 생각도 없었다.

"좋아. 그러면 어서 시작하자."

"예, 알겠습니다."

연필을 들었다. 백지에서부터 시작하니 먼저 스케치를 해야 했다.

예상대로 얼굴 형태를 잡기 위해 라하트를 볼 때마다 눈이 마주쳤다. 얌전히 앉아 있어야만 해서 심심한 탓인지 그는 시선을 떼지 않았다. 그들 사이에 커다란 캔버스가 있음에도 불구하고 어쩐지 온몸이 따끔따끔했다.

"하품해도 돼?"

"네. 하품 정도는 마음껏 하셔도 돼요."

라하트가 하품했다. 잘생긴 얼굴은 어디 가지 않는지 크게 입을 벌리며 하품해도 잘생긴 건 잘생긴 거였다. 하품을 다 하고 다시 자신을 바라보는 시선을 느끼며 엘로라는 그림에 집중했다. 피사체 자체는 나쁘지 않은 탓에 잘 그려야 한다는 의욕이 솟구쳤다.

지금 그리고 있는 건 결국 엘로라의 작품이었다. 앞에 있는 사람이 라하트가 아니었어도 완벽한 결과물을 내야 한다는 생각으로 열심히 그리긴 했을 테지만 모델이 좋으면 느낌이 또 다르다는 걸 깨달았다.

그동안 불손한 언행에 가려져서 정확히 와닿지 않았지만 분위기를 잡고 얌전히 있으니 본인 입으로 잘생겼다고 해도 이상할 게 없다는 걸 실감하게 됐다. 얼굴에 자신 있어 할 만했다.

눈, 코, 입. 얼굴형은 물론이고 이목구비 하나 잘못 위치하면 라하트의 얼굴이 나오지 않았다. 라하트의 얼굴을 그대로 유지하되, 화가 특유의 그림체는 유지해야 했다. 말이 쉽지 실제로 행하려면 여간 어려운 일이 아니었다.

처음에는 라하트와 눈을 마주치는 게 부담스러웠지만 막상 그림에 집중하니 신경 쓰이지 않았다. 엘로라의 모든 신경이 캔버스에 집중됐다.

스케치라고 하여도 이목구비 배열을 정하는 과정이기에 까다롭게 진행되었다. 엘로라는 차분한 시선으로 라하트가 어떻게 생겼는지 세세하게 관찰했다.

들었던 바와 다르게 라하트는 조용한 모델이었다. 몇 번 하품을 하거나 얼굴에 지루한 기색을 띠긴 했지만 평소처럼 실없는 말을 하여 분위기를 깨는 일은 없었다. 덕분에 오롯이 그림에만 몰두하는 시간을 가질 수 있었다.

"로이스."

제법 긴 시간이 흐르고, 참다못한 라하트가 로이스를 불렀다.

그림 그리는 데에 푹 빠지기도 했고 '로이스'를 본인 이름으로 인식하지 못한 엘로라는 침묵했다. 이를 눈치챈 라하트가 방금보다 더 큰 소리로 로이스를 불렀다.

"로이스!"

"예, 예?!"

"지루하다. 잠깐 쉬자."

그제야 정신을 차린 엘로라는 고개를 끄덕였다.

어찌나 몰두했는지 억지로 이곳에 끌려온 듯이 어안이 벙벙했다. 엘로라는 천천히 두 눈을 깜빡였다.

조금 더, 조금 더 그리고 싶었다. 하지만 모델이 잠깐 쉬자고 하니 어쩔 수 없었다. 흐름이 중간에 깨진 건 안타깝지만 언제라도 다시 집중할 수 있을 거라는 믿음이 있었다.

엘로라가 연필을 쥔 제 손을 멍하니 바라보는 동안 라하트는 '으쌰' 하고 자리에서 일어났다. 불편한 자세로 너무 오랫동안 앉아 있었던 탓인지 온몸이 굳어 버린 느낌이었다. 아니, 느낌이 아니라 실제로 굳은 듯했다.

조금 더 편한 의자로 바꾸라고 말해야겠다고 생각하며, 라하트는 그 지루한 시간 동안 그림이 얼마나 그려졌는지 확인하기 위해 한 발자국 내디뎠다.

그리고 순간 몸이 균형을 잡지 못해 앞으로 고꾸라졌다. '앗' 하는 사이에 기우뚱 기울어진 몸체가 바닥에 처박혔다.

우당탕탕.

요란한 소리가 사위를 울렸다. 정신이 번쩍 든 엘로라는 황급히 그에게 다가갔다.

"괜찮으세요?!"

"으……, 응."

라하트를 일으켜 주었다. 소리가 요란스러웠던 것치고 눈에 띄는 생채기는 없었다. 옷차림이 흐트러진 것쯤은 대충 손보면 되었다. 코가 빨개진 것을 제외하고는 멀쩡한 얼굴이다.

"혼자서 걸으실 수 있겠어요?"

"응, 아마도."

뒤에 덧붙인 '아마도'가 걸렸지만 본인이 할 수 있다고 하니 엘로라는 한 발자국 뒤로 물러섰다. 멍하니 두 눈을 깜빡이던 라하트는 곧이어 어색하지 않은 걸음으로 이젤 앞에 섰다. 진척 상황이 궁금한 모양이었다.

아직 스케치도 덜 끝낸 캔버스를 확인했다. 그 모습을 옆에서 지켜보던 엘로라는 괜히 마른침을 삼켰다.

이 그림이 라하트의 마음에 들지 않을 수도 있었다. 제

아무리 엘로라라고 하여 항상 타인을 완벽하게 만족시키는 것은 아니었다. 타인의 만족은 본인의 노력과 별개의 문제였다.

상대는 볼흐라스의 망나니인 라하트이기 전에 의뢰인이었기 때문에 혹여나 부정적인 말이 나올까 봐 긴장하게 되었다.

라하트가 캔버스를 빤히 쳐다봤다. 자칫하면 구멍이 뚫리겠다 싶을 정도였다. 침묵이 길어지자 애가 타는 사람은 엘로라였다. 변심한 걸까. 힐끔힐끔 라하트의 얼굴을 흘겨보았지만 그가 무슨 생각을 하고 있는지 전혀 알 수 없었다. 평소와 같이 흐리멍덩한 눈동자였다.

"저……."

혹시 스케치가 마음에 들지 않는다면 다시 그리겠습니다, 라고 하려던 찰나였다.

여전히 캔버스를 주시한 채 라하트가 말을 가로챘다.

"역시 선만 봐도 잘생겼네. 모델이 좋으니까 좋은 그림이 나올 거야."

"예? 예……. 그러겠죠."

외모에 대한 엄청난 자신감이다.

엘로라는 얼떨결에 긍정하고 나서야 라하트가 그림이 마음에 들지 않아서 침묵했던 것이 아님을 깨달았다. 본인의 잘생긴 얼굴을 그려 놓았다는 것 자체가 만족스러워 저런 반응을 보이는 걸지도 몰랐다. 그리는 사람은 상관없고,

피사체가 완벽하니 그림도 완벽할 거라는 나르시시즘에 기초한 사고방식일 수 있었다.

라하트의 속내를 완전히 읽을 수 없으니 좋은 게 좋은 거라고 생각하기로 했다. 그림이 마음에 들지 않는다며 거부당하는 것보다 나았다.

라하트는 혼자서 고개를 주억거리다가 몸이 뻐근한지 기지개를 켰다. 그래도 몸이 영 불편한지 인상을 찡그렸다. 이제까지 라하트가 한 일이라고는 기껏해야 하품하기 위해 입을 몇 번 쩍 벌린 것뿐이었다. 그 사실을 알고 있는 엘로라는 라하트의 저런 반응을 이해했다.

"가만히 있느라 죽는 줄 알았네. 이렇게 가만히 있었던 건 잠잘 때 빼고 처음일 거야. 내 신부님은 이 지루한 시간을 어떻게 견뎌 냈어?"

"비전하께서는 초상화가 아닌 풍경화를 요청하셨습니다."

"그래서 그 궁에 남아 있는 거구나."

딱히 그런 이유는 아니지만 라하트가 오해하도록 내버려 두었다. 새로운 거짓말을 짜내기보다 알아서 오해하게 두는 것이 편했다.

못생긴 얼굴이 콤플렉스인 사람이니 풍경화를 요청할 것이라고 지레짐작하고 있었는지 로이스가 초상화가 아닌 풍경화를 그리는 것에 대해 라하트는 바로 납득했다. 진실은 못생긴 얼굴과는 별개로 거짓된 얼굴을 화폭에 담고 싶지 않다는 이유였지만 이 또한 마음속에 묻어 두었다. 한 번

속이기 시작하니 이렇게 차곡차곡 거짓말이 쌓여 갔다.

"그러면 오늘은 여기까지 하고 친목 도모를 하러 나가 볼까."

"……예?!"

"정리는 다른 사람한테 맡기고 어서 가자."

"친목 도모라니요. 처음 듣는 얘기인데요."

"사람과 사람이 만났는데 친해질 필요가 있잖아. 안 그래?"

"아니, 저는……."

전혀 친해질 필요를 느끼지 못하는데요.

로이스의 성격을 유지하면서도 유하게 거절하기 위해 고민하느라 말을 흐렸다. 하지만 라하트는 고민할 시간도 주지 않았다. 애초에 로이스의 의견은 받아 주지 않으려고 했는지 벌써 저 멀리 가 있었다.

기척도 느끼지 못했는데 언제 저기까지 간 걸까. 잠시 한눈을 팔았을 뿐인데 쌩하니 달려간 남자는 들떠 보였다.

"가자!"

막무가내였다. 손을 흔드는 라하트를 보며 엘로라는 머뭇거렸다. 친해지고 싶은 마음이 개미 눈물만큼도 없었다. 저번에 미룬 친목 도모는 까마득하게 잊었을 거라고 생각했는데 라하트를 너무 과소평가했다. 굉장한 집착이었다. 라하트가 남색가일지도 모른다는 가설이 다시 떠오를 정도였다.

엘로라는 재빠르게 머리를 굴렸다. 이 상황을 타개할 만한 묘책이 필요했다. 머리 굴리는 소리가 라하트에게 들릴 정도로 오래 시간을 끌면 수상하게 여길까 봐 마음이 급해졌다.

고민하느라 엘로라가 가만히 서 있으니 라하트가 "로이스?" 하고 그녀를 불렀다. 그 부름을 듣자마자 숨을 고른 엘로라는 그대로 허리를 숙였다. 남은 방법은 한 가지밖에 없었다.

"전하, 제가 몸이 안 좋아서……. 콜록콜록."

피를 토할 듯이 기침을 쏟아 냈다. 몸이 격하게 흔들렸다. 하나도 아프지 않은 목을 혹사시키니 없던 병도 생길 듯한 느낌이 들었다.

라하트는 처음 한두 번 기침할 때는 가만히 서서 멀뚱히 지켜보다가 정말 죽을 듯이 기침하고 있으니 다가왔다. 혹 연기인 게 들킬까 봐 고개도 들지 못한 엘로라는 자칫하면 바닥을 뒹굴 기세로 격렬하게 기침했다.

"아까까지는 괜찮았잖아. 갑자기 왜 그래?"

목소리에서 당황함이 묻어 나왔다. 라하트가 조심스럽게 어깨를 잡았다.

"의원을 부를까? 많이 아파?"

"아, 아닙…… 니다."

의원을 부르면 거짓말이라는 게 들통난다. 황급히 고개를 저은 엘로라는 적당히 아픈 척했어야 하는 건데, 하고 후회했다. 그 전에 아픈 기색이라도 보였어야 하는데 갑자기 아픈 티를 팍팍 내니 라하트가 어쩔 줄 몰라 했다. 어쩌면 꾀병인 걸 의심하고 있을 수도 있었다.

"여기 있어. 내가 의원을 불러올게."

"아니, 전하……!"

엘로라는 의원을 불러오기 위해 나가려는 라하트의 옷깃을 다급하게 붙잡았다.

의원이 와서는 안 됐다. 지금 기침이 가짜라는 건 물론이고, 원래 있다고 했던 지병 또한 없다는 것을 들킬 테니 의원 근처에도 가서는 안 됐다.

들킬지도 모른다는 생각에 하얗게 질린 엘로라가 라하트의 옷깃을 꽉 잡았다. 손이 떨릴 정도로.

장갑 낀 손이 제 옷깃을 부여잡은 채 애처롭게 떨리는 것을 내려다보던 라하트가 다정히 물었다.

"왜 그래? 많이 안 좋아?"

라하트가 허리를 숙여 눈높이를 맞췄다. 고개를 든 엘로라는 심각한 얼굴을 한 라하트를 볼 수 있었다.

눈이 마주쳤다. 꾀병이라고는 전혀 의심하지 않는 얼굴이었다.

흐리멍덩하지만 걱정이 가득 담긴 보랏빛 눈동자를 바라보고 있자니 양심이 콕콕 찔렸다. 라하트는 지금 진심으로 걱정해 주고 있었다. 너무 요란하여 한 번쯤 의심할 법도 한데. 전혀 그러지 않았다. 이상한 데에서는 날카로우면서 이럴 때는 무디다.

"……괜찮습니다."

"괜찮지 않던데. 어디 안 새고 금방 의원을 불러올게."

"아니요, 괜찮아요."

엘로라는 결국 아픈 척하는 걸 그만두기로 했다.

미친 듯이 기침을 쏟아 내다가 갑자기 멀쩡해지면 그건 또 이상하니, 예의상 몇 번 기침을 하고는 허리를 폈다.

나쁜 짓 하는 것도 적성에 맞아야 하는 거다.

시도 때도 없이 양심이 찔려서 꾀병도 부릴 수가 없었다.

만약 라하트가 조금 다른 반응을 보였으면 계속 속여서 얼렁뚱땅 상황을 빠져나왔을 테지만 바보 같을 정도로 올곧은 걱정이라니. 차마 거짓말을 계속할 수 없었다.

"무리하지 않아도 돼. 내일도 날이니까 서두를 것 없지."

"……혹시 오늘 친목 도모를 하러 나가면 다음에 안 가나요?"

"아니, 만날 때마다 놀러 갈 건데. 내 목표는 네가 내 앞에서 모자를 벗을 정도로 친해지는 거야."

모자를 벗기면 누가 땅이라도 준다고 했나? 제국의 황자씩이나 되면서 평민의 모자를 벗기는 것에 집착하는 걸 이해하지 못했다.

근본적으로 라하트가 집착하는 건 모자를 벗기는 것이 아닌 친해지는 것이지만 어쨌든 둘 다 엘로라는 이해할 수 없었다.

로이스는 길거리를 지나가면 흔히 볼 수 있는 평민이었

다. 굳이 특이한 점이라고 할 만한 건 병약함뿐이었다.

한마디로 사이가 틀어져도 상관없다는 뜻이었다.

그에게 큰 힘이 되어 줄 대부호나 고위 귀족이면 몰라도 어째서 흔하디흔한 평민과 친해지려고 기를 쓰는 것일까.

사람이란 본디 제 이익을 취해 움직였다. 이유 없는 친절은 없었다. 그런데 라하트는 아프다는 그 말을 아무런 의심 없이 믿어 주고, 친해지려고 노력하고 있었다. 정말 알 수 없는 사람이다.

"정말 의원을 부르지 않아도 괜찮겠어?"

"예, 약 챙겨 왔으니 괜찮아요. 걱정을 끼쳐 드려 죄송합니다. 전하."

"사람이 아플 수도 있지. 넌 어릴 때부터 아팠다며."

"예? 예……."

"지병 탓인가? 그리 어리지 않다고 알고 있는데 왜소해도 너무 왜소해."

그야 원래 여자니 당연했다. 키는 여자로 치면 평균이고 체형은 마른 편이니 남장을 하면 어떤 짓을 하더라도 왜소해 보일 수밖에 없었다.

체형은 지방이 고무줄이 아니니 어떻게 손쓸 수가 없어 키라도 커 보이기 위해 일부러 굽이 있는 신발 안에 깔창을 넣었다. 하지만 도구를 사용하는 것에는 한계가 있었다. 최대한 늘리고 늘려도 남자치고는 작았다.

모자를 푹 눌러쓴 엘로라를 아래에서 위로 훑어본 라하

트가 고개를 끄덕였다. 매끼마다 귀리죽만 먹었을 듯한 이 작은 화가에게 해 줄 수 있는 게 떠올랐기 때문이었다.

"좋았어. 맛있는 걸 먹으러 가자. 되도록 기름진 걸로."

"……맛있는 거요?"

"오늘 목표는 최대한 많이 먹는 거야. 알겠지?"

"예……, 예?!"

엘로라는 이 대화의 흐름을 종잡을 수 없었다. 지병이 있어서 왜소하니 많이 먹이겠다는 이건가? 조금 전까지만 해도 미친 듯이 기침하던 사람과 어떻게 이런 식으로 대화할 수 있는지.

얼떨결에 고개를 끄덕인 엘로라는 라하트에게 끌려갔다. 딱히 가고 싶은 마음은 없었지만 걱정이 가득했던 보랏빛 눈동자가 마음에 걸렸다. 올곧은 믿음은 항상 엘로라의 양심을 아프게 했다.

사실 라하트를 따라가면서도 걱정이 들었다. 오늘뿐만 아니라 앞으로 계속 친목을 다지자고 할 것 같은데 그때마다 또 어떻게 거절해야 할지 골치 아팠다.

차라리 포기하고 지금처럼 친목을 다지는 척하는 게 좋은 선택일지도 몰랐다. 대충 시간을 때우고 헤어지면 되니까.

엘로라가 선뜻 결정을 내리지 못하는 사이 벌써 황궁 밖으로 나왔다. 오늘은 결국 라하트를 따라갈 수밖에 없는 날인 듯싶었다.

그들이 도착한 곳은 주점이었다. 다행히 외관은 멀쩡한

가게였다. 매일 술을 달고 사는 데다 여자 관계가 복잡하다는 얘기도 있는 남자이다 보니 은연중에 퇴폐적인 업소에 가는 건 아닐까 지레짐작하고 있었는데 분위기 자체는 건전했다.

엘로라는 어색하게 라하트의 맞은편 자리에 앉았다. 이와 반대로 제집처럼 편안하게 앉은 라하트는 종업원이 메뉴를 갖다주자마자 일말의 고민도 하지 않고 바로 주문했다.

"여기서부터 여기까지 있는 거 다 줘."

"전하!"

최대한 많이 먹이는 게 목표라고 호언장담해도 그렇지 이건 너무 과했다. 음식점에 있는 메뉴를 모두 시키다니. 하얗게 질린 엘로라가 작게 외쳤다. 라하트가 아무 문제 없다는 듯이 그런 엘로라를 보았다.

"배 터지기 직전까지 많이 먹어."

"아니, 전하. 이건 과한 것 같습니다."

"모자란 것보다 넘치는 게 낫지."

보통 넘치는 것보다 모자란 게 미덕이라고 하지 않나?

게다가 이건 넘쳐도 너무 넘쳤다. 누구 입에 다 넣으려고! 이때까지 지켜본 바로는 라하트는 대식가가 아니었다. 필시 병약한 로이스 입에 다 쑤셔 넣으려고 주문하는 거였다. 반 넘게 남길 게 분명할 양을.

"많으면 많을수록 좋은 거야."

그렇게 말하며 술도 시켰다. 두 사람 몫이었다. 이러다

술까지 마시게 될 듯해 엘로라는 재빠르게 고개를 저었다.
"술은 됐어요."
"못 마셔?"
"네."
"술은 인간이 만들어 낸 큰 축복인데 조금 아쉽네. 탄산수는 어때?"
"괜찮아요. 그리고 음식은 적당히 주문하는 게 어떨까요?"
"충분히 적당하다고 생각되는데."
"아……, 그러신가요."
"응."
절대 물러섬이 없었다. 몇 번이나 음식 종류를 줄이는 건 어떠냐고 말을 꺼내 봐도 들은 척만 할 듯했다.
어차피 돈을 내는 건 라하트였다. 가난한 화가와 나눠서 계산할 만큼 라하트는 속이 좁은 인물이 아니었다.
그래, 네 돈이니 네 마음대로 해라.
이런 마음이 된 엘로라는 더 라하트를 설득하길 포기했다.
주문을 받고 처음에는 살짝 당황하던 종업원은 재차 확인 과정을 거치고는 사라졌다. 곧이어 술과 탄산수가 나왔다.
라하트는 안주 없이 술을 물처럼 벌컥벌컥 마셨다. 그동안 술을 마시고 싶어 어떻게 참고 있었나 싶을 정도였다.
엘로라는 라하트와 친목 도모 목적으로 온 게 아니었기에 고개를 숙인 채 괜히 두 손만 만지작거렸다. 그러다가 심심해지면 탄산수를 한 모금씩 마셨다. 맞은편에 앉은 라하트는 술을 마시느라 여념이 없어서 의도치 않게 과묵했다.

분명 이곳에 온 목적은 친목 도모였건만 제 할 일만 하는 시간이었다.

다른 테이블은 시끌벅적하건만 그들만 침묵 속에 잠긴 지루한 시간이 지나고, 얼마 지나지 않아 종업원이 음식을 가지고 왔다. 그런데 종업원이 몇 번이나 왔다 갔다 했음에도 불구하고 음식의 행진이 끝나지 않았다.

결국 테이블 다리가 부러질 정도로 빈틈없이 자리를 메운 음식에 엘로라는 작게 한숨을 내쉬었다. 테이블 공간이 모자라다니. 이런 경험은 또 처음이었다.

부지런히 음식을 나르던 종업원은 놓을 공간이 부족하니 다 드시면 바로 새 음식을 갖다주겠다고 했다.

누가 보면 코스 요리라고 착각할 듯했다.

주점에서 코스 요리라니. 아무것도 모르는 누군가가 들으면 재미있는 유머라고 웃고 지나갈 말이다.

"많이 먹어."

테이블 위를 채운 음식을 목도하고 있으니 살짝 착잡한 기분이 들었다. 주문할 때는 실감 나지 않았는데 실제로 보니 달랐다.

라하트는 엘로라를 두 배로 늘리려고 계획을 세우고 있는 것 같았다. 그렇지 않고서야 거구의 장정도 다 못 먹을 양을 주문할 리 없었다.

과한 게 좋아도 이건 너무 과하지 않는가.

이 남자는 '적당히'를 몰랐다.

음식은 맛있는 냄새를 풍겼지만 마냥 좋아할 수 없어진 엘로라는 뚫어져라 테이블 위를 보았다. 그런 그녀를 본 라하트가 "뭐 해? 어서 먹어."라고 했다. 정작 일을 벌인 당사자는 상황의 심각성을 인지하지 못하고 있었다.

어쩔 수 없이 고개를 끄덕인 엘로라는 아까운 음식을 버릴 수 없으니 일단 먹을 수 있는 만큼 먹기로 했다.

맛있었다. 맛있고, 방금 만든 음식이라 따듯해서 좋았다. 양이 분에 넘칠 정도로 많다는 것만 제외하면 괜찮은 식사였다.

"황궁에 며칠 지낸 걸로 알고 있는데 일은 할 만해?"

술만 홀짝이던 라하트가 드디어 친목 도모를 할 생각이 들었는지 물었다. 당신이 이렇게 치근덕대지만 않는다면 훨씬 더 좋은 생활이 됐을 거라는 말을 꾹 눌러 삼킨 엘로라가 덤덤하게 대답했다.

"예, 나쁘지 않아요."

"직접 만나 보니까 어때? 이제는 나보다 더 자주 그녀의 얼굴을 보잖아."

"첫 만남 이후 따로 얼굴을 뵌 적이 없습니다."

결국 동일 인물이지만 겉으로 드러나기에 로이스는 남자였고, 엘로라는 결혼한 지 얼마 안 된 신부였다. 시종도 다 쫓아냈는데 그 두 사람이 한 궁에서 생활하게 되었으니 충분히 오해를 살 수 있었다.

그 점을 고려하여, 괜한 구설수에 오르고 싶지 않아 빠르게 대답했다.

너무나 단호했던 탓인지 흐음, 하고 콧소리를 낸 라하트가 지그시 쳐다봤다. 여지를 주지 않기 위해 단호히 말한 건데 오히려 관심을 끈 듯했다. 그동안 쭉 애매한 태도를 보여서 더욱 그런 것 같았다.

켕길 만한 일이 생길 리 없었다. 결국 다 엘로라, 본인이니. 그러니 찔릴 일 또한 전혀 없었다. 이에 대해서는 스스로에게 한 점 부끄러움이 없었다.

괜히 시선을 피하거나 고개를 숙이기보다 당당하게 나가기로 마음먹었다. 그래야 라하트가 이상한 망상을 하지 않을 테니까. 시선은 부담스러웠으나 묵묵히 받아들였다.

라하트가 짧게 웃음을 터트렸다. 낮은 웃음소리였다.

저 입술에서 무슨 말이 나올지 몰라 엘로라는 잔뜩 긴장했다.

헛소리를 하면 다신 입을 열지 못하도록 저 주둥이에 술병을 물려 줄 생각이었다.

"내 말대로 나쁘지 않은 사람이지?"

"……."

엘로라를 일컫는 말이었다.

딱 한 번 봤다는데 좋고 나쁨이 판가름이 날 리 없었다. 입에 발린 칭찬을 하여 아부를 떨기보다 침묵으로 대답을 회피하기로 했다.

침묵이 부정이라는 것쯤은 라하트도 느낄 수 있었다. 다물어진 입술이 열리지 않자, 라하트가 미소를 지으며 무거워진 분위기를 환기시키려고 노력했다.

"뭐, 좋고 나쁜 건 상대적이지. 내겐 괜찮은 사람이었어도 네겐 실망스러웠을 수도 있고. 말하기 껄끄러우면 하지 않아도 돼."

"……예."

라하트가 아무리 바깥에 돌아다니기를 좋아한다 하더라도 이쯤 되면 황궁을 떠도는 소문을 들었을 거였다. 엘로라가 어떤 식으로 황궁 소속 사람들을 쫓아냈는지에 대한 얘기를. 그런데도 콩깍지가 씌었는지 아니면 선택적으로 정보를 받아들였는지 너무나도 한결같다.

라하트 앞에서 크게 문제를 일으키지 않았기 때문일까. 못생긴 엘로라가 성격이 나쁘지 않다는 유언비어를 잠자코 듣고 있자니 힘들었다.

라하트의 말을 아무도 믿지 않을 테지만 혹시 일이 잘못되지 않을까 하는 걱정이 남아 있었다. 조용히 듣고 있는 것도 한두 번이지 언제 한번 크게 일을 벌여 저 입에서 좋은 사람이라는 말이 나오지 않도록 해야 할 필요를 느꼈다.

일단 지금은 라하트의 관심을 끌기보다 조금씩 음식을 먹기 시작했다. 깨작깨작 음식이 목구멍을 통해 넘어갔다. 당장은 테이블이 무너질 정도로 가득한 음식을 해치우는 게 중요했다.

"음식은 입맛에 맞아?"

"예. 감사합니다."

"더 먹고 싶은 거 있으면 말해. 시켜 줄게."

충분히 넘치는 양인데 더 시켜 달라고 할 리 없었다. 그러나 예의상 고개를 끄덕였다. 라하트와 말을 길게 나누고 싶지 않았다.

조금씩 음식을 먹었다. 정작 이 많은 음식을 시킨 라하트는 음식에 손도 대지 않고 술만 홀짝홀짝 마셨다.

한 사람의 몸에 이 많은 음식이 다 들어갈 거라고 생각한 걸까? 하긴 모자랄 바에 넘치는 게 낫다는 남자였다. 애초에 남길 거라 예상하고 시킨 음식이니 많이 남든 적게 남든 상관없는 듯했다.

기껏 만든 음식을 버리게 되는 게 마음 아파 느릿하지만 꿋꿋이 먹고 있으니 지그시 바라보는 시선이 느껴졌다. 굳이 확인하지 않아도 라하트가 자신의 먹는 모습을 구경하고 있다는 것쯤은 알 수 있었다. 엘로라는 서커스에서 재주 부리는 곰이 아닌데 말이다.

먹는 사람 처음 보나.

삐딱한 마음으로 힐끗 라하트를 보았다.

눈이 마주쳤다. 여느 때와 같이 흐리멍덩한 눈동자였다. 하지만 분위기가 달랐다. 살짝 올라간 입꼬리는 엘로라가 이전에 익히 보던 미소였다. 시선 또한 다정함이 담겨 있다. 삐딱한 마음으로 라하트를 보았던 엘로라는 당황할 수밖에 없었다.

이 상황 자체가 익숙했다. 어릴 때 식사하고 있으면 아버지나 오라버니들이 라하트와 비슷한 시선으로 엘로라를 바라보고는 했다.

그들의 경우에는 우리 딸(동생)이 저 작은 몸뚱이로 혼자 식사도 하네. 이런 느낌이었다. 새끼 고양이나 강아지, 혹은 다람쥐 같은 것들이 식사할 때 보는 감정과 흡사했다.

엘로라는 라하트가 남색가일지도 모른다는 가설을 지우기로 했다. 음흉한 의도로 로이스를 대한 거라면 저런 시선을 보낼 수가 없었다.

음습한 감정은 숨긴다 하더라도 완벽히 숨길 수 없었다. 그건 라하트 또한 사람이니 마찬가지였다. 만약 로이스를 어찌 해 보려고 치근덕대는 거라면 절대 이와 같은 표정이나 시선이 나올 수 없었다.

오해해서 미안해졌다. 라하트는 그냥 사교성이 좋을 뿐이었다. 그리고 어쩌면 로이스에 대한 동정심 같은 걸 가지고 있을지도 몰랐다. 지병을 앓고 있는 데다 못 먹고 자란 듯한 외견을 가진 로이스이니 충분히 그럴 수 있었다.

괜히 이상한 쪽으로 의심한 게 너무 미안하여 엘로라는 라하트에게 말을 걸었다. 라하트가 그리 원하던 친목 도모에 조금 동참해 줄 생각이었다.

"전하."

"으, 응?"

대답이 한 박자 느렸다. 멍하니 바라만 보고 있던 라하트의 머릿속에 부름이 전달되기까지의 시간이었다.

"전하께서는 안 드시나요?"

"아, 먹고 있어."

"음식에 손도 안 대셨어요."

"정말?"

지금까지 술이면 몰라도 음식을 먹는 모습은 전혀 보지 못했다. 정말 자신이 음식에 입도 대지 않고 있었다는 사실을 몰랐던 듯, 라하트의 두 눈이 커졌다. 스스로도 당황한 듯싶었다.

"나 뭐 먹고 있지 않았나."

"아니요. 술만 드시고 계셨는데요."

"정말이네."

라하트가 제 앞에 있는 음식을 보고 깨달음을 얻었다. 누구도 손대지 않은 음식은 멀쩡했다.

"저 혼자 다 먹지 못하니 전하도 어서 드세요."

"더 먹고 싶은 건 없고?"

"지금도 충분해요."

거듭 말하지만 충분하다 못해 넘쳤다.

넘쳐도 부족한지 재차 물은 라하트가 고개를 끄덕였다. 그리고 드디어 음식에 손을 댔다. 엘로라는 그가 무신경한 움직임으로 이것저것 먹는 걸 보았다. 정말 생각 없이 먹고 있는 게 빤히 보였다.

"맛있네. 너도 먹어 봐."

"네."

엘로라가 라하트 앞에 있는 음식을 먹기 위해 팔을 뻗었다. 라하트의 시선이 엘로라의 손으로 옮겨졌다. 지그시 그 손을 바라봤다.

"종일 장갑을 끼고 있네. 답답하지 않아?"

속으로 뜨끔했다. 화상 때문에 장갑을 벗을 수가 없는 상황이었다. 그림 그릴 때도 끼고 있었지만 별다른 말이 없기에 넘어가는 줄 알았더니 역시 아니었다.

억지로 장갑을 벗으라고 요구할 리는 없었기 때문에 당황한 기색을 지우며 평이한 어조로 대답했다.

"괜찮습니다."

"이것도 낯가려서 그런 거야?"

"그냥…… 끼고 작업하는 게 더 편해요."

"그렇구나."

그 후로 라하트는 장갑에 대해 더 이상 신경 쓰지 않았다. 엘로라는 이런 식으로 한 번 넘어갔으니 다신 말이 나오지 않으리라 믿었다.

괜히 장갑 낀 손을 의식하게 되면 상대까지 덩달아 의식하게 된다는 걸 알기 때문에 되도록 자연스럽게 손을 움직였다. 마치 장갑을 낀 걸 신경 쓰지 않는다는 듯한 움직임이었다.

엘로라가 열심히 먹는 모습을 다시 지켜보던 라하트가

이것저것 먹으라고 챙겨 줬다. 결국 테이블에 있는 음식을 한 번씩 다 먹어 보라는 의미였다. 그렇게 엘로라를 챙겨 주느라 정작 본인은 먹지를 않았다.

라하트에게 같이 먹자는 말을 계속 흘렸으나 제대로 듣지 않았다. 술만 계속 넘어가지, 테이블 위에 있는 음식은 모두 엘로라의 몫이었다.

먹는다고 먹고 있는데 음식이 제대로 줄고 있는지도 의문이었다. 거의 한 테이블치 음식이 대기 중이라는 사실이 엘로라를 괴롭게 만들었다.

역시 과한 것보다 모자란 게 낫다.

라하트는 연거푸 술을 마셨다. 석 잔 이후에는 몇 잔째인지 세는 것도 힘들었다.

몸에 술이 계속 들어가자 라하트의 말수가 늘어났다. 술을 마시며 두서없이 주절거렸다. 대화 주제는 중구난방이었다. 어떤 얘기를 하다가 의식의 흐름으로 자연스레 다른 주제로 옮겨졌다. 한마디로 라하트는 머릿속에 있는 언어를 아무렇게나 내뱉고 있는 거였다.

이마저도 갈수록 발음이 불분명해져 알아듣기 힘들었다. 술을 물처럼 마시고 있으니 그럴 만도 했다.

엘로라는 정확히 무슨 소리를 하는지 알 수 없는 라하트의 말에 대충 고개를 끄덕여 맞장구치면서 음식을 먹었다. 어차피 그가 되는대로 지껄였기에 귀담아들을 필요도 없었다. 엘로라의 관심은 오로지 눈앞의 음식을 어찌해야 최소한으로 남길 수 있을지에 대한 것뿐이었다.

"……재미있어?"

"예?"

음식을 우물우물 먹던 엘로라가 입 안에 있는 걸 꿀꺽 삼키고서는 되물었다. 그 전까지 무슨 말을 하고 있었는지도 몰랐다. 무작정 재미있냐고 묻는 라하트의 물음에 이 남자가 또 무슨 헛소리를 하려고 이러나 싶었다.

"그림 그리는 거, 재미있어?"

취기가 도는지 활짝 웃었다.

나사 빠진 미소였다.

못 알아들을 정도로 발음이 엉망진창이었으면 그걸 핑계로 못 들은 척이라도 할 텐데 그것도 아니라 로이스가 할 만한 대답을 내놓았다.

"재미도 재미이지만 할 수 있는 게 이것밖에 없으니 업으로 삼은 거죠."

"그런 것치고는 그림 그릴 때 즐거워 보이던데."

"유일하게 잘하는 거니까요."

"좋아하는 걸 잘할 수 있다는 것 또한 일종의 축복이지."

옳은 말이었다. 제정신이 아닌 것치고는 제대로 된 발언을 한 게 놀라웠다. 속으로 감탄하고 있는데 라하트가 입을 크게 벌려 하품했다.

하암, 하고 하품하는 소리가 들렸다. 뒤이어 그가 작게 중얼거렸다.

"한숨 자야겠다."

"예?!"

지금 당장? 여기서?

당황한 엘로라가 재빨리 라하트를 보았다. 실눈을 뜬 라하트는 꾸벅꾸벅 졸고 있었다.

취한 건 알고 있었지만 아까까지만 해도 꽤 멀쩡했기 때문에 본인이 감당 가능한 양의 술을 마시고 있는 줄 알았다. 또한 그림 그리는 게 재미있냐는 물음에 졸린 기색을 전혀 느낄 수 없어서 더더욱 당황스러웠다.

"나 지금 눈 감고 있어?"

"아니요, 뜨고 있으시니까 계속 그렇게 뜨고 있으세요."

제발.

간절함을 담아 대꾸했다. 하지만 이미 취할 대로 취한 라하트에게는 닿지 않은 바람이었다.

"왜 감고 있는 것 같지."

그러면서 두 눈을 감았다.

"아, 이제 눈 떴다."

분명 눈을 감고 있는데 본인은 뜨고 있다고 착각하는 모양이었다. 당황을 넘어서 황당했다.

엘로라는 이마를 짚었다. 총체적 난국이었다.

이대로 라하트가 잔다면 감당은 오롯이 엘로라의 몫이었기에 다급히 자리에서 일어났다. 다 큰 남자를 낑낑대며 옮기고픈 마음은 전혀 없었다. 그러니 어떤 수를 써서라도 라하트가 자게 내버려 둬서는 안 됐다.
"전하, 여기서 주무시면 안 돼요."
"어째서?"
그가 눈을 감은 채로 중얼거렸다.
여기서 자면 왜 안 되냐니!
멀쩡히 집도 있는 사람이 남의 가게에서 자는 건 당연한 일이 아니었다. 온갖 험악한 말이 나오려고 했지만 그것을 꾹 참고, 차분하게 대꾸했다. 제정신이 아닌 남자에게 이성적인 사고가 통하지 않을 걸 알면서도.
"이곳은 여관이 아니에요."
"그런 게 어디 있어. 내가 눕는 곳이 다 여관이지."
"억지란 거 알고 계시죠?"
"잠만 잘 자면 돼."
"그래서 여기서 주무시겠다고요?"
"응, 졸려."
술에 취한 라하트는 본능에 충실한 짐승과도 같았다. 잠 오면 아무 데서나 자겠다는 모습은 절대 일국의 황자라고 생각되지 않았다. 애초에 황족이면서 평민들이 오는 주점에 아무렇지 않게 방문했다는 자체가 일반적이지 않았지만.
엘로라는 한숨을 내쉬었다. 원래 이런 남자였으니 술에 취해 사람이 바뀌었다는 생각도 들지 않았다.
"전하, 이만 돌아가요."
"어디로?"

"전하께서 편히 주무실 수 있는 푹신한 침대로요."
"침대, 좋지."
"좋으니까 어서 가도록 해요."
이러니저러니 해도 지금 당장 해야 할 일은 조금이라도 제 발로 걸을 수 있을 때 라하트를 옮기는 것이었다. 시간을 끌다가는 진짜 잠들지도 몰랐다.
다 먹지 못한 음식이 괜히 마음에 걸렸지만, 애초에 다 먹지 못할 음식이었다. 그것을 무시하고는 라하트를 일으키려고 했다.
"하지만 난 여기서 너랑 더 있고 싶은걸."
"제가 있기 싫네요."
"그 말투, 내 신부님이 자주 쓰는 말투인데."
속으로 뜨끔했다. 정말 쓸데없이 예리한 남자였다.
맨정신으로 한 말이면 혹 꼬리를 밟힌 건 아닐까, 하고 걱정했을 테지만 어차피 잔뜩 취해 나중에 이런 말을 했다는 사실을 기억도 하지 못할 게 빤했다.
로이스가 엘로라라는 사실을 꿈도 꾸지 못할 거라고 생각하며 능청을 떨었다.
"아, 그런가요."
"응. 그러니까 여기서 조금 더 자다가 가자."
"어떤 논리로 그런 주장을 하시는지 모르겠지만 안 돼요."
"어째서?"
도돌이표였다.

졸리니 굳이 여기서 자겠다는 의지가 강력했다.

계속 말상대를 해 줘 봤자 같은 얘기만 반복할 것 같아 엘로라는 차갑게 대꾸했다.

"주위 사람에게 폐가 돼요. 그러니 그만 나불대시고 어서 가요."

"몸에 힘이 안 들어가."

"힘주세요."

"그게 안 돼."

몸에 힘이 안 들어간다는 걸 표현하기 위함인 듯 라하트가 축 늘어졌다. 연체동물처럼 늘어진 라하트를 내려다본 엘로라는 한숨을 쉬었다. 이 남자 앞에서 한숨을 몇 번이나 쉬게 되는지 셀 수 없을 정도였다.

"혼자서 못 일어나겠어요?"

"아냐, 할 수 있어."

"그러면 일어나세요."

"으, 응……."

졸음 탓에 몇 번이나 고개를 끄덕인 라하트가 흐느적거리면서 자리에서 일어났다.

오롯이 엘로라의 힘으로 일으켜야 하는 상황이 아니라서 불행 중 다행이었다. 엘로라는 힘이 센 편도 아니었으며, 일단 여자였다. 저보다 훨씬 무거운 남자인 라하트를 아무렇지 않게 부축할 체격이 아니었다.

"전하, 돈은 있으시죠?"

"돈?"

"네."

"……그런가."

전혀 믿음이 가지 않는 말이었다. 결국 엘로라가 직접 라하트의 주머니를 뒤졌다. 황궁이었다면 매우 실례되는 일이었지만, 상황이 상황이니만큼 어쩔 수 없었다.

라하트가 제정신이면 몰라도 술에 취해 잠 온다고 난리를 부리는 중이었다. 이런 남자에게 돈을 꺼내라고 해 봤자 더욱 정신없어질 뿐이었다.

마음 같아서는 이런 번거로운 일을 하지 않고 자신이 대신 내고 싶었지만, 상황이 이렇게 전개되리라 예상치 못한 엘로라는 한 푼도 들고 오지 않았다. 황궁에서 그림을 그리는 데 돈이 필요할 리 없으니 당연한 일이었다.

라하트가 어디에 돈을 넣은 줄 몰라 주머니란 주머니에다 손을 넣어 보았다. 타인의 손길이 닿아 간지러운지 라하트가 작게 웃음을 터트렸다. 이쪽은 불필요한 신체 접촉을 하게 되어 스트레스인데 뭐가 좋다고 웃는지.

인상을 확 찡그린 채로 라하트의 주머니란 주머니는 모두 털어 낸 엘로라는 망연자실했다.

돈이 없다.

평소에 펑펑 쓰면서 오늘은 왜 땡전 한 푼도 없는지 의문이었다. 그동안 지켜본 소비 습관을 유추하면 돈을 잔뜩 들고 다녀야 할 것 같은데 어찌 한 푼도 없다.

돈도 없으면서 나가자고 한 건가? 이렇게 무책임할 수가. 라하트에게 살짝 배신감을 느꼈다.

"전하, 돈 안 들고 나오셨어요?"

"그러게."

대답도 무책임하다.

이 남자를 따라와서는 안 됐는데, 하고 생각했을 땐 이미 늦은 후회였다.

음식은 실컷 먹었는데 돈이 한 푼도 없었다. 머릿속에 다양한 가능성이 떠올랐다. 이미 폐지된 노예제라든지 주방에서 수천 개의 감자를 깎고 있을 자신의 미래 같은 것들이었다.

돈이 없으면 몸으로라도 때워야 했다. 상식이 있는 사람이라면 돈이 없으면 가게에 가지 않지만. 안타깝게도 엘로라는 상식이 죽어 버린 남자와 주점에 왔다.

일단 라하트가 정신을 잃기 전에 황궁에 가야 했기 때문에 그의 옷깃을 잡고 끌었다. 카운터에 서 있는 종업원이 그런 엘로라를 보고 빙긋 웃었다.

"저……."

선뜻 말이 나오지 않았다. 가게에 있는 메뉴란 메뉴는 다 시켜 놓고 돈이 없다는 사실을 꺼내기란 매우 어려웠다.

"계산을 해야 하는데……."

"아, 혹시 전하께서 돈을 들고 오지 않으셨나요?"

"예……."

우물쭈물하고 있으니 종업원이 마치 엘로라의 속마음을 꿰뚫어 보기라도 한 듯이 물었다. 모자를 깊게 눌러쓰고 있어 표정으로 사정을 알아챈 것도 아닐 텐데 대체 어떻게 알아낸 건지 알 수 없었다.

순간 당황해서 숨이 막혔다. 이후 종업원이 뭐라 할지 가늠할 수 없었다.

“저희 측에서 황실에 청구하면 되니까 가셔도 돼요.”

“아, 감사합니다.”

그 방법을 생각하지 못했다. 아니, 옆에 있는 남자가 황자였다는 사실 자체를 깜빡했다. 새삼스러운 깨달음이었다.

황족은 황족인데 황족답지 않은 행동만 잔뜩 하니까 이 사람이 황자구나, 라고 생각은 해도 확실히 와닿지 않은 게 문제였다. 그저 엘로라는 지금 자신이 한 푼도 없는 가난한 화가 행세를 한 것만 생각하여 막막했던 거다.

“아, 참.”

“네?”

“오늘 전하와 처음 동행하시는 분인 듯한데 원래 자주 저러셔서 웬만하면 가게 측에서 황실에 청구서를 보내요. 신분이야 확실하신 분이니까요. 전하와 다른 가게에 가실 때도 참고하세요.”

“……신경 써 주셔서 감사합니다.”

하긴, 이 남자라면 수도에 있는 술집이란 술집은 다 가 봤을 듯했다. 라하트가 워낙 하찮게 행동하다 보니 그가 황자라는 사실은 물론이고, 수도뿐만 아니라 제국 내의 유명인이라는 사실까지 깜빡하게 되었다.

감사함에 고개를 끄덕인 엘로라는 라하트를 끌고 바깥으로 나왔다. 이제 마차를 타고 황궁으로 돌아가면 되었다.

숨을 들이켜자 찬 공기가 폐부를 가득 채웠다.

“로이스.”

“네.”

“세상이 돌고 있어. 곧 멸망할 징조일까?”

“멸망해도 전하께서는 살아 계실 것 같네요.”

“그러면 안 되는데…….”

말하면서 졸린지 고개를 꾸벅거렸다. 말소리가 점점 줄어들었다.

정말 세상이 멸망해도 라하트 하나만은 멀쩡히 살아 있을 것 같아 말한 건데 왜 안 된다는 건지 물어보려다가 말았다. 라하트와 길게 대화하고 싶지 않았다.

“……내가 일찍 죽어야 하는데.”

“……예?”

당황한 엘로라가 라하트를 돌아보았다. 잘못 들은 걸까? 상대가 잔뜩 당황한 것도 모르고 라하트는 길게 하품했다.

술김이라고 해도 굉장히 의미심장한 발언을 한 그는 반쯤 눈을 감고 있었다. 어디인가 모자란, 맹한 모습 그대로였다.

잠시 걸음을 멈추고 라하트를 빤히 쳐다보았다. 사위가

시끄러웠다면 잘못 들었다고 생각할 수 있었지만 그렇지 않았다. 그는 분명 일찍 죽어야 한다고 얘기했다.

마른침을 삼킨 엘로라는 이내 고개를 저었다. 어떤 속내를 숨기고 있는지 모르겠지만 이 남자와 깊게 관여되어서는 안 됐다.

라하트와 거리를 유지한 엘로라는 얼마 지나지 않아 마차에 올라탈 수 있었다. 마차는 곧바로 황궁으로 향했다.

앉자마자 꾸벅꾸벅 졸다가 토할 것 같다는 라하트를 어르고 달래며 무사히 보낼 수 있었다. 그 와중에 라하트가 엉겨 붙는 탓에 떼어 내느라 애를 먹은 건 덤이었다.

힘겨운 하루가 지나간다.

그리고 이 소식은 빠르게 아르미트 가문에 전해졌다.

태양이 사라지고 달만이 교교히 빛나는 밤, 불이 꺼진 아르미트 저택에는 어둠보다 짙은 분위기가 깔렸다.

깊은 침묵 속에서 오로지 촛불 하나에 의지하여 원탁을 둘러싼 세 남자가 입술을 꾹 다물었다. 그들의 은발이 불꽃에 반사되어 붉은기가 돌았다. 각각 회색, 푸른색, 녹색 눈동자가 불꽃을 담아 오묘한 색을 띠었다.

그렇게 시간이 멈춰 버린 듯한 공간에서 가장 먼저 입을 연 건 요제프였다.

"우리 왜 이러고 있는 거야?"

"분위기 잡기."

"굳이 이럴 필요가 없다는 말이잖아. 형들, 우리 꼭 악당 같아."

그것도 저급한.

주인공이 나타나자마자 한 번에 처치당할 악당 같았다.

자리에서 벌떡 일어난 요제프는 나머지 촛불에도 불을 붙여 사위를 환하게 만들었다. 언제 어두웠냐는 듯이 순식간에 밝아졌다. 그리고 어둠 속에 잠겨 있던 에곤과 라엘의 얼굴이 드러났다.

에곤은 아까 요제프가 한 말도 듣지 못했는지 여전히 수심에 잠겨 있었고, 라엘은 멍했다. 딱히 별다른 생각을 하지 않는 듯한 얼굴이었다.

두 형의 얼굴을 번갈아 본 요제프는 다시 자리에 앉았다.

웬만하면 식사 후 잘 모이지 않는 그들이 한자리에 모였다. 그렇다는 건 일이 있다는 것이고, 그 일은 막냇동생인 엘로라와 관련될 확률이 높았다.

황실의 계략으로 억지로 끌려가듯이 시집간 사랑스러운 막냇동생. 사려 깊고 밝은 동생만 생각하면 세 사람은 속에서 열불이 났다.

엘로라를 믿어 준다고 했지, 라하트를 인정한 건 아니었다. 두 사람이 사랑해서 결혼한 거면 싫어도 그러려니 하겠지만 그런 것도 아니니 더욱 화가 났다.

그동안 사랑 없는 결혼을 하지 않기 위해 고군분투한 엘로라의 모습을 옆에서 지켜봤기에 이번 일은 쉬이 화가 사그라지지 않을 터였다.

"형, 차라도 내어 오라고 할까?"

"아니."

다들 상념에 젖은 탓에 얘기가 꽤 길어질 듯해 요제프가 제안했지만 라엘이 단칼에 거절했다. 에곤은 들은 척도 하지 않았다. 아니, 진짜 듣지 못했다는 게 옳았다. 하나에 빠지면 무서울 정도로 파고드는 건 아르미트 가문의 특성인 듯했다.

깊게 한숨을 내쉰 요제프가 에곤을 불렀다. 생각에 빠진 건 좋았으나 동이 틀 때까지 저 모습을 지켜볼 수 없는 노릇이었다.

그들은 에곤이 상념에 빠진 모습을 보기 위해 모인 게 아니었다.

"형. 큰형!"

"……."

요제프의 커다란 외침에 그제야 에곤이 고개를 들었다. 회색 눈동자가 차갑게 빛났다. 조금 전까지 라하트를 어떻게 죽일까, 하고 고민하고 있었던 듯했다. 그 시선을 바로 맞받아친 요제프가 움찔할 정도였다.

"뭐라고 말이라도 해 봐. 그래서 어쩔 거야?"

"너는 내가 어쨌으면 좋을 것 같지?"

돌아가는 상황이 하도 답답해서 물었더니 역으로 질문을 받았다. 당황한 요제프는 뺨을 긁적였다. 어쨌으면 좋겠냐니. 그렇게 묻는다면 당장 머릿속에 떠오르는 게 있었다.

"마음 같아서는 그 새끼 족치고 당장 이혼시키고 싶지."

날것 그대로의 언어가 나왔다. 귀족의 입에서 나온 단어치고는 천박하다고 한마디 할 수 있었다. 하지만 이곳에 있는 그 누구도 눈총을 주지 않았다. 오히려 라엘은 고개를 끄덕였다. 동감한다는 의미였다.

"그래, 그것만큼 쉬운 방법이 없지."

"그런데 진짜로 그랬다가는 엘로라가 잔뜩 화가 나서 따지러 올걸. 걔 성격이면 죽을 때까지 보지 말자고 할 거야."

이번에도 라엘이 고개를 끄덕였다. 엘로라라면 분명 그렇게 말할 거고, 그걸 실천할 것이었다.

귀여운 막냇동생의 머리카락 한 올도 보지 못하는 미래라니. 세 사람 모두 그건 원치 않았다. 라하트가 싫은 거지, 엘로라가 싫은 게 아니었으므로.

"아휴, 별일 없을 거라더니 왜 계속 그딴 녀석이랑 엮이는지."

세 사람은 막냇동생에게 무슨 일이 생기는 건 아닌가 싶어 항상 소문에 관심을 두었다. 라하트는 매일 시가지를 돌아다녔기 때문에 조금만 관심을 기울이면 그가 전날 밤에 어떤 술을 마셨는지, 그 술을 몇 모금 마셨는지도 알 수 있었다.

그만큼 무방비하게 노출된 황자였다. 세력도 미미하고, 워낙 하찮다는 이미지가 강한 터라 관심을 주는 사람은 몇 없었지만 호사가들의 입에 자주 오르락내리락할 화제성은 가지고 있었다.

엘로라가 입궁한 이후, 라하트의 일거수일투족을 보고받는 건 세 남자의 일과나 다름없었다. 라하트가 어떤 허튼 짓을 하면 바로 움직일 준비가 돼 있는 그들이었다.

다행히도 한동안 엘로라와 라하트가 부딪치는 일은 없었다. 만나지를 않으니 라하트가 엘로라를 때렸다거나 성적으로 희롱했다는 일 따위는 벌어지지 않았다.

그렇게 엘로라가 호언장담한 이혼까지 조용히 넘어가나 싶었는데 어젯밤, 라하트가 로이스라는 이름의 화가와 주점에 갔다는 보고가 전해졌다.

엘로라가 로이스라는 이름으로 라하트의 초상화를 그리게 된 건 모두가 알았다. 그런데 그림만 그리면 되었지 웬 주점?

보고에 따르면 로이스가 라하트에게 억지로 끌려가는 모양새였다고 한다. 억지로 끌려갔다는 것도 화가 나는데 중요한 건 만취한 라하트가 로이스에게 잔뜩 술주정을 부렸다는 거다. 하도 로이스에게 들러붙어서 떼어 내기도 힘들었다고 했다.

심지어 라하트가 로이스의 발치에 구토를 했다는 말도

있었다.

소중하게 키운 우리 막냇동생에게 구토라니!

절대 용서할 수 없었다.

실제로는 구역질하는 시늉만 한 거지만 그들에게 진실은 안중에 없었다. 그들에게 라하트는 눈엣가시였다. 하나만 걸리면 물고 늘어질 정도로 제대로 밉보였다.

제아무리 로이스와 엘로라가 동일 인물인 줄 모르고 행동했다 하더라도 용서되지 않았다. 어디 부딪쳐 다치지는 않을까, 이상한 사람을 만나는 건 아닐까 불안에 떨며 애지중지 지켜본 동생이었다.

귀하게 다뤄도 모자랄 판에 발치에 구토했다는 그 사실 하나는 불만에 가득 찼던 세 남자에게 기폭제가 되기 충분했다.

"……몰래 죽일까?"

라엘이 느릿하게 말을 꺼냈다. 언뜻 '내일 식사 메뉴는 무엇으로 할까'처럼 평이한 어조였다. 그러나 그 내용은 명백히 황실에 반기를 드는 일이었다.

누구를 죽일 건지 구체적으로 말을 꺼내지 않아도 이곳에 있는 사람들은 다 알 수 있었다. 이 자리에 엘로라가 있었더라면 깜짝 놀라며 반역죄로 끌려가고 싶으냐고 호통을 쳤을 것이었다.

"그거 나쁘지 않은 방법이지."

하지만 엘로라는 이 자리에 없었다. 그 말은 형제의 의견을 중재할 사람이 없다는 뜻이기도 했다.

고개를 끄덕이며 요제프가 동조했다. 분위기가 점점 라하트를 암살하는 쪽으로 기울었다. 건국 이래로 단 한 번도 반왕파로 돌아선 적 없는 아르미트 가문에 새 역사를 쓸 날이었다.

"엘로라 몰래 처리하면 되겠지? 아, 그런데 걔 이런 데에는 촉이 좋은데."

"……잡아떼면 돼."

"작은형이 그런 말을 하다니. 확실히 상황이 심각하긴 하나 봐."

엘로라에게 밉보일까 봐 조마조마하여 한 번도 뻔뻔하게 나간 적이 없는 라엘이었다. 그런 라엘이 잡아떼면 된다고 단호하게 말하다니. 역시 라하트는 공공의 적이었다.

"에곤, 그래서 넌 어떻게 할 거야."

라엘이 푸른 눈동자를 차갑게 빛내며 에곤을 바라보았다. 두 사람은 대충 의견을 모았으니 이제 에곤의 허락만 있으면 되었다. 듣지 않아도 대강 어떤 대답이 나올지 예상이 되었지만 확실한 답이 필요했다.

그들의 대화를 잠자코 듣고 있던 에곤이 고개를 끄덕였다.

오랜 침묵 끝에 드디어 결정을 내렸다.

"확실히 이번 기회에 경고를 주는 게 좋겠군."

"와, 진짜 하는 거야?"

"아버지께는 함구하도록 하지."

"맞아, 아버지는 무조건 엘로라 편일 거야."

이 얘기가 아버지의 귀에 들어가면 온갖 방법으로 아르미트 형제의 계략을 막으려 할 것이었다. 오로지 엘로라를 위해서. 아르미트 가문의 남자들은 모두 엘로라를 위하고 있었으나 그 방법에 있어 편이 갈렸다.

"팔다리 하나쯤 없어도 초상화에 그려지는 데에는 지장이 없겠지."

죽이진 않을 거였다. 이번에는 단순 경고였다. 라하트가 급사하게 된다면 의심의 방향은 자연스레 이쪽에 쏠리게 될 테니까. 차근차근 밑밥을 깔아 둘 필요가 있었다.

결정을 내린 세 남자가 자리에서 일어났다.

사랑하는 막냇동생이 처음으로 그리는 초상화를 완성시킬 필요는 있지 않은가.

초상화는 제대로 완성할 수 있도록 목만 제대로 붙여 놓을 것이었다. 결정을 내린 세 남자는 그렇게 만난 적 없었다는 듯이 각자의 자리로 돌아갔다.

달이 구름에 가려진, 짙은 밤이 지나갔다.

시간이 흘러, 또다시 라하트의 초상화를 그려야 할 날이

찾아왔다.
작업실에 들어가니 저번에는 보지 못했던 기다란 소파에 라하트가 앉아 있었다. 그는 마지막으로 봤을 때와 달리 매우 멀쩡한 상태였다. 눈이 살짝 풀려 있긴 했지만 흐리멍덩한 눈빛이야 이제는 라하트의 상징이나 다를 바 없었다.
소파에 축 늘어져 있던 라하트가 기척이 느껴지자 고개를 들었다. 눈이 마주쳤다. 황급히 고개를 숙인 엘로라는 “안녕하세요.” 하고 인사했다. 여유롭게 하품을 한 라하트가 소파에서 일어났다.
“그날은 잘 들어갔어?”
“……예.”
“중간에 어떻게 됐는지 알아? 분명 너랑 얘기하고 있었는데 정신 차리니까 침대더라고. 마법인가.”
엘로라는 말문이 턱 하고 막혔다. 그건 마법이 아니었다. 엘로라의 땀과 노력이 깃든 산물이었다.
제정신이 아닌 라하트가 아예 정신을 놓지 않도록, 토하지 않도록 얼마나 노력했는지 그는 모르고 있었다. 도착하고 나서 미친 듯이 엉겨 붙는 그를 떼어 놓느라 고생한 것 또한 모르고 있을 것이었다.
고생이란 고생은 다 했건만 마법이라는 단어로 퉁 쳐지고 있었다. 하지만 굳이 사실을 정정하고픈 마음은 없었다. 사실을 밝히어 또 라하트의 집요한 관심을 받을 바에 그냥 마법이라고 오해하게 내버려 두는 게 나았다.

성인이 되어서도 마법 타령을 하다니. 순진하다고 해야 할지 멍청하다고 해야 할지. 이렇듯 라하트는 맹한 구석이 있었다.

"항상 눈뜨면 길바닥이었는데 이번에는 조금 신기한 경험이었어. 황실의 수호신이라는 게 정말 있는 걸까."

"……."

"실존한다면 참 영험한 존재인 것 같아."

이건 명백한 헛소리였다. 귀엽게 봐 줄 수 없었다. 술을 너무 많이 마셔서 지능이 퇴보한 것일까. 황실의 수호신까지 나오고, 혼자 상상의 나래를 펼치고 있었다.

이러다 드래곤의 등에 업혀 황궁까지 왔다고 말할 듯했다. 혼자 망상하는 건 좋은데 너무 되도 않는 망상을 하니 할 말이 없어진 엘로라는 이만 본론에 들어가기로 했다. 라하트의 헛소리를 계속 듣고 있어 봤자 득 될 게 없었다.

"저희 어서 그림을 그리도록 하죠. 자리에 앉아 주세요."

"응? 응. 알겠어."

라하트가 느릿한 걸음으로 단상 위에 올라갔다. 저번에 앉아 있는 게 불편했는지 단상 위의 의자는 한눈에 봐도 푹신한 걸로 바뀌어져 있었다. 몇 시간 앉아 있어도 무리는 없을 듯했다. 문제는 라하트의 인내심이었다.

저번에 그리다가 만 스케치가 새겨진 캔버스를 보았다. 조금만 더 손을 보고 바로 채색에 들어갈 생각이었다. 유화였기에 몇 번이나 덧칠을 해야 하여 바로 채색에 들어간다 해도 완성까지 오랜 시간이 걸렸다. 말리고, 덧칠하고, 말리고, 덧칠하고의 반복일 것이었다.

라하트가 자리에 앉았다. 무엇이 그리 불편한지 이리저리 자세를 바꾸다가 결국 정자세로 앉았다. 저번에 바른 자세로 앉아 달라는 부탁을 이제야 떠올린 듯했다.

라하트가 똑바로 앉는 걸 확인한 엘로라는 스케치를 마무리하기 시작했다. 한참 집중해서 그리고 있는데 그새를 참지 못하고 라하트가 말을 걸었다.

"오늘은 뭐 먹고 싶어?"

"아니요, 오늘은 됐습니다."

"아무리 봐도 저번에 봤을 때랑 똑같은데."

"……무엇이 변해야 하죠?"

"좀 더 튼튼하고 말랑말랑해질 필요가 있지."

말랑말랑한 건 살을 가리키는 말인 듯했다. 그날 엄청나게 먹어 댔긴 했지만 하루 많이 먹었다고 갑자기 튼튼해지거나 살이 찔 리는 없었다.

고작 하루 먹이고 극적인 변화를 원했던 듯한데, 안타깝게도 상식적으로 불가능한 일이었다.

"어떻게 하루 만에 체중이 늘어납니까."

"꾸준히 먹여야 한다는 말이네."

꾸준히 과식하면 살이야 찔 것이었다. 건강은 장담하지 못하지만. 엘로라는 캔버스에서 손을 뗐다. 분명 라하트의 머릿속에는 매일 뭘 먹일까 하는 생각밖에 없을 터였다.
저 남자라면 가능했다. 매일 얼굴 볼 때마다 미친 듯이 먹일 능력 정도는 있는 남자였다. 엘로라는 이 상황에서 벗어나야 할 필요성을 느꼈다. 그림을 그리러 온 거지, 라하트와 한가롭게 식사나 하기 위해 온 것이 아니었으므로.
"먹고 싶은 거 없으면 내가 정할게."
"앗, 전하. 제가 방금 식사를 하고 와서……."
"먹고 또 먹으면 되겠네."
"소화가 안 될 것 같습니다."
"내 신부님한테 얼굴도장 찍고 나갈까? 그러면 소화가 돼 있지 않을까."
"그건 좀……."
"그러면 정원을 한 바퀴 도는 건 어때? 황실 정원은 타국에서도 유명해."
무엇을 말하든 먹자는 결론이 나왔다. 배탈이 나도 먹으러 가자고 할 남자였다.
숨을 가다듬은 엘로라는, 아픈 척도 할 수 없으니 라하트가 오해하고 있는 진실에 대해 얘기하기로 했다. 사람이 염치가 있다면 이 얘기를 듣고 뒤로 물러서야 했다.
"전하께서는 정말 그날의 일이 기억나지 않으십니까?"
"그날?"
"전하께서 잔뜩 취해서 황궁으로 돌아온 날 말입니다."
"응. 무슨 일 있었어? 혹시 황실의 수호신을 네가 직접 본 거야?"

끝까지 수호신 타령이었다. 존재하지도 않는 수호신이 지나가다가 돈이라도 던져 줬나 싶을 정도다.

"수호신 아닙니다."

"그러면 요정?"

"그것도 아닙니다."

"음, 아니면 또 다른 신비의 존재?"

"신비의 존재 같은 게 전혀 아닙니다!"

"그러면 뭔데?"

"놀랍게도 제가 직접 잔뜩 취한 전하를 옮겼습니다."

"오, 흥미롭네."

정말 흥미진진한 이야기를 듣는다는 듯이 라하트가 두 눈을 반짝였다. 대체 무엇이 그리 흥미로운지 엘로라는 이해할 수 없었다. 엘로라의 입장에서는 전혀 흥미로운 얘기가 아니었다.

지금 자세한 사정을 듣지 못해서 저리 마음 편히 있는 것이라 생각했다.

"그래서 어떻게 됐어?"

"어떻게 되긴 뭐가 어떻게 됩니까. 전하께서는 계속 꾸벅꾸벅 졸다가 내릴 때쯤에는 속이 울렁거린다고 제 얼굴에 토하려 들었고, 침실로 옮겨 달라고 시종에게 간곡히 부탁하니 가기 싫다고 저한테 딱 달라붙어서 생떼를 썼다는 걸 꼭 제 입으로 말씀드려야겠습니까."

"내가 그랬어?"

"예. 전하께서 그러셨습니다."

이쯤 되면 부끄러운 기색을 보여야 하는데 라하트는 멀뚱히 두 눈만 깜빡였다. '오, 그런 일이 있었어?' 하는 듯한 얼굴이었다.

일국의 황자 정도 되는 남자가 일개 평민에게 술에 취해 매달렸으면 일반적으로 수치를 느껴야 했다. 하나 라하트는 그 '일반적'에 들어가는 남자가 아니었다.

"내가 실수한 거니까 저번보다 더 맛있는 거 사 줄게."

"아니, 논점은 그게 아니라……!"

"그게 아니라?"

"한 번 그런 일을 겪었는데 뭘 믿고 전하와 또 식사를 하러 갈 수 있겠습니까."

"내가 자제할게. 다신 그러지 않도록."

이쯤 되면 같이 식사하기 싫다는 걸 눈치챌 때도 됐지 않았을까. 하지만 결론이 너무나 간단했다.

잠깐 잊고 있었는데 라하트는 사고방식이 이상하게 튀는 철면피였다.

애초에 말이 통하지 않는 상대와 말로 싸워 이길 수 없었다. 머리가 지끈거렸다. 머리칼을 쓸기 위해 손을 뻗은 엘로라의 손끝에 모자가 닿았다.

그렇다. 이 되도 않는 친목 도모의 도화선이 된 건 이 모자였다. 혹 모를 사태를 대비하여 얼굴을 가리기 위해 쓴 모자가 독이 되었다.

누가 알았겠는가. 황자나 되는 남자가 모자 하나 벗길 정도로 친해지겠다고 끌고 갈 것이라고. 누구도 짐작할 수 없는 존재가 라하트였다.

엘로라는 한숨을 내쉬는 대신 두 눈을 느릿하게 깜빡였다. 그리고 결정을 내렸다.

"……원하신다면 모자를 벗고 작업할게요."

"억지로 벗을 필요 없어."

이건 억지라는 사실을 아는 사람이 식사하자고 데리고 가는 것 또한 억지라는 걸 왜 모르는 걸까. 잘생겼든 못생겼든 상관없이 워낙 사람의 얼굴을 빤히 쳐다보는 남자이니만큼 웬만해서는 모자를 벗지 않는 게 맞았다. 그는 로즈의 얼굴도, 못난 엘로라의 얼굴도 알고 있으니까.

보통 사람이라면 세 사람의 공통점을 찾기란 어렵겠지만 라하트는 또 몰랐다. 그러니 혹시 모를 일을 대비해 모자를 벗어서는 안 됐지만 지금은 그냥 벗어 던지고 싶었다.

만약 모든 사실을 알고, 이 상황을 유도한 거라면 라하트는 천재였다.

"하던 작업 계속해. 나는 무엇을 먹을지 계속 생각하고 있을게."

연필을 잡은 손에 힘이 들어갔다. 어찌나 강하게 쥐었는지 손이 부들부들 떨렸다. 그 와중에 라하트는 정말 고민하는 게 맞긴 한지 눈을 반쯤 감고 편하게 등받이에 몸을 기대고 있었다. 금방이라도 깊은 수면에 빠질 것 같은 얼굴이었다.

"확실히 고민을 하니 시간이 빨리 지나가는 것 같아."

태평하게 중얼거린 라하트가 가만히 있는 엘로라에게 어서 그림을 그리라고 손짓했다.

분통이 터졌다. 결국 참다못한 엘로라가 크게 외쳤다.

"전하와 바깥에 나가기 싫습니다!"

"어째서?"

"본인이 한 일을 생각해 보시죠!"

조금 전에 구구절절 읊어 줬으니 모르지는 않겠지!

황자가 아무리 생각이 없어도 아까 한 말을 까맣게 잊을 정도는 아닐 것이었다. 그러나 라하트는 라하트식으로 사고 회로를 돌렸다.

"음식이 별로였어?"

"……아니, 그 말이 아니지 않습니까."

"원한다면 황실 요리사에게 만들어 달라고 할게. 아, 그게 문제였구나."

아니, 그게 문제가 아닌데요.

뭘 말해도 결론은 먹는 걸로 방향이 튀었다. 참 대단했다.

"오늘은 안에서 먹자."

결론 한번 산뜻했다. 당황한 엘로라가 벌어진 입술을 닫지 못하는 사이에 결정을 내린 라하트는 "어서 그려."라고 재촉했다. 어쩔 수 없이 연필을 잡은 손에 힘을 풀고 그리던 초상화를 마저 그리기 시작했다.

상식이 통하지 않으니 말로 이길 자신이 없었다.

괜히 몸에 화를 키우면서까지 라하트와 말씨름을 하느니 침묵하는 게 최고의 선택이었다.

입술을 꾹 다문 엘로라는 선을 쓱쓱 긋다가 문득 머릿속에서 라하트와 주점에 갔을 때의 일이 떠올랐다.

테이블 다리가 부러질 만큼 잔뜩 놓인 음식도 음식이었지만 작은 동물을 볼 법한 눈빛으로 자신을 바라보던 라하트의 시선이.

라하트는 먹는 모습을 구경만 하여 엘로라 혼자 그 많은 음식을 감당해야 했다. 왠지 오늘도 또 그럴 것 같았다.

"또 저만 먹는 건가요?"

"원한다면 나도 먹을게."

저 먹는다는 게 술을 마신다는 의미는 아닐까. 라하트라면 가능했다. 또 흐뭇한 표정으로 먹는 모습을 구경하면서 술만 홀짝이겠지.

한마디 하려다가 너무 '로이스'의 정체성에 벗어난 말인 듯해 엘로라는 입을 꾹 다물었다. 어차피 하고 싶은 대로 하는 남자였다.

그래도 황궁에서 식사를 한다면 라하트가 술에 취해 주정을 부려도 덜 고생할 터였다. 낌새가 이상하면 시종을 부르면 되니까.

그래, 어차피 하고 싶은 대로 할 거 마음대로 해라.

자포자기한 엘로라는 천천히, 아주 천천히 그림을 그렸다. 평소보다 느리게 손을 움직였건만 사색에 잠긴 라하트는 이를 눈치채지 못한 모양이었다.

목과 허리를 꼿꼿이 세우고, 살짝 두 눈을 내리깐 남자는 그 겉가죽만 보면 인생에 분기점이 될 만한 고민을 하는 듯했다. 그러나 실제로 그가 하는 건 오늘 무엇을 먹을까, 하는 생각뿐이었다.

고민이 길어진 덕에 남자는 꽤 인내심 있게 이 시간을 받아들였다. 기나긴 시간이 흘렀다.

침묵 속에 잘 버티나 싶었던 라하트가 드디어 메뉴를 정했는지 "다 해 가?"라고 물었다. 더는 상념에 젖을 만한 것이 없으니 퍽 심심해진 듯했다.

엘로라는 더 고민할 것도 없이 "아직 많이 남았어요."라고 대답했다. 치졸한 복수였다.

집중하면 금방 끝날 것을 할 수 있는 대로 시간을 끌었다. 결국 참다못한 라하트가 벌떡 자리에서 일어나는 것으로 오늘 초상화를 그리는 시간은 끝이 났다.

저번처럼 고꾸라지지 않기 위함인 듯 그는 길게 두 팔을 위로 뻗어 스트레칭했다. 그 덕분인지 살짝 비틀거렸지만 남자는 무사히 단상 아래로 내려올 수 있었다. 불안한 시선으로 이를 지켜보던 엘로라는 라하트가 아무 탈 없이 가까이 다가오는 것을 보고 속으로 안도의 한숨을 내쉬었다.

"갈수록 더욱 완벽해지네."

"과찬입니다."

"좋아, 마음에 들어. 화가도 모델도 모두 완벽해."

"……아, 예."

라하트가 몇 번이나 고개를 끄덕이며 그림을 매우 만족스럽게 보았다. 강력한 자기애를 함께 느낄 수 있어 괜히 부담스러웠다. 어색하게 라하트의 옆에 선 엘로라는 그가 어서 감상을 끝내길 바랐다.

얼마 지나지 않아 흡족한 표정으로 초상화 구경을 마친 라하트가 이만 자리를 옮기자고 했다. 이제 식사 준비를 하라고 지시를 내릴 테니 심심할 것 같으면 정원을 구경해도 좋다는 말을 덧붙였다.

밀폐된 공간에서 라하트와 단둘이 앉아 있느니 차라리 바깥에 나가서 찬바람이라도 쐬는 것이 나을 것 같아 정원을 구경하겠다고 하자 라하트가 따라오라고 했다.

라하트는 작업실을 나와서 대기 중인 시종에게 식사 준비를 하라고 명령을 내렸다. 그리고 무어라 속닥였는데 엘로라에게는 들리지 않았다. 초상화를 그리는 동안 고민한 메뉴를 읊고 있는 듯한데 불길하게도 속닥이는 시간이 길었다.

이번에는 또 얼마나 준비하려고. 애써 그런 라하트를 외면하고 있으니 명령을 다 내린 그가 가자고 했다.

어째 따라가면서도 불길함이 스멀스멀 올라왔다. 다가올 식사 시간이 너무나 두려웠다.

최대한 그 시간이 늦게 오길 바라며 궁내의 정원으로 이동했다. 정원은 생각보다 잘 가꿔져 있었다. 내심 궁의 주인인 라하트가 일은 전혀 하지 않고 매일 밖에 나가 놀고 먹어서 관리인들 또한 나태해져 있지 않았을까, 하고 생각하던 차였다. 그러나 관리인들은 황자와 달리 부지런했다.

“차라리 여기서 먹을까?”

함께 정원을 거닐며 라하트가 툭 하고 말을 던졌다. 다른 이라면 농담이겠거니 했겠지만 상대는 라하트였다. 여지를 줘서는 안 됐다. 엘로라가 빠르게 대꾸했다.

“준비하는 데에 시간이 오래 걸릴 거예요.”

“그런가. 하긴 너무 오래 걸리면 네가 배고파 죽겠지.”

“……죽지는 않을 겁니다.”

대체 라하트의 눈에는 이 모습이 어떻게 보이는 걸까. 툭 하고 치면 픽 하고 쓰러질 만한 연약한 소년?

지금 엘로라는 못 먹고 자란 것도 아니라 피골이 상접한 꼴도 아니었다. 남자로 치면 체구가 작다는 것뿐이지 크게 문제가 될 만한 건 없었다.

병약하다는 설정 탓인가? 하지만 이 모습으로 돌아다니면서 동정의 시선은 기침할 때 빼고 받아 본 적이 없었다.

그런데 라하트는 무엇이 그리도 문제인지 못 먹여서 난리였다. 한시라도 입에 음식을 물지 않으면 영양실조로 쓰러질 사람으로 보는 듯했다. 엘로라는 그런 라하트를 이해할 수 없었다.

바로 거절한 탓인지 라하트는 바깥에서 먹자고 두 번 제안하지 않았다. 대신 그닥지 않게 정원 구경을 하는지 입을 다물고 조용히 걸었다. 이런 데에 딱히 관심 없을 것 같았는데 의외였다.

정원이 넓다 보니 한참을 걸었다. 그러다 문득 라하트가 나무 한 그루를 가리키며 말했다.

"황궁 정원에는 건국 때부터 자리를 지켰던 나무가 아직 많이 남아 있어. 이 나무도 그중 하나지. 아모몬 궁에는 특히 많이 남아 있다고 알고 있는데, 너는 풍경화를 그리게 되었으니 매일 보겠네."

"예."

매일 보고 있기는 했다. 사람의 손길을 타지 않아서 자연 그대로 무성하게 자라난 정원을 가꾸기 위해.

매일 하는 일이 잡초 뽑기였다. 그리고 밤마다 들리는 울음소리의 근원은 아직 찾지 못하고 있었다.

"그거 알아? 그곳에 있는 가장 큰 나무 이름이 아모몬이어서 궁 이름을 아모몬이라고 지은 거야. 굉장히 뜻깊은 이름이지."

"……그렇군요."

라하트가 무슨 나무를 지칭하는지 알 것 같았다.

정원에 독보적으로 커다란 나무가 한 그루 있긴 있었다. 궁의 이름이 된 이 역사적인 나무는 근처에 풀이나 꽃이 처치 불가능할 정도로 자라 있어, 나중에 손보기로 마음먹었기 때문에 바로 떠올릴 수 있었다.

말로만 들으면 꿋꿋하게 세월을 버텨 온 굉장히 아름다운 나무일 것 같지만 실상은 정원을 가꾸는 데 가장 큰 골칫거리였다.

"신화시대에는 나무와 같은 자연물에 요정이 깃들어 있었다는데 난 단 한 번도 본 적이 없어."

이 얘기를 꺼내기 위해 서두를 던진 걸까.

그는 또 요정 타령을 하고 있었다. 아모몬 궁 얘기가 나왔을 때 유령 타령도 같이 안 한 게 그나마 다행이었다.

"그 시절에는 없는 게 없었다고 알고 있습니다."

건국 초, 신화시대에는 정말 없는 존재가 없었다. 기록상으로는 드래곤이나 드워프 같은 신비한 존재가 살아 숨쉬고 있다고 알려져 있었다. 건국 왕마저 완전한 인간이 아니라 알에서 태어났다는 기록 또한 남아 있었다.

인간만이 남아 있는 지금 세상에 정말 기상천외한 일이 아닐 수 없었다.

"맞아. 없는 게 없었지. 세상이 변하면서 다 자연으로 숨어 버렸나 봐."

"〈신발 요정 푸키초키〉나 〈늑대인간 형님〉 같은 동화라면 저도 어릴 때 어머니께서 자주 들려주셨습니다."

그 한마디로 동심으로 가득 차 있는 라하트를 깨워 주었다. 멍하니 나무를 바라보던 라하트가 웃었다.

"나도 어릴 때 유모가 들려줬어. 지루한 수업보다 훨씬 좋았지.”

그때를 떠올리고 있는지 라하트의 걸음 속도가 조금 느려졌다. 엘로라는 조용히 보폭을 맞춰 주었다.

“어른이 되어서 어릴 때의 기억을 더듬어 보면 참 재미있어. 돌아가지 못하는 걸 알기 때문이 아닐까.”

“……그렇죠.”

“아, 이제쯤 식사 준비가 다 됐으려나. 어서 먹으러 가자. 너 쓰러지겠다.”

“안 쓰러집니다.”

안 쓰러진다고 재차 말했지만 라하트는 듣는 척도 하지 않았다. 엘로라의 말을 귓등으로도 듣지 않은 남자는 언제 느려졌냐는 듯이 뛰듯이 걸었다. 엘로라는 그 뒤를 쫓아갔다.

정원이 넓었기 때문에 꽤 오랫동안 그런 식으로 걷자 건물 내부로 들어갈 수 있었다.

세팅이 끝난 방에 들어가, 식사하기 위해 자리에 앉으니 다시 두려움이 몰려왔다. 오늘은 또 어떤 음식이 테이블 다리를 부러트릴 기세로 올라올까. 잔뜩 긴장하고 있는데 역시 예상을 뒤엎지 않고 시종과 시녀들이 트레이를 끌고 들어왔다.

음식 냄새가 진하게 풍겼다. 그리고 온갖 산해진미가 테이블 위에 올라왔다. 저번에 주점은 테이블이라도 작았지, 지금은 테이블도 큰데 음식이 그 위를 가득 채웠다.

무식하게 많은 양이었다. 보통은 음식이 하나씩 차례차

례 나오건만 이 남자는 이번에도 먹어 볼 수 있을 테면 먹어 보라는 의미인지 한꺼번에 그냥 쏟아져 나오게 했다.

"맛있게 먹어."

"……예."

너무 많다고 해도 이번에도 귓등으로도 안 듣겠지.

무의미한 소모전을 그만두었다. 득 볼 게 없는 말씨름을 괜히 시작할 필요는 없었다.

엘로라는 먼저 잔에 채워진 음료부터 마셨다.

사과 향이 났다. 맛도 딱 사과 주스였다.

사과 주스는 달고 맛있었지만 어쩐지 평소 마시던 것과 느낌이 달랐다. 어느 부분에서 다른 건지 감을 잡지 못한 엘로라는 음료를 쭉쭉 마셨다. 그저 황실에서 만든 주스는 제조법이 다른가 보다, 하고 생각하며. 맛 자체는 엘로라의 취향이었다.

사실 엘로라가 마신 건 술이었다. 라하트의 손님이었기 때문에 당연히 술을 마실 줄 알고 준비해 둔 거였다.

라하트가 '음료는 과일로 준비해.'라고 애매한 말을 남겨서 더욱 혼란이 빚어졌다. 라하트는 과일 주스라는 뜻에서 한 말이었지만 듣는 사람은 당연히 과일주인 줄 알았다.

이렇게 시작된 오해 탓에 사과주를 마시게 된 엘로라는 술을 마시고 있다는 사실도 모르고 쭉쭉 음료를 마셨다. 음식을 먹겠다고 했던 라하트가 술을 더 많이 마시자 심술이 나 잔에 더 손이 간 것도 있었다.

한 사람은 취하는 줄 알면서 마시고, 다른 한 사람은 취하는 줄 모르고 마셨다.

음식은 뒷전이고 누가 더 잘 마시나 대결하는 느낌이었다.

처음엔 심술로 마시던 엘로라는 마시다 보니 끊지 못하고 계속 손이 가는 걸 느꼈다. 일반적인 음료라고 하기에는 마시고 난 후 상태가 이상했다. 무언가 잘못됐음을 깨달았을 때는 이미 늦었다.

살짝 취한 엘로라는 그제야 맞은편에 앉은 라하트를 보았다. 엘로라가 열심히 먹고 마시는 동안 무어라 중얼거리던 라하트는 이미 테이블에 머리를 처박고 있었다. 자고 있는 거였다.

이 남자의 주정은 수면인 듯했다.

엘로라는 술기운 탓에 정수리만 보이고 있는 라하트를 멍하니 쳐다보았다. 머리가 깨질 듯이 아팠다.

그제야 자신이 미친 듯이 마신 게 술이라는 걸 인지할 수 있었다. 인상이 미미하게 찡그려졌다. 불쾌한 기분이었다.

라하트가 곤히 자고 있으니 기운을 차리면 아모몬 궁으로 돌아가기로 마음먹었다. 당장 움직이기에는 무리였다.

살포시 두 눈을 감고, 의자 등받이에 몸을 맡겼다. 숨을 고르게 쉬고 있으니 두통이 가시는 듯했다.

천천히 숨을 들이쉬고 내쉬었다.

얼마나 그러고 있었는지 모르겠다.

어느 순간부터 사위가 어두워졌음을 느낄 수 있었다. 눈

꺼풀 사이로 들어오던 빛이 사라졌다.

숨소리만이 커다랗게 울리는 침묵과 까만 어둠.

묘하게 불길한 기운이 스멀스멀 올라왔다.

라하트는 맞은편에 앉아서 고른 숨을 내쉬며 쿨쿨 자고 있었다. 그리고 그사이에 시종이 들어갔다가 나간 기척은 전혀 느껴지지 않았다. 제정신이 아니더라도 그 정도는 분간할 수 있었다.

혹 어둡다고 착각하고 있는 것일까. 불길한 기운의 근원지를 찾기 위해 엘로라는 천천히 두 눈을 떴다. 눈을 감았을 때 느낀 어둠은 착각이 아니라는 듯, 희미한 달빛만이 먼지처럼 식당에 내려앉고 있었다. 분명 눈을 감기 전까지만 해도 대낮처럼 밝은 공간이었다.

엘로라가 당황하기도 전에 검은 무언가가 시야에 잡혔다.

"……!"

검은 복면의 사내였다.

황실 내부인은 아니었다. 내부인이라면 기척을 죽이며 저렇게 수상한 복장을 한 채로 황자에게 접근하지 않을 테니까. 복면의 사내는 척 봐도 날카로운 은빛 검을 꺼내 들었다. 그가 노리는 사람은 라하트였다.

검은 복면의 사내, 검, 라하트, 황자, 암살.

깨질 듯이 아픈 머리로 엘로라는 빠르게 상황을 파악했다. 다행히 아까 쉰 덕인지 무리 없이 몸을 움직일 수 있었다. 조금이라도 더 머뭇거렸다가는 라하트가 죽는다. 어쩌면 그걸 지켜보고 있던 엘로라 또한 죽을지도 몰랐다.

누군가가 자신의 목숨을 노리고 있다는 사실도 모른 채, 테이블에 머리를 처박고 있는 라하트는 복면의 사내가 몸통과 머리통을 잘 분리할 수 있게끔 뒷목을 보이고 있었다.

벌떡 자리에서 일어난 엘로라는 대충 집히는 것을 양손에 들어 라하트를 노리는 사내의 검을 막았다.

금속성이 부딪치는 차가운 소리가 사위를 울렸다. 어찌나 강한 힘으로 내리쳤는지 손목이 시큰거렸다.

상대는 잘 제련된 검이었고, 이쪽은 식탁에서 급한 대로 들고 온 어떤 것이었다. 나이프를 집었다 하더라도 크기나 날카로움이 아예 달랐다. 절대적으로 불리한 싸움이었다.

사내의 검을 튕겨 낸 엘로라는 뒤늦게 자신이 무엇을 무기로 골랐는지 확인할 수 있었다.

포크였다.

헛웃음이 나왔다. 두 손으로 꼭 쥔 포크를 내려다보고 있자니 한 번 막아 낸 것도 대단하게 느껴졌다. 손목이 이 정도로 저려 오는 것도 이상할 게 아니었다.

어금니를 꽉 깨물었다. 불리한 조건이 가득했다. 무기도 영 시원치 않았으며, 기본적인 힘의 차이도 있었다. 또한, 상대는 사람을 죽이는 전문가였다.

유일하게 희망이 되는 건 단 하나.

일대일이라는 점이었다.

만약 두 명 이상과 싸우게 되었다면 승산이라고는 보이

지 않겠지만 일대일이라면 조금 달랐다. 어찌 잘하면 막을 수 있을 것 같았다.

술기운에 자신을 과대평가한 게 아니었다. 무려 백 년에 한 번 나올까 말까 하다는 검술 천재인 라엘의 밑에서 배웠다. 오라버니의 얼굴에 먹칠을 하지 않기 위해서라도 이 악물고 버텨 내야 했다.

길게 이어 가면 안 됐다. 무조건 짧게. 단 한 번이라도 실수를 유도하면 됐다.

라하트를 등지고 섰다. 라하트가 너무 무방비하게 있어서 살짝 걱정이 되긴 했지만 일단 오는 공격만 막으면 된다고 판단했다. 여차하면 소리를 질러 사람을 모으는 방법도 있겠지만 지금 상황으로는 불가능하다고 보았다.

암살자가 여기까지 왔다는 건 근처 사람들 또한 온전치 않은 경우가 많았으니.

단시간에 제압해야 하니 마음이 급해질 수밖에 없었지만 성급함은 도리어 화를 부른다는 걸 알고 있었다. 엘로라는 쉬지 않고 급소를 날카롭게 찔러 오는 상대의 검을 차례대로 막았다. 차분한 솜씨였다.

겉으로 보기에는 비등비등해 보였지만 엘로라는 지금 사내의 검을 막아 내는 것만으로도 벅찼다. 확실히 포크로 막기에는 무리가 있었다. 점점 한계치가 보이기 시작했다.

식은땀이 흘렀다. 순간이라도 집중하지 않으면 목이 먼저 날아가는 건 라하트가 아닌 엘로라, 자신이었다.

머릿속이 새하얘졌다. 손목을 타고 오르는 통증에 점점 무뎌지고 있었다. 사내는 단 한 번의 빈틈도 보이지 않았다. 엘로라는 그저 본능에 가까운 움직임으로 사내의 검을 막아 냈다.

역시 무기가 가장 큰 문제였다.

거지 같은 포크. 속으로 욕지거리를 중얼거리던 엘로라는 뒤늦게 자신에게 무기가 포크뿐만이 아님을 떠올렸다. 상황이 워낙 급박하다 보니 까맣게 잊고 있었다. 항상 들고 다니는 무기가 있다는 사실을.

포크를 던졌다. 갑자기 달라진 엘로라의 움직임에도 사내는 당황하지 않았다. 단지 얼굴로 날아온 포크를 검을 들지 않은 손으로 빠르게 낚아챘다. 그 찰나의 순간에 시간적 여유를 얻은 엘로라는 숨겨 놨던 단도를 꺼냈다.

단도를 잡고 있으니 이제 좀 살 것 같았다.

검 끝을 복면의 사내에게 겨누었다. 사내는 새로운 무기를 꺼낸 엘로라를 무덤덤한 시선으로 보았다. 포크에서 단도로 바뀌었다고 하여도 결국 단도였다.

게다가 이대로 시간을 끌면 엘로라가 먼저 지쳐 쓰러질 것이란 사실을 사내는 알고 있었다.

사내가 달빛을 받고 희미하게 반짝이는 단도에 눈길을 주었다. 그리고 눈에 띄게 당황하기 시작했다.

공격적으로 나오던 사내가 한 발자국 물러섰다. 그의 시선은 여전히 단도를 향한 채였다. 마치 단도에 악령이라도 붙어 있는 것처럼 슬금슬금 뒷걸음질 치는 사내를 보며 엘로라는 새로운 전법인가 싶어 긴장의 끈을 놓지 않았다.

하나 새로운 전법 따위가 아니었다. 사내는 그대로 방을 나갔다.

단도를 쥔 채로 바짝 긴장해 있던 엘로라는 당황을 넘어서 황당함을 느꼈다. 그런다 하여 도망간 복면의 사내가 돌아오는 건 아니었다. 완벽한 후퇴인지 사내는 그림자조차 보이지 않았다.

"……어째서?"

이해할 수 없었다. 분명 사내가 다 이긴 싸움이었다. 시간만 조금 더 끌었다면 체력 탓에 엘로라가 빈틈을 보여 급소를 찔렸을 게 분명했다.

엘로라는 막는 데 급급했고, 사내를 죽이기 위해 무기를 든 게 아니었다. 살생을 한 적도 없을뿐더러 할 생각도 없었다. 사내가 빈틈을 보이면 아예 기절시킬 생각이었다.

이렇듯 살기가 느껴지지 않으니 사내도 눈치챘을 것이었다. 빈틈을 보인다 하더라도 죽지는 않을 거라는 사실을.

반대로 사내는 정말 엘로라를 죽이려 했다. 타깃인 라하트를 죽이는 데에 방해가 되니 당연히 죽였을 거다.

기절시키는 것보다 죽이는 게 더 쉬웠다. 어찌 보면 이만큼 시간을 끈 것도 대단한 싸움이었다.

사내가 어째서 도망쳤는지 알 수 없었지만, 일단 엘로라에게는 나쁘지 않은 상황이었다. 거칠게 숨을 내쉬었다.

손으로 이마를 훔치자 식은땀이 묻어 나왔다. 손과 다리가 후들거렸다.

어금니를 꽉 깨문 엘로라는 어지러움을 느꼈다. 잠시 손으로 테이블을 짚었다. 만약 복면의 사내가 잠시 후 다시 돌아온다면 죽은 목숨일 게 뻔했다. 제발 돌아오지 않길 바랄 뿐이었다.

가슴이 크게 오르락내리락했다. 죽을 뻔했다는 사실도 모르고 부동의 자세로 태평하게 잠이나 자고 있는 라하트를 힐끔 쳐다보았다.

어떤 근심, 걱정 없이 마음 편해 보여 제일 부러웠다. 그 난리 속에서도 한 번도 깨지 않는 걸 보면 내일 아침까지 푹 잘 듯싶었다.

어둠 속에서도 반짝이는 금색 머리통을 내려다보며 깊은 한숨을 내쉰 엘로라는 후들거리는 다리를 움직였다.

이곳에 서 있는 사람은 로이스였다. 굳이 라하트에게 병약한 화가가 검을 들어 자객을 쫓아낸 걸 알리고 싶지 않았다.

단잠 자는 라하트를 내버려 두고, 자객이 사라진 방향으로 걸어갔다. 바깥 또한 어두웠는데 아예 가 버린 게 맞는지 자객의 머리카락 한 올도 찾을 수 없었다.

대신 문밖에 쓰러진 사람들을 발견할 수 있었다. 다급하게 그들에게 다가간 엘로라는 먼저 맥을 짚었다.

맥이 뛰고 있었다. 죽은 게 아니었다. 단지 기절한 것뿐이었다.

안도의 한숨이 쏟아져 나왔다. 애꿎은 사람이 죽지 않아 다행이었다.

혹 가까운 곳에 숨어 있다가 방심한 틈을 타서 자객이 다시 공격하지 않을까 싶어 주위를 한 바퀴 빙 돌아본 엘로라는 아무도 없다는 걸 확인할 수 있었다. 완벽한 후퇴였다. 굉장히 찜찜했지만 자객이 아예 도망쳤다는 사실은 변치 않았다.

확인을 끝내고 나니 완전히 긴장이 풀렸다. 다리에 힘이 빠졌다. 머리는 여전히 깨질 듯이 아팠다. 총체적 난국이었다. 이마를 짚은 엘로라는 쓰러져 있는 사람들을 뒤로하고 궁으로 돌아가기로 했다. 혼란스러운 와중에 돌아가야 한다는 생각만은 또렷했다. 일종의 귀소 본능이었다.

비틀거리는 걸음으로 궁으로 돌아갔다. 그래서 보지 못했다. 라하트가 깨어 있다는 사실을. 그리고 엘로라가 방을 나갈 때부터 차가운 시선으로 그 뒷모습을 보았다는 사실을.

그저 피곤한 엘로라는 궁으로 돌아가자마자 화장만 지우고 바로 침대 위로 올라가 뻗었다.

이상한 점이 많았지만 그런 것들은 모두 내일로 미뤄 두기로 했다.

다음 날 아침, 라하트가 있는 궁이 발칵 뒤집어졌다. 갑작스러운 정전과 검은 형체를 보자마자 혹은 보지 않아도 기절한 시종들. 사상자는 없었지만 정황상 자객의 짓이 분명했다. 일부 시종들은 입을 모아 검은 형체를 보았다고 주장했다. 그것을 목격함과 동시에 정신을 잃었다고.

그들이 정신을 차렸을 때에는 라하트 황자가 있던 방의 문은 활짝 열려 있고, 황자는 죽은 듯이 자고 있었다.

처음에는 정말 죽은 줄 알고 간 떨어질 뻔했지만 다행히도 만취한 황자는 생채기 하나 없이 쿨쿨 자고 있었다.

라하트의 옥체에는 아무런 문제가 없었으나 침입자가 있었던 건 사실이고, 그 침입자의 목적이 라하트인 것도 확실했다.

묘령의 침입자가 어째서 아무것도 하지 않고 돌아갔는지에 대한 의문은 남을 수밖에 없지만 사람들은 그것을 그다지 중요하게 여기지 않았다.

암살 시도.

이 단어 하나가 주는 파장은 어마어마했다.

현재 제국은 피비린내 나는 황권 다툼이 없었다. 이는 장남 아히발트가 황태자로서의 위치를 굳건히 지키고 있었기 때문이었다.

라하트가 태어났을 때 파벌이 갈리긴 했으나, 총명한 아히발트와 다르게 어디 가서 황자라고 말하기에도 부끄러운 라하트의 기행이 어느 순간부터 이어지면서 귀족들은 라하트에게서 등을 돌렸다. 하여 파벌은 사라지고 아히발트가 무사히 황태자로 책봉되었다.

더불어 제국은 백 년 넘게 전쟁 없는 황금기를 유지하며 크게 적대적인 곳 없이 타국과도 활발하게 외교 관계를 맺었다. 황권 다툼도 없고 타국에서 황실을 위협할 만한 일이 없으니 암살 위협은 멀게만 느껴지는 단어였다.

그런데 암살 시도라니.

제대로 난리가 났다.

이 때문에 그날 밤 라하트와 함께 만찬을 하다가 사라졌던 엘로라는 아침부터 끌려갔다.

용의자가 아닌 당시 상황을 얘기할 증인으로 급하게 외출을 하게 된 엘로라는 히나를 꾸며 줄 시간 따위 없었다.

로이스로 변장하고 후다닥 라하트가 거처하고 있는 궁에 가니 시종들이 한곳에 모여 있었다. 엄청난 비상 상황이었다.

잔뜩 당황한 엘로라가 갈피를 잡지 못하는 사이, 소파에 앉아서 졸린 눈으로 하품을 한 라하트가 막 들어온 엘로라를 알아보고 손을 흔들었다. 퍽 친근한 인사였다.

엘로라는 황급히 고개를 숙였다. 잔기침을 내뱉으며 몸을 움츠리고 있으니 그 모습을 조용히 쳐다보던 라하트가 주위에 사람을 물렸다.

"이 친구가 나랑 단둘이 있고 싶다고 하네."

엘로라는 입 밖으로 라하트와 단둘이 있고 싶다고 한 적이 없었다. '단둘'의 '단'도 꺼낸 적이 없었다. 그러나 라하트는 마치 타인의 생각을 읽는 것처럼 말했다. 당황스러웠지만 로이스의 성격을 고려하여 그냥 입 다물고 있었다.

"그러니 다들 나가 있어."

엘로라를 에워싸고 있던 사람들이 우르르 나가기 시작했다. 멍하니 있던 라하트는 "아, 맞아."라고 하며 시종 하나를 붙잡았다.

"손님이 왔으니 차를 대접해 줘야겠지. 나가는 김에 다과도 내어 와. 로이스, 특별히 좋아하는 차라도 있던가?"

"……괜찮습니다."

"사양 말고 말해."

"그러면 저는 설탕을 넣지 않은 커피로 부탁드립니다."

"그렇다네. 준비해 와."

"예, 전하."

고개를 끄덕인 시종이 나갔다. 그 많던 사람들이 모두 자취를 감추고, 실내에는 라하트와 엘로라. 그러니까 라하트와 로이스만이 남았다.

선뜻 어떤 행동도 취하지 못하고 고개를 푹 숙인 채로 어색하게 서 있으니 라하트가 어서 다가오라고 손을 흔들었다.

"뭐 해? 편히 앉아."

엘로라는 쭈뼛대며 라하트 맞은편 자리에 앉았다. 다리를 다소곳이 모으고 있으니 라하트가 먼저 안부를 물었다.

"어젯밤에는 잘 들어갔어?"

"예? 예……."

"정신 차리니까 아무도 없더라고. 그래서 이번에는 황실의 수호신이 너를 안전하게 데리고 갔나 했지."

"제 발로 돌아갔습니다."

"적어도 너는 제정신이었나 보네."

"……."

"네가 뭘 먹고 있었던 건 기억이 나는데 그 후로는 전혀 떠오르지 않아. 흔히 있는 일이지."

그렇다. 라하트에게는 매우 흔히 있는 일이었다.

엘로라는 자신이 치열하게 암살자와 대치했던 난리 속에서 라하트가 한 번도 깨지 않았다고 확신할 수 있었다.

"그런데 내가 그러고 있는 동안 일이 있었다고 하더라고."

그 일이 암살 시도라는 걸 알고 있었지만 침묵했다.

섣불리 입을 놀려 좋을 것 하나 없었다.

"소문을 들었는지 모르겠는데 어젯밤에 암살자가 놀러 왔다가 갔어."

놀러 왔다니. 암살자와 놀러 왔다는 단어가 함께 있는 게 가능한 단어라고 생각하는 걸까?

엘로라는 당황했다. 태평해도 너무 태평했다. 물론 이 남자는 엘로라가 포크로 암살자와 대치하는 동안에도 태평하게 단잠을 자긴 했다. 그러나 그때는 술에 취했기 때문이니 그러려니 해도 찾아온 이가 암살자임을 인지하고 있으면 적어도 위기감은 가져야 할 것 아닌가.

검은 복면의 사내는 꽃구경이나 한 번 하려고 그 많은 경비와 시종, 시녀를 기절시키고 황궁에 온 것이 아니었다. 정확히 라하트의 목숨을 노리고 찾아온 거였다.

다른 누구도 아닌 라하트를.

그런데 정작 표적이 된 당사자는 암살 시도를 당했다는 사실조차 꿈으로 치부하는 듯했다.

엘로라가 잔뜩 당황하고 있는 것이 라하트에게도 느껴진 모양이었다. 그가 말을 덧붙였다.

“내 목이 잘 붙어 있으니 놀러 왔다가 간 거지.”

“……다행이네요.”

“맞아, 다행이지. 아무도 다치지 않고 죽지 않았으니.”

‘당신은 정말 죽을 뻔했어요.’라는 말이 목 끝까지 올라왔지만 엘로라는 어색하게 미소만 지었다. 그 얘기를 꺼내면 암살자를 어떻게 쫓아냈는지에 대한 얘기도 함께 해야 했다. 입 다물고 있는 게 최고였다.

“너도 멀쩡해 보이네. 혹시 다친 건 아니지?”

“예, 괜찮습니다.”

“봐 봐, 놀러 왔다가 간 거라니까. 그런데 다들 죽을 뻔했다고 난리야.”

예, 정말입니다.

정말 죽을 뻔했습니다.

라하트가 천하태평 하니 난리가 아니라 정말 있었던 사실이라는 걸 너무나 알리고 싶었다.

“이 탓에 한동안 근신하게 됐어. 상황이 파악될 때까지 황궁 밖으로 한 발자국도 못 나가.”

“안타깝게 됐습니다.”

“너라도 내 마음을 이해해 주니 다행이네.”

라하트가 싱긋 웃었다. 딱히 이해해 주는 건 아니었으나 의무적으로 고개만 끄덕여 주었다.

사람이 하고 싶은 말이 있어도 참아야 할 때가 있는데, 그때가 바로 지금이었다.

“이번 일이 정리될 때까지 식사도 가족이 아니면 함께 못하게 됐어. 그래서 안타깝지만 앞으로 너와 식사하지 못할 거야.”

전혀 안타깝지 않았다. 다른 건 몰라도 이것 하나만큼은 다행이라고 할 만했다. 그렇게 기피했으나 얼떨결에 함께 했던 라하트와의 식사가 드디어 끝을 맺었다. 이제 오롯이 그림에만 집중할 수 있게 되었다.

너무 좋아하는 티를 보이면 이상하게 생각할까 봐 살짝 숙인 고개를 들지 못했다. 라하트는 그런 엘로라를 지그시 쳐다보았다.

시선을 느끼며 얌전히 있으니, 때마침 침묵을 뚫고 노크 소리가 들렸다. 다과를 내어 온 시종이었다. 시종은 테이블 위에 다과를 내려놓고, 왔을 때처럼 조용히 사라졌다.

라하트가 차를 입에 댔다. 라하트가 차만 마시고 있으니 딱히 무어라 말을 꺼낼 게 없어 엘로라는 입술을 축일 정도만 마셨다.

설탕을 넣지 말라고 요구한 탓인지 제대로 마시지도 않았건만 쓴맛이 입 안을 잔뜩 감돌았다. 생각했던 것보다 더 썼다.

순간 표정 관리가 안 될 뻔하여 빠르게 라하트의 눈치를 보았다. 다행히 라하트는 이쪽에 관심 주지 않았다. 눈을 내리깐 라하트를 힐끔 보고선 몇 번 마시는 시늉만 하다가 잔에 아예 손도 대지 않았다.

잠깐의 휴식이었다.

"그러고 보니 어제 어떻게 돌아갔어?"

"전하께서 술에 취해 주무셔서 먼저 나왔습니다. 그때 저도 살짝 취해 있었던 터라 아무런 인사 없이 나간 건 죄송합니다."

"취했다고?"

"예, 제 잔에 따라진 게 술이었던 터라……."

"술이었어? 몸은 괜찮아?"

"약을 먹고 왔습니다."

찻잔을 내려놓은 라하트가 엘로라를 살폈다. 어디 이상한 점은 없는지 샅샅이 훑어보았다. 그 시선이 부담스러워 더욱 고개를 숙였다.

라하트의 눈길이 정확히 장갑을 낀 두 손에 멈췄다. 잔뜩 굳은 표정으로 한참 그 손을 바라보던 라하트가 나직한 목소리로 말을 꺼냈다.

"몇몇이 널 의심했지만 난 네가 그런 일을 벌였을 거라고 생각하지 않아."

"……."

"계기가 없잖아. 돈이야 내가 많이 쥐여 줬으니 금전을 목적으로 타인의 사주를 받았다고 보기 힘들고, 넌 지병을 앓고 있어."

로이스를 병약한 설정으로 잡아서 다행이었다. 덕분에 의심은 피할 수 있었다.

다크서클이 짙게 난 얼굴을 살짝 숙이고, 어깨를 들썩이며 기침을 하는 로이스를 본다면 누구도 살생을 할 자라고 생각하지 못할 것이다. 오히려 피해자가 될 수 있다면 되었지 가해자가 될 만한 외양은 아니었다.

속으로 안도의 한숨을 쉬느라 가만히 있는 것을 다른 뜻으로 이해했는지 라하트가 빠르게 말을 이었다.

"널 무시한다는 뜻이 아니야. 힘이 약하니 사람을 단숨에 죽이기 어렵다는 말이지. 암살자라면 빠르고 확실하게 목숨을 끊는 게 목표일 테니까."

그렇게 말하며 빙긋 웃었다.

말투는 가벼웠지만 그 내용만큼은 지독히도 냉정했다.

엘로라는 순간 소름이 돋았다.

"혹 이를 두고 너를 의심하는 사람이 아직 남아 있다면 내게 말해. 따끔하게 혼내 줄게."

"신경 써 주셔서 감사합니다."

"이 정도야 별거 아니지. 내 신부님이 좋아하는 화가인데 곤혹스러운 상황을 만들어서는 안 되잖아."

"아, 예……."

미소를 지우지 않은 라하트가 턱을 괴고 상체를 앞으로 기울였다. 굉장히 흥미진진한 얼굴이었다. 살짝 고개를 들었던 엘로라는 그와 눈이 마주치자마자 다시 살짝 고개를 숙였다.

"그러고 보니 어제 술을 마셔서 몸도 안 좋을 텐데 아침부터 불러서 미안해."

"괜찮습니다."

"괜찮다니 다행이고. 아, 혹시 요리할 줄 알아?"

뜬금없이 웬 요리? 대화의 흐름을 종잡을 수 없었다.

혹시 할 줄 안다고 하면 시키려고 그러는 것일까?

엘로라는 갑작스러운 질문에 잔뜩 당황했지만 차분하게 대답했다.

"아니요. 할 줄 아는 건 오로지 그림을 그리는 것밖에 없습니다."

"주방에 가 본 적도 없나 보네."

"가끔 어머니를 돕기 위해 가 보긴 했습니다."

"효자네."

"과찬입니다."

"주방에는 재미있는 도구가 많지. 오죽하면 이발사와 요리사의 심기는 건드리면 안 된다는 말이 있겠어."

"……그렇죠."

아주 재미있는 얘기를 한 것처럼 구는 라하트에게 적당히 장단을 맞춰 주었다. 무슨 의미로 이 얘기를 꺼냈는지 알 수 없었다. 흐름을 봐서는 그냥 생각나는 대로 툭툭 말을 던지는 것 같았다. 엘로라는 상대가 라하트이니 깊이 생각하지 않기로 했다.

"말이 너무 길어졌네. 오늘 그려야 할 그림도 있을 테니 이만 가 봐."

드디어 탈출이었다. 벌떡 자리에서 일어나고 싶었지만 라하트의 시선을 느끼고 자중하여 천천히 일어났다. 꾸벅 인사하고 문 쪽으로 가는데 라하트가 엘로라를 몸으로 가로막았다.

"……전하, 하실 말씀이라도 있으십니까?"

이 남자가 왜 또 이러나.

순순히 보내 준다 했더니 또 무슨 할 말이 남아 가로막는지 의문이었다. 당황한 기색을 숨기지 않으며 물으니 불쑥 손이 내밀어졌다. 남자의 손이었다.

"생각해 보니 큰 고비를 넘긴 동지이니 헤어질 때 악수라도 한 번 해야 할 것 같더라고. 암살자의 모습은 코빼기도 못 봤지만."

"아, 그러시군요."

악수하는 이유가 억지스러웠지만 악수쯤이야 못할 것도 없었다. 손이 닳는 것도 아니니.

남자가 내민 손을 잡기 위해 손을 뻗던 엘로라는 자신이 장갑을 끼고 왔음을 그제야 깨달았다. 장갑을 끼고 악수를 하는 것은 예의에 크게 어긋났다.

게다가 엘로라, 그러니까 로이스는 일개 평민이었다. 평민이 장갑을 낀 채로 귀족과 악수를 한다면 일반적으로 벌을 받아 마땅할 만큼 큰 무례였다. 라하트라면 벌까지 내리지는 않을 테지만 어쨌든 장갑을 벗는 게 맞았다.

그대로 오른손에 낀 장갑을 벗으려 했다. 화상을 입은 손은 왼손이었다. 오른손으로 악수한다 하여 크게 문제 될 게 없었다. 만약 라하트의 뜬금없는 요청만 아니었더라면 어서 오른손의 장갑을 벗고 악수하여 이곳을 벗어났을 거였다.

"장갑, 양손 다 벗어 볼래?"

"예?"

"양손으로 악수하고 싶어서."

"……예?"

"양손 악수는 우리의 관계가 두 배로 돈독하다는 걸 확인하는 과정이지."

양손으로 악수한다 하여 관계가 더 좋은 건 아니었다. 이건 또 어디서 나온 논리인지 당최 알 수 없었다. 말도 말다운 말을 해야 하건만 정말 제멋대로였다.

하지만 납득할 수 없다 하여 거절할 수 있는 위치가 아니었다. 라하트의 신부 입장이었더라면 이상한 말 좀 그만하라고 핀잔을 주었을 테지만 지금 엘로라는 로이스였다. 저 황자가 말답지도 않은 말을 해도 그러려니 해야 한다는 뜻이었다.

"혹시 문제 있어?"

"아, 아니에요. 괜찮습니다."

결국 장갑을 양손 다 벗었다. 라하트가 그 손을 유심히 바라보았다. 먼저 왼손 장갑을 벗자, 하얀 붕대가 모습을 드러냈다. 라하트의 표정이 딱딱하게 굳어졌다. 그 얼굴을 힐끔 본 엘로라는 빠르게 오른손도 장갑을 벗었다.

이번에도 장갑을 벗은 손에는 하얀 붕대가 감겨져 있었다.

엘로라는 허술하지 않았다. 혹 모를 상황을 대비해 아예 양손에 붕대를 감아 놓았다. 화상 때문에 붕대를 풀 수도 없고, 왼손에 감겨져 있으면 확실히 의심할 것이니 아예 양손에 감아 놓았다.

어제 피곤해서 대충 화장만 지우고 잔 게 신의 한 수였다. 그렇지 않았다면 급하게 화장만 하느라 바빠서 붕대를 두르는 걸 깜빡했을 것이었다.

"붕대를 감았네."

"손에 묻은 물감이 자꾸 굳어서 아예 붕대를 감았습니다."

"그렇구나."

"붕대도 풀까요?"

"아니, 다시 감기 귀찮을 텐데 내버려 둬."

이렇게 대충 넘어가는 듯했다.

라하트가 엘로라의 붕대 감은 양손을 꽉 잡았다. 제삼자가 보기에는 전혀 악수가 아니었지만 라하트가 이러고 싶다는데 토를 달 사람은 없었다.

라하트의 손이 훨씬 더 커서 엘로라의 손이 먹혀 버린 듯한 모양새가 되었다. 어색하게 맞잡은 손에 잠깐 시선을 주다가 라하트를 보았다.

어쩐 일인지 라하트가 맞잡은 손에 힘을 주었다. 의도한 건 아니겠지만 화상 입은 곳까지 건드려져서 통증이 몰려왔다. 고통을 꾹 참은 엘로라는 억지로 미소를 지었다. 아프다는 사실을 그가 눈치채서는 안 되었다.

"그러면 다음에 봐."

"예, 그동안 강녕하시길 바랍니다."

드디어 악수가 끝났다. 맞잡은 손을 놓은 라하트가 활기차게 손을 흔들었다. 다시 한번 고개를 꾸벅 숙인 엘로라는 바깥으로 나가면서 장갑을 꼈다.

큰일 날 뻔했다. 라하트에게 의심을 남길 뻔한 순간이었다.

문이 닫히고, 뒤도 돌아보지 않고서 잰걸음으로 아모몬궁으로 돌아갔다. 그리고 아무도 없다고 판단했을 때 깊은 한숨을 내쉬었다. 동시에 피곤이 다시 몰려왔다.

낮잠을 자고 싶었지만 안타깝게도 아직 해야 할 일이 끝나지 않았다. 갑작스러운 암살자의 등장으로 엘로라는 더욱더 바빠졌다.

엘로라는 충분한 휴식을 취하여 머릿속에 복잡하게 얽힌 생각을 정리한 후 에곤에게 연락을 취할 생각이었다.

어젯밤 암살자의 방문으로 인해 라하트의 일상이 바뀌었듯, 엘로라 또한 계획을 수정할 필요를 느꼈다.

황태자가 약혼을 발표하기만을 느긋하게 기다리고 있을 상황이 아니었다.

이에 대해 에곤의 조언이 필요했기 때문에 오후쯤 연락을 취하려 했는데 마치 엘로라의 생각을 읽기라도 했는지 에곤이 먼저 선수를 쳤다.

정갈한 필체로 오후 중에 찾아가겠다는, 아주 정중한 편지를 보내왔다. 입궁 후 보지 못했으니 라엘과 함께 안부 인사라도 하러 오겠다는 거였다. 가족이니 못할 것도 없었다. 오히려 지금까지 얼굴 한 번 보겠다고 달려오지 않고 참아 준 게 대단했다.

타이밍이 좋아도 너무 좋다고 생각하며 에곤과 라엘을 맞이할 준비를 했다. 히나에게 미리 다과를 준비해 놓으라고 하고 기다리고 있으니 어느덧 그들이 아모몬 궁을 방문했다.

응접실에서 기다리고 있던 엘로라는 문이 열리고, 그 사이로 들어오는 두 남자를 보았다. 그들을 뒤따라오는 사람은 없었다.

"오랜만이야, 오라버니들."

외부인이 없다는 걸 확인한 엘로라의 입꼬리가 절로 무너졌다. 내색한 적도 없고 크게 느낀 적도 없었으나 얼굴을 보니 확실히 알 수 있었다. 입궁 후 그리움을 차곡차곡 모아 두고 있었다는 사실을.

평소보다 들떴다는 걸 스스로도 느낄 수 있었다. 가족이라는 울타리 안에서 맹목적으로 믿을 수 있는 존재는 소중했다.

활짝 웃으며 반기자 우뚝 멈춰 선 에곤과 라엘이 깍듯이 인사했다. 타인의 시선이 있는 것도 아닌데.

결혼 후 엘로라가 황자비가 되었으니 실제로 그들보다 지위가 높아, 예의에 어긋나는 건 아니었지만 매우 부담스러웠다. 공식적인 자리라면 몰라도 이런 사적인 자리에서까지 격식을 차리고 싶지 않았다.

"갑자기 왜 그래. 다른 사람처럼."

불만스러운 표정을 짓고 있으니 고개를 든 라엘이 입꼬리를 올렸다. 조금 전 인사는 장난이었음을 알 수 있었다.

어쩌면 그 일은 요제프가 시켰을 수도 있었다. 에곤과 라엘은 장난과 거리가 멀었으니까. 이 자리에 없는 요제프의 그림자를 느꼈다. 그동안 두 남자는 맞은편 자리에 앉았다.

"오라버니들이 찾아와 줘서 기뻐. 나 없는 동안 별일 없었지? 둘 다 피곤해 보이는데 밤잠 설친 거 아니야?"

엘로라의 걱정 어린 말에 라엘이 저도 모르게 뜨끔하고 말았다. 양심의 덜컹임이었다. 다행히 엘로라는 이를 눈치 채지 못했다.

"……안 설쳤어."

"그러면 다행이야."

오랜만에 오라버니들의 얼굴을 보게 되어 들뜬 엘로라는 라엘이 한 박자 늦게 대답했건만 그냥 넘어갔다. 어찌나 기뻐하는지 입꼬리가 내려가지 않는 엘로라의 얼굴을 빤히 쳐다보던 에곤이 먼저 용건을 꺼냈다.

"할 말이 있어서 찾아왔다."

"마침 나도 할 말이 있어서 오늘내일 중으로 오라버니에게 연락을 넣으려고 했어."

엘로라의 말을 듣자마자 두 형제의 머릿속에 든 생각은 바로 '혹시 암살자의 배후를 알아챈 것일까.'였다.

셋이서 꾸민 일인 걸 눈치 빠르게 알아채고 따지기 위해 연락을 하려고 했을지도 몰랐다. 하지만 그런 것치고는 엘로라의 표정이 지나치게 밝았다. 괜히 양심이 찔렸지만 확정된 건 없으니 시치미를 떼기로 했다.

"어젯밤에 있었던 황자 암살 시도 현장에 네가 있었다는 얘기가 돌더군. 어디 다친 곳은 없는지 확인하러 왔다."

"아, 그거……."

엘로라는 잠깐 고민했다. 포크로 암살자와 맞섰다는 무용담을 펼쳐 놓는다면 에곤과 라엘은 무모했다며 걱정할 거였다.

제대로 된 검을 들고 맞서도 모자랄 판에 포크라니. 당시 엘로라는 어찌어찌 암살자를 막아 냈으나 다시 하라면 절대 못할 짓이었다.

너무 무모한 일이었다는 건 스스로도 인정하는 바였다.

그래서 선의의 거짓말을 하기로 했다.

어차피 궁에 있던 시종과 시녀는 모두 기절하여 자세한 상황을 알지 못했다. 그 자리에 있었던 라하트 또한 뻗어서 무슨 일이 있었는지 몰랐다. 오로지 암살자와 엘로라만의 비밀이니 조금 거짓말을 한다 하더라도 밝혀질 리 없다고 생각했다.

"암살자가 찾아왔다고 하던데 그림자도 못 봤어. 봐 봐, 보다시피 다친 곳 하나 없어."

"손은?"

다친 곳이 없음을 알리기 위해 손을 흔들었는데 붕대를 감은 손을 깜빡하고 있었다. 라엘의 시선이 붕대 감은 손에 고정되었다.

황궁 내에서 엘로라의 기행을 모르는 사람이 없었다. 시종과 시녀를 모두 궁 밖으로 내쫓았으니 모를 수가 없었다.

기사단에 소속된 라엘의 귀에까지 들어갈 법했지만 그는

자신이 관심을 두는 것에만 몰두하는 남자였다. 그러니 지나가는 소문을 듣지 못했을 수도 있었다.

"사정이 있어서 화상을 조금 입었어. 별거 아닌 일이야."

자랑스러운 일이 아니었기에 엘로라는 말을 얼버무렸다. 슬쩍 에곤을 보니 에곤은 왜 붕대를 감았는지 아는 눈치였다. 필요하다면 나중에 에곤이 라엘에게 따로 설명해 줄 것이었다. 그래서 긴 설명을 하지 않으니 라엘이 엘로라의 손을 뚫어져라 쳐다보다가 손을 내밀었다.

"손 줘 봐."

군말 없이 라엘의 손바닥 위로 손을 겹쳤다. 라엘은 엘로라가 다친 게 영 못마땅해 보였다. 표정에서부터 그 감정이 적나라하게 드러났다.

"어디 화상 입었어?"

"여기서부터 여기."

정확히 화상을 입은 부분을 손가락으로 표시하니 라엘이 그 부분은 빼고 엘로라의 손을 조물조물 만져 주었다. 부드럽고 조심스러운 손길이었다. 맞닿은 온기에 라엘의 걱정이 함께 느껴졌다.

"아프지 마."

"앞으로 조심할게."

라엘이 당연하다는 듯이 고개를 끄덕였다.

그들을 지켜보고 있던 에곤은 엘로라가 어젯밤 사건이 모두 아르미트 삼 형제의 모략이었음을 눈치채지 못한 걸 알 수 있었다.

낌새라도 느꼈더라면 이렇게 다정하고 훈훈한 분위기가 연출될 수 없었다. 엘로라의 성격이라면 따지고 들었을 터였다. 어째서 그랬느냐, 왜 그런 무모한 짓을 했느냐 하면서.

에곤의 시선이 엘로라의 손목 쪽으로 향했다. 에곤과 라엘이 오늘 엘로라를 방문한 이유는 암살자를 통해 보고를 받았기 때문이었다.

하마터면 사랑하는 동생이 다칠 뻔했다. 동생을 위해서 한 일이었건만 독이 되었음을 인정하지 않을 수 없었다.

암살자에게 마주치면 꼭 피하고 건드려서는 안 될 사람으로 미리 엘로라에 대한 정보를 알려 줘서 천만다행이었다.

그럴 리는 없겠지만 초상화를 그리니 혹 라하트와 함께 있을 수도 있다는 가능성을 고려해서 간단한 인상착의와 들고 있는 단검의 특징 같은 것을 알려 줬는데 그게 엘로라의 목숨을 살렸다.

암살자의 말에 따르면 엘로라는 양손으로 포크를 쥐고 꽤 오랫동안 사람을 해치기 위해 휘두르는 검을 막았다고 했다.

정말 무모하기 짝이 없는 일이건만 그걸 또 해냈다. 삼형제의 상상을 초월하는 대단한 동생이었다.

황자를 살리기 위해 힘겨운 시간을 보냈을 엘로라를 떠올리니 절로 한숨이 나왔다. 동생이 다칠 뻔한 일을 겪었으니 앞으로 암살자를 보내는 일을 하지 않을 거였다. 불만스러웠지만 세상일은 모두 뜻대로 돌아가지 않았다.

엘로라의 손목을 주시하던 에곤이 고개를 들었다. 마침 에곤과 엘로라의 시선이 딱 마주쳤다. 예쁘게 미소 지은 엘로라는 용건을 꺼냈다.

"오라버니, 물어볼 게 있는데 그 사람 평소에 견제받는 세력이 있었던 거야?"

"내가 알기로는 없어."

아니, 딱 하나 있었다.

아르미트의 삼 형제라고.

이는 영원한 비밀이었다.

"그러나 꼴은 그래도 일단 황자이니 암살 위협을 안 받는 게 더 이상한 거겠지. 그도 아니라면 여자 문제도 난잡한 녀석이니 치정 관련으로 사주를 했을 수도 있고. 가능성이야 다양하지. 소문만 들어 보면 아직까지 길 가다가 칼 안 맞고 살아 있는 게 신기한 녀석이니."

"아, 치정 관련일 수도 있겠구나."

고개를 끄덕인 엘로라는 기억을 되짚어 보았다. 결혼 후에 라하트가 여자를 끼고 다니는 모습은 본 적이 없었다. 하지만 이게 눈앞에서 본 적이 없는 거지 안 보는 데서 했을 수도 있고, 소문이 워낙 안 좋은 남자이니 결혼 전에 어떤 원한 관계를 쌓았는지는 라하트만이 알 일이었다.

지금까지 지켜본 바, 라하트는 사교성이 좋은 편이었다. 막무가내이긴 했지만 천성이 나쁘지 않아 미워할 수 없었고, 황자라는 높은 지위를 가진 것치고는 털털하여 크게 미움받지 않을 사람이었다. 하나 암살자가 왔다 간 건 확실하니 이제 대책을 세워야 했다.

엘로라는 조용히 결혼 생활을 하다가 이혼하길 바라는 거지, 목숨의 위협을 받으면서 살고 싶지 않았다. 죄가 없는데 라하트 탓에 불똥이 튀는 일은 사양이었다.

이 모든 게 에곤이 급하게 지어낸 말이라는 걸 모르는 엘로라는 미리 생각해 두었던 질문을 던졌다.

"오라버니는 황태자 전하와 친하지?"

"그런 편이지."

"근래 전하와 혼담이 오가는 여성분이 있어?"

"없는 걸로 알고 있다. 워낙 지고지순해서 아직도 잊지 못한 것처럼 보이더군."

"재혼은 생각 있으신 것 같아?"

"아니, 전혀. 죽어도 한 사람만 마음에 안고 죽겠지."

황태자 아히발트의 참사랑은 제국민뿐만 아니라 타국에서도 종종 회자되었다. 결혼 후 일여 년 동안은 둘의 따듯한 사랑 얘기가 사람들 입에 오르내렸고, 출산 도중 끝내 황태자비가 죽고 난 후에는 끝까지 그녀를 잊지 못한 황태자에 대한 얘기가 계속 돌아다녔다.

5년. 한 사람의 감정에 함부로 기준을 지을 수 없었지만 5년이라는 시간은 죽은 부인을 기리기에 충분한 시간이라고 생각했다.

5년 동안 아히발트는 아히발트 나름대로 죽은 부인을 정리했을 테고, 당장은 아니더라도 2년이나 3년 뒤쯤에는 황태자라는 자신의 지위를 자각하고 있을 테니 재혼하지 않을까 하는 추측이 있었다.

그 탓에 황태자가 결혼을 하면 이혼하자는 조건을 걸었던 것이었다. 그러나 아히발트는 전혀 재혼 의사가 없는 듯했다.

흐음, 하고 팔짱을 낀 엘로라가 깊이 고민했다.

현 황제와 황후는 라하트와 다르게 아히발트에게 관대한 편이었다. 물론 표면적으로야 망나니 자식을 방치해 두었으니 라하트에게 관대해 보여도 이건 살짝 다른 문제였다.

그들은 억지로 라하트의 결혼을 추진했으나 아히발트에게는 절대 강제로 결혼시키지 않을 것이었다. 부인을 잃고 상심이 깊은 걸 아는 데다 본인 앞가림을 잘하는 사람이 딱 잘라서 필요 없다고 말하니 속으로는 앓고 있어도 겉으로는 크게 표현하지 않았다. 억지로 결혼시키려 했다가 괜히 관계가 어긋나면 감당하지 못할 거라는 판단도 있었을 것이다.

황제와 황후도 그렇고, 아히발트도 그렇고 여차하면 라하트의 자손으로 다다음 대 황위를 이으려는 생각일 수도 있었다. 황가의 피만 잇는다면 되니까. 정통성은 문제없었다.

만약 상황이 그런 식으로 흘러간다면 피곤하게 되는 건 엘로라였다.

미리 아히발트에 대해 뒷조사를 더 했어야 하는데 긴 시간이 지났으니 감정이 마모됐을 거라고 섣불리 판단했다. 에곤의 반응을 보아하니 이러다 라하트의 아이까지 낳아야 할 판이었다.

그건 조금 많이, 아니, 아주 많이 곤란했다.

어쩌면 지금도 다가오고 있을지도 모르는, 가능성 있는 미래에 엘로라가 미미하게 인상을 찌푸렸다.

차근차근 머릿속에 뒤엉킨 생각을 정리하던 엘로라는 무언가를 떠올리고 혼잣말처럼 중얼거렸다.

"따로 여자를 안 만나서 그런 게 아닐까?"

"누가?"

"황태자 전하 말이야. 항상 에곤 오라버니와 함께 있잖아."

"그렇지."

"라하트 전하와는 다르게 사적인 시간을 갖지 않는 걸로 아는데, 종일 남자들이랑 지낸다는 뜻이잖아."

"아무래도 그렇지."

에곤이 가볍게 수긍했다.

가장 큰 문제는 이거였다. 아히발트가 따로 여자를 만날 기회가 없다는 것.

국내에서 공적으로 만나는 사람들은 웬만해선 다 남자였고, 외교적 문제 때문에 사신이 찾아온다 하더라도 대부분 남자였다.

여기도 남자, 저기도 남자. 사방이 남자, 남자, 남자!

이러니 에곤과 아히발트가 부정한 관계라는 소문이 도는 것도 이상하지 않았다. 에곤이 아히발트를 보좌했기 때문에 항상 곁에 있을 수밖에 없는 데다 둘 다 외모가 수려하여 어긋난 쪽으로 망상하는 사람이 제법 많았다. 그게 사실이 아님을 아는 엘로라는 빠르게 머리를 굴렸다.

"혹시 전하와 혼담이 오갈 만한 영애가 누구 있는지 알아?"

"모든 조건을 따져 보면 현재 가장 나이가 많은 영애로는 부르텐가의 여식이 있지. 참고로 열세 살이다."

에곤이 덧붙인 말에 충격으로 입술이 벌어졌다.

열세 살. 사교계 데뷔를 열여섯부터 시작한다고 하지만 그건 데뷔고 실질적으로 결혼하는 나이는 열여덟 살부터였다. 그에 비하면 열세 살은 너무 어렸다.

제국에 영애가 그렇게 없나? 영토도 넓은데 황태자와 혼약이 오갈 만한 조건의 영애가 고작 열세 살이라니. 그건 범죄였다.

"열세 살이라고? 왜 이렇게 어려?"

"지위가 낮은 귀족 가문은 제외하고 황실과 화합할 만한 고위 귀족 중 대부분은 라하트와 결혼할까 두려워 일찍이 시집을 보낸 경우가 많지. 황태자비도 노려볼 법하지만 자칫하면 황자비가 될 수 있으니 위험 부담을 떠안지 않으려고 수를 쓴 거겠지."

에곤이 말을 끝맺고 깊은 한숨을 내쉬었다. 결국 모든 귀족들이 기피하는 황자비의 자리를 엘로라가 차지했으니 말을 하면서도 가슴이 답답해졌다.

"너도 알다시피 가문을 위해 어린 나이에 결혼을 강요당하는 경우는 비일비재하다. 이런 식으로 사람이 빠져나가다 보니 결국 국내 귀족 중 남은 건 혼인하기에는 너무 어린 영애밖에 없다."

"내가 결혼했을 때 다들 말은 안 했지만 쌍수 들고 환영했겠네."

에곤은 침묵했다. 긍정의 침묵이었다. 옆에 앉은 라엘의 표정도 썩 좋지 않았다.

대화가 돌고 돌아 엘로라가 최악의 취급을 받고 현재 자리에 앉아 있음을 인정해야 했기 때문이었다. 그들에게 있어 가장 껄끄러운 주제임을 인정할 수밖에 없는 순간이었다.

"자세히 몰랐는데 상황이 그런 식으로 돌아가고 있었구나."

엘로라가 턱을 괴었다.

충격으로 인해 머리가 살짝 아파 왔다.

다른 것보다 어린 나이에 억지로 결혼을 해야 하는 타인의 운명이 '열세 살'이라는 한 단어로 와닿았기 때문이었다.

떠밀리듯이 결혼을 하게 된 건 너무나 잘 알았지만 상황이 이토록 심각할 줄은 몰랐다. 라하트가 악의 주축인 듯이 말하긴 했지만, 라하트는 하나의 원인일 뿐이었다. 1, 2년 정도 그녀들의 결혼을 앞당기는.

엘로라는 앞에서 나설 수 없으니 에곤과 합을 맞춰 뒤에서 어찌어찌 여성과 아히발트의 만남을 주선해 볼 생각이었다. 그런데 열세 살이라는 말을 듣자마자 바로 계획을 수정할 수밖에 없었다.

황태자와 에곤은 동갑이었다. 에곤이 결혼하겠다고 열세 살 된 영애를 데려오는 상상을 했다가 끔찍해서 바로 지워 버렸다. 그건 정말 미친 상상이었다.

서른이 다 돼 가는 남자와 그에 반도 살지 못한 여자를 연애 감정으로 이어 붙이는 건 역겨웠으며, 현재 거론되고 있는 어린 영애에게도 할 짓이 아니었다.

엘로라는 계획의 방향을 틀었다. 국내가 라하트 때문에 난리라면 국외는 좀 낫지 않을까. 지금 라하트는 그 이름을 부르기만 해도 저주에 걸릴 듯한 존재처럼 보였지만 국외라면 영향력이 덜했다.

"국내 사정이 이런 거니까 국외에는 그래도 황태자 전하와 결혼할 만한 후보가 있겠네?"

"있기야 있지."

"열세 살은 아니지?"

"적어도 결혼해서 아히발트가 몹쓸 놈이라는 욕을 먹지 않을 만한 나이야. 크리센즈만 봐도 여권이 이곳보다 나아서 혼기가 차자마자 결혼하는 일은 없으니까."

"맞아, 크리센즈가 그렇지."

크리센즈. 오랜만에 듣는 타국의 명칭이었다.

엘로라에게 깊은 깨달음을 준 여인만 하더라도 크리센즈 사람이었다. 그다지 유쾌하지 않은 과거를 거슬러 오르던 엘로라는 결정을 내렸다.

"오라버니, 한번 물어봐 줄 수 있어?"

"무엇을?"

"황태자 전하께 1, 2년 내에 결혼할 생각 없냐고 물어봐 줘."

"묻는 거야 어렵지 않지. 그런데 엘로라. 아무리 생각해 봐도 이때까지 네 질문은 모두 아히발트를 결혼시키려는 의지에 불탄 거로만 보이는데."

"정확해."

이제 와서 아니라고 발을 빼기에는 너무 이것저것 물어보았다. 의도를 전혀 숨기지 않은 채로. 은근슬쩍 물어봤으면 몰라도 대놓고 캐물었으니 에곤이 궁금해할 만도 했다.

여기서 아니라고 해 봤자 의심만 살 게 분명하여 엘로라는 간단하고 명료하게 긍정했다.

너무나 산뜻한 대답이라 에곤이 가늘게 눈을 떴다.

아히발트와 엘로라는 전혀 접점이 없었다. 입궁 후 한두 번 만났기야 했겠지만 갑자기 사생활을 꼬치꼬치 캐물을 정도로 관심이 생긴 건 아닐 터였다.

"어째서 남의 개인사에 그리 관심을 가지는지 물어보고 싶군."

"오라버니가 그토록 원하는 내 이혼과 관련이 있다고만 알아 둬."

엘로라는 황자비였으나 어떤 강력한 힘이 있는 게 아니었다. 만약 엘로라가 아히발트에게 여자를 만나 보는 게 어떻겠느냐는 말을 꺼낸다면 미친 사람 취급만 받지, 진지하게 받아들이지 않을 것이었다.

그러니 앞으로 있을 일은 모두 아히발트와 친한 에곤의 적극적인 협조가 필요했다. 엘로라가 모략을 꾸민다면 에곤은 그것을 행동으로 실천할 사람이었다.

에곤의 관심을 끌고 협력을 얻기 위해 표면적인 사항만 알려 줄 필요가 있었다.

"그것참 아주 중요한 이야기인데. 숨기는 게 있구나."

"세상에 비밀 없는 사람은 없지."

"이건 문제가 다르다고 생각한다."

"꼭 알고 싶어?"

에곤이 고개를 끄덕였다. 라엘은 정말 궁금한지 두 번이나 고개를 끄덕였다. 그런 두 남자를 보던 엘로라는 싱긋 웃었다. 제대로 걸려들었다.

"그러면 나를 도와줘. 일이 끝나면 알려 줄게."

"너는 이 오라비까지 이용해 먹으려고 하는구나."

"오라버니도 싫지 않잖아."

엘로라의 말에 누구도 반박할 수 없었다. 아르미트 가문의 남자들은 항상 엘로라를 도와주고 싶어 했다. 나이 차이가 많이 나는 막냇동생에게 뭐든 해 주기 위해 노력했고.

그러나 엘로라는 그 모든 걸 스스로 일궈 내려 했다. 모르는 게 있으면 묻기보다 깊은 고민을 먼저 했고, 잘 되지 않는 일이 있다면 도움을 청하기보다는 잘될 때까지 노력했다.

이렇듯 엘로라는 어릴 때부터 손을 벌리는 일이 없었다. 혼자서도 잘하니 기특하기도 했지만, 한편으로 안절부절못하는 게 또 사람 마음이라 이번에도 이유야 어쨌든 엘로라가 도움만 청한다면 선뜻 도와줄 생각이었다. 이런 오라버니들의 마음을 엘로라는 쉽게 간파할 수 있었다.

"언제는 내가 하지 말라고 해도 몰래 일을 벌여 놓고 이제 와서 내가 도와 달라니까 뺄 거야?"

순간 엘로라가 암살자의 배후를 눈치챈 줄 알고 두 남자가 뜨끔했다. 전혀 그런 게 아님을 알면서도 워낙 죄가 깊다 보니 조금이라도 낌새가 보이면 양심이 고통을 호소했다.

"어? 진짜 뺄 생각이었어?"

이를 착각한 엘로라가 놀랍다는 듯이 바라보았다. 당장은 아니더라도 대답이 늦어지면 몰래 일을 벌였다는 사실을 눈치챌까 싶어 황급히 대답했다.

"그럴 리가."

"나도 도와줄게."

"음, 라엘 오라버니는 크게 도와줄 일이 없겠지만 아군이 한 명 더 있으면 든든하지."

능력 있는 사람이 자발적으로 도와주겠다는데 거절할 필요가 없었다. 언제든 필요할 때가 올 것이었다. 선선히 긍정한 엘로라가 내일 약속을 잡았다.

"내일 꼭 물어봐 줘. 그리고 답에 대한 얘기는……, 우리가 자주 만나게 되면 사람들의 의심을 사게 될 테니까 내가 비밀 통로를 통해 나가 있을게. 저택 근처에서 만나자."

"나도 가도 돼?"

"못 올 것도 없지."

아예 남도 아니고 옆에서 얘기를 다 들었는데 못 올 이유는 없었다.

엘로라가 선뜻 긍정하자 라엘은 굉장히 기뻐했다. 엘로라가 주동한 이 음모에 동참하게 되어 기분이 좋은 것 같았다. 다른 누구도 아닌 엘로라가 주동했기에 저런 반응이 나오는 거였다.

"너무 오래 있으면 사람들이 의심할 테니까 이만 헤어질까?"

"그래, 네가 무사하다는 것도 확인했으니 일어나도록 하지."

에곤은 선선히 긍정했으나 라엘은 조금 더 엘로라를 보고 싶었기 때문에 별로 일어나고 싶은 기색이 아니었다. 얼굴에 불만이 가득했다. 엘로라는 그런 라엘을 달랬다.

"오라버니, 우리 내일 또 봐."

"응."

그제야 라엘이 자리에서 일어났다. 지금 당장의 헤어짐이 어쩔 수 없다는 걸 라엘 또한 알고 있었다.

엘로라는 오라버니들을 배웅해 주었다. 헤어지기 직전에도 부탁했던 사항에 대해 강조했다.

"그러면 꼭 물어봐 줘, 꼭."

"죽는 한이 있더라도 꼭 물어볼 테니 걱정하지 않아도 된다."

“그렇다고 진짜 죽으면 안 돼.”

두 사람의 얼굴에 미소가 만연했다. 농담을 주고받고, 어서 돌아가라고 재촉했으나 그것이 헤어짐을 반기는 행동은 아니었다.

너무 짧아 아쉬운 만남이었다. 하나 내일을 또 기약했기 때문에 그 허전함을 달랠 수 있었다.

아르미트가의 두 남자가 아모몬 궁을 떠났다.

햇살이 반짝이는 오후였다.

다음 날 오후, 해가 질 때쯤 엘로라는 로이스도, 벤더티도, 못난이 엘로라도 아닌 아예 다른 얼굴로 변장하여 비밀 통로를 통해 황궁을 빠져나갔다.

목적지는 아르미트 저택 근처였다.

저택에 들어가지는 않더라도 오랜만에 그 근처를 갈 수 있게 되어 들떴는지 일찍 나와도 너무 일찍 나온 엘로라는 사람들 틈바구니에 섞여 익숙한 거리를 걸었다.

그 누구도 옷깃을 스치는 자가 라하트의 신부이자 제국에서 못나기로 둘째가라면 서러운 엘로라임을 눈치채지 못했다.

별 탈 없이 저택 근처 골목에 들어간 그녀는 벽에 몸을 기댔다. 우뚝 서 있는 저택을 보고 있자니 어쩐지 가깝고도 멀게 느껴졌다.

결혼을 하게 되면서 엘로라 아르미트가 아닌 엘로라 볼흐라스가 되었기 때문일지도 몰랐다.

본디 어머니 몸에서 잉태되어 당연하다는 듯이 '아르미트'라는 성씨를 받고, '아르미트'라고 불리며 자라 왔는데 한순간에 성씨가 바뀐다는 건 묘한 기분이었다. 그다지 실감이 나지도 않았다. 지금 자신이 앉은 자리 같은 것들이.

언젠가 떠나야 할 자리이기에 맞지 않은 옷을 입은 듯이 불편한 것 같았다. 만남 이전에 헤어짐을 먼저 생각했기에 당연한 일이었다.

저택으로 들어가 아르미트 저택 내의 식구들의 얼굴을 보고 싶었으나 괜한 걱정을 끼치고 싶지 않은 마음에 가만히 서서 저택만 하염없이 바라보았다.

그런 식으로 시간을 때우고 있으니 얼마 지나지 않아 에곤과 라엘이 근처에서 모습을 드러냈다. 그들은 엘로라를 찾는 것인지 사방을 두리번거렸다. 몸을 숨기고 있던 엘로라는 마치 지나가는 길인 척, 시치미를 뚝 떼고 그런 두 사람을 스쳐 지나갔다. 그리고 슬쩍 두 사람의 옷깃을 잡아당겼다.

눈치가 빠른 두 남자는 자신의 옷깃을 잡아당긴 이가 엘로라임을 알아보고 군말 없이 엘로라를 따라 골목 안쪽으로 들어갔다.

세 사람의 걸음 소리만이 울렸다. 타인의 시선에서 벗어났다고 판단되었을 때 몸을 돌려 에곤과 라엘을 돌아본 엘로라는 빠르게 인사를 끝마친 후 그토록 궁금했던 질문을 가장 먼저 꺼냈다.

"오늘도 안녕, 오라버니. 전하께서 뭐래?"

화장 탓에 그들이 익히 아는 엘로라의 얼굴이 아니었지만 반짝이는 푸른 눈동자는 그대로였다. 라엘은 그런 엘로라가 귀여워서 손을 뻗어서 머리칼을 쓰다듬어 주었다. 부드러운 손길이었다.

라엘의 쓰다듬을 받고 있으니 엘로라는 자신이 너무 다급했음을 느끼고 어색하게 웃었다. 미안함이 담긴 웃음이었다. 이를 조용히 지켜보던 에곤은 애초에 이 얘기를 하러 온 것이기 때문에 불편한 기색 없이 대답해 주었다.

"외교적인 문제로 말이 오가는 여인이 몇몇 있지만 그건 폐하의 바람일 뿐이지 당장 결혼할 생각이 없다고 하더군."

"그 이유도 물어봤어?"

"사랑."

"응?"

"사랑하지 않는 상대와는 결혼하지 않겠다고 못 박더군. 본인에게도 상대에게도 힘든 여정이 될 테니 아예 피하고 싶어 보였다."

엘로라는 미미하게 인상을 찌푸렸다. 아히발트의 뜻을

아예 이해하지 못하겠다는 건 아니었다.

아히발트는 다른 누구도 아닌 앞으로 제국을 짊어질 황제가 될 사람이었다. 연애결혼이 될 리 없었다. 정략결혼으로 인연을 맺어 봤자 사별한 부인을 잊지 못하고 있어 서로에게 고통이 될 게 뻔하니 차라리 그냥 혼자 있겠다는 뜻을 충분히 이해했다.

요컨대 아히발트는 5년이 지난 지금, 두려워하고 있었다.

죽은 부인이 돌아오지 않음을 인정했으나 새로운 사람을 만나는 것에 두려움을 느끼고 있는 것이었다. 단 한 번도 부딪쳐 보지 않은 채로.

"그런데 새 사람을 만나지도 않잖아."

"농담처럼 말하긴 했지만, 진담이 섞인 말로는 첫눈에 반할 만한 상대를 찾고 있다고 하더군."

"생각보다 황태자 전하께서는 섬세한 사람이었네."

"가끔 나 또한 이해하지 못할 정도이지."

첫눈에 반한다라. 한 번도 동화 속에 나올 법한 사랑을 한 적이 없는 엘로라로서는 굉장히 멀게 느껴지는 문장이었다.

상대의 외견을 보고 첫눈에 호감을 가진 적은 있어도 사랑이라는 깊은 감정은 느낀 적도 없었고, 앞으로도 느낄 수 없을 듯했다. 로맨틱한 상황을 믿기에 엘로라는 너무나 커 버렸다.

그런데 다 큰 성인 남자가 첫눈에 반하는 사람을 찾는다고 하니, 아히발트가 생각보다 감수성이 뛰어난 사람임을 새롭게 알게 되었다.

그리고 얘기를 듣다 보니 아히발트가 아예 재혼 의사가 없는 건 아니라는 걸 알 수 있었다. 이걸 긍정적으로 받아들여야 할지. 엘로라는 굉장히 애매한 기분이 들었다.

"특히 장례식을 치른 후에는 엉망진창이었으니까."

그때를 떠올렸는지 에곤은 마른세수를 했다. 착잡한 표정이었다.

엘로라는 그 당시 상황을 옆에서 지켜보지 못하고 말로만 전해 들었지만 대충 어땠는지 알 수 있었다. 엘로라의 주위에는 아히발트처럼 부인과 사별하여 깊은 슬픔에 잠겼던 사람이 한 명 있었다.

"마치 아버지처럼?"

"그래, 아버지처럼."

에곤이 지친 기색을 숨기지 않으며 대꾸했다. 주제가 주제이다 보니 에곤은 급격히 피로해 보였다. 엘로라는 그 얼굴을 빤히 쳐다보았다. 서른이 다 돼 가지만 아직까지도 좋은 사윗감으로 손꼽히는 에곤이 어째서 미혼인지 실마리가 잡혔다.

"오라버니는 아버지와 전하를 바로 옆에서 지켜봐서 결혼에 대해 회의감을 느낀 거구나."

"……부정할 수 없는 말이지."

사고로 어머니가 돌아가신 이후 아버지가 아무것도 하지

못하는 절망적인 상태가 되었을 때 필사적으로 가문을 이끈 사람이 에곤이었다. 아히발트의 경우 또한 마찬가지였다. 슬픔에 잠긴 아히발트를 바로 옆에서 다독여 주고, 이끌어 준 사람도 에곤이었다.

대략 5년 간격으로 사랑하는 사람과 영원히 헤어지게 되어 절망에 빠진 두 남자를 바라보았으니 차라리 사랑하지 않는 걸 택한 모양이었다. 그래도 가주라는 자리에 대한 책임감이 있으니 때가 되면 하겠지만, 그게 당장은 아니라는 것을 알 수 있었다.

아히발트가 행복해지는 모습을 보게 된다면 에곤 또한 마음을 달리 먹을 수 있을 것이었다.

"사랑하는 사람을 일찍이 잃는 건 가슴 아픈 일이야."

결과적으로 아르미트 후작을 일으켜 세운 건 아르미트 남매였다. 빈자리에 다시 사랑을 채워 넣어 주었다.

그렇다면 아히발트는? 솔직히 엘로라는 황제와 황후가 그런 역할을 해 줬으리라고 생각하지 않았다. 다른 누구도 아닌 에곤이 아히발트를 바깥으로 꺼내 주었으니까.

엘로라는 깊은 고민에 빠졌다. 아버지를 떠올리니 지금 계획한 일이 아히발트에게 괜찮은 일인지 판가름이 가질 않았다. 엘로라, 본인을 위해서라면 꼭 추진해야 했지만 만약 아히발트가 정말 원치 않는다면?

입술을 꾹 깨물었다. 결정을 내려야 했다.

그리고 그녀가 선택할 길은 정해져 있었다.

아히발트에게 강요하는 것이 아니었다. 이런 방향도 있다고 제시해 주는 거였다. 웬만하면 그 방향으로 가길 부추기겠지만 이 과정에서 선택은 아히발트의 몫이었다. 그가 진정 홀로 있기를 원한다면 그걸 택할 것이었다.

“내가 앞으로 할 일이 어쩌면 타인이 원치 않은 짓일지도 모르는데 괜찮을까?”

엘로라가 약간의 망설임을 담은 채 물었다. 선택은 마쳤지만 일종의 확인 절차였다. 이는 자신에게 하는 물음이나 마찬가지였다. 시작하게 된다면 무를 수 없는 자신의 선택에 대한 되새김질.

살짝 떨리는 엘로라의 목소리에 에곤이 부드럽게 입꼬리를 올렸다.

“넌 선택에 따르는 책임을 질 줄 아는 아이니까 어떤 선택을 하든 널 지지할 거다.”

“항상 생각하지만 오라버니들의 맹목적인 믿음은 독이야.”

“너 또한 우리의 입장이 된다면 같은 결정을 할 것이면서.”

“맞아.”

싱긋 웃었다. 가족이기 때문에 서로가 서로에게 약했다. 대답이 정해진 질문이었다.

“요컨대 사랑하는 사람을 만나야 한다는 거지.”

엘로라가 고개를 들어 하늘을 올려다보았다. 푸른 하늘이 드넓게 펼쳐져 있었다. 숨을 크게 들이쉰 엘로라는 머릿속에 얽힌 생각을 정리했다. 앞으로 해야 할 일이 차례대로 떠오르기 시작했다.

사랑하는 사람. 굉장히 어려운 과제임이 분명했다. 그러나 어쩐지 해낼 수 있을 것 같다는 생각이 들었다.

사람과 사람이 만나 서로에 대해 애틋한 감정을 느끼는 건, 공감대와 시간만 있다면 충분했다.

"건국제가 얼마 남지 않았네."

"그렇지."

"타국에서 사신도 많이 올 테고."

"……네가 무슨 생각을 하는지 알 것 같군."

엘로라의 계획을 눈치챈 에곤이 한숨을 내쉬었다. 앞으로 자신이 해야 할 일 또한 알아차린 모양이었다. 북적북적한 곳에 있기 싫어하는 에곤에게 썩 유쾌한 부탁이 아닐 것을.

"황태자 전하께서 계속 축제에 있게 붙잡아 둘 수 있겠어?"

"어렵지 않은 일이지."

"그러면 자세한 계획은 천천히 짜도록 하자. 아직 축제까지 시간이 남았으니까."

국내를 방문하는 사신 목록이나 축제 일정 같은 것들. 모두 에곤의 손을 거쳐 가니 슬쩍 정보를 얻는 것쯤이야 일도 아니었다.

단순히 막냇동생을 애지중지하는 장남처럼 보여도 에곤은 제국에 없어서는 안 될 소중한 인재였다.

덕분에 계획에 차질 없이 매끄럽게 진행될 듯했다. 이야기를 마친 엘로라는 이제 헤어질 준비를 했다. 너무 오래 이들을 붙잡아 두면 저택 내의 사람들이 의심할 터였다.

"인사하러 가지 않아도 괜찮겠어?"

"응, 저택에 들어가면 다신 나오지 못할 것 같아."

"아무리 널 사랑해도 무작정 붙잡을 정도로 못되지 않았다."

"아니, 내가. 내 발로 안 나오려고 할 것 같아."

엘로라의 대꾸에 에곤의 표정이 미묘하게 일그러졌다. 그는 무슨 말을 하고 싶어 했으나 차마 하지 못하고 삼키고 말았다. 무슨 말을 하고 싶은지 굳이 입 밖으로 내뱉지 않더라도 알 듯해, 엘로라는 그저 빙긋 미소만 지었다.

그 모습을 조용히 지켜보던 라엘이 손을 들어 엘로라의 뺨을 쓸어 주었다. 번지는 온기에는 무수한 걱정이 담겨 있었다.

"많이 먹고 다녀."

"근래 들어 배 터지도록 먹고 있어."

그 누구도 아닌 라하트 덕에.

이 사실을 알면 오라버니들이 라하트에 대한 호감을 높이지 않을까, 하고 짧게 고민하던 엘로라는 이내 생각을 접었다. 오히려 많이 먹였다고 역정을 낼지도 몰랐다. 원래 한 번 미운털 박힌 사람은 뭘 해도 미운 법이었다.

"터지면 안 돼."

"당연하지."

작게 웃음을 터트린 엘로라는 부드럽게 라엘의 손목을

잡아 내려 주었다. 정말 헤어질 시간이었다.

"그러면 다음에 보자. 안녕, 그동안 잘 있어. 오라버니들."

손을 흔들어 주고는 미련을 남기지 않도록 한 번도 뒤돌아보지 않고 왔던 길을 되돌아갔다.

설렘보다 슬픔이 가득한 길이었다.

# 08. 아모몬의 아모몬

## 08. 아모몬의 아모몬

암살자가 왔다 간 이후로 주에 세 번 있는 초상화 그리기 시간에는 정말 초상화만 그릴 수 있게 되었다.

초상화를 그리는 동안 라하트는 지루함을 숨기지 않았으나 벌떡 일어나 춤을 추거나 노래를 부르는 기이한 행동은 하지 않았다.

표정만 보면 바깥으로 뛰쳐나가도 이상할 것 없었지만 본인이 먼저 초상화를 그려 달라고 부탁했던 탓인지 얌전히 있어 주었다. 조금만 고개를 옆으로 돌려 달라는 부탁도 별말 없이 잘 들어주었다.

초상화를 다 그릴 때까지 계속 이 현상을 유지했으면 하는 것이 요즘 엘로라의 바람이었다. 라하트가 워낙 제멋대로라서 언제라도 깨질 수 있는 바람이기도 했다.

초상화는 채색에 들어갔으며, 정원은 정원이라고 불려도 될 만큼 구색을 갖추고 있었고, 나중에 라하트에게 제출할 풍경화 또한 순조롭게 그려지고 있었다. 모든 일이 어디 삐걱대는 곳 없이 잘 진행되고 있었다.

아히발트의 문제로 에곤과 연락하는 건 생각보다 쉬웠다. 세간에 엘로라가 오라버니들에게 매달린다고 알려져 있으니, 그에 관한 편지를 쓰는 척하면서 서로 정보를 교환했다. 편지를 운반하는 건 히나였기 때문에 그들의 비밀이 새어 나갈 리는 없었다.

일이 너무 잘 풀리면 한 번쯤 의심이 들기 마련이었다. 잘못된 길로 걷고 있다는 생각은 들지 않았으나 중간에 예기치 못한 일이 일어날 수도 있겠다고 생각하며 엘로라는 다양한 상념에 잠겼다.

따가운 햇볕 아래, 쭈그려 앉아 잡초를 뽑으면서.

그녀는 지금 한참 정원을 가꾸던 참이었다.

하루 일과 중 가장 오랜 시간을 투자하는 일이었다. 그만큼 보람도 있었다. 아무 생각 없이 잡초를 뽑고, 가지를 쳐내고, 꽃을 옮겨 심는 걸 반복하다 보면 나중에 돌아봤을 때 정원이 정돈돼 있음을 확인할 수 있었다.

이런저런 생각을 하며 아무렇게나 자란 잡초를 뽑던 엘로라 근처로 그림자가 드리웠다. 히나였다.

"아가씨, 물통에 물 채워서 갖고 왔어요."

"고마워, 히나."

"힘들면 쉬었다가 하세요. 그러다가 몸 상하셔요."

"이 정도로 지치지 않아. 걱정 마."

고개를 들자 히나가 걱정 어린 시선으로 내려다보고 있었다. 그런 히나의 얼굴을 보고서는 엘로라가 싱긋 미소를 지어 주었다.

괜찮다는 의미의 미소였다. 하지만 미소 한 번 지어 주었다고 히나의 근심이 단숨에 사라지는 건 아니었다. 아무래도 곱게 자란 아가씨가 햇볕 아래에서 일을 하는 게 영 못마땅했다.

엘로라는 정원을 가꾸는 일에 흥미를 느끼고 있었으며, 크게 힘들다고 생각하지 않았기 때문에 계속할 것이었다. 그러나 히나는 엘로라가 모든 일을 자신에게 위임하길 바라니 어떤 말로 위로해도 근본적인 문제는 해결되지 않을 것이었다. 이를 알고 있는 엘로라는 아예 말을 돌렸다.

"참, 히나. 혹시 이상한 거 발견하면 바로 말해."

"네."

고개를 끄덕인 히나가 제자리로 돌아갔다. 히나의 뒷모습을 힐끔 보던 엘로라는 하던 일을 잠시 멈추고 물통을 집어 단숨에 물을 마셨다. 스스로도 몰랐으나 목이 탔던지 시원한 물이 잘 넘어갔다.

손등으로 입술을 훔쳤다. 가만히 앉아 있으니 선선한 바람이 엘로라의 뺨을 간지럽히고 지나갔다. 햇살은 따가운 편이었으나 챙이 넓은 모자를 쓰고 있어 고통스럽지 않았다. 만족스러운 오후였다.

잠깐 숨을 돌린 엘로라는 대충 주변을 정리하고 자리에서 일어났다. 주변을 가꾸는 건 얼추 끝이 났으니 작업할 장소를 슬슬 옮길 때가 되었다. 그렇지 않아도 어제 마음의 준비를 마친 참이었다.

엘로라가 성큼성큼 걸어갔다. 그녀가 향한 곳은 거대한 나무였다. 고개를 들어 비장한 눈빛으로 거대한 나무를 올려다보았다.

아모몬. 저번에 산책을 하면서 라하트가 그런 이름의 나무라고 했다.

나무 주위에는 풀과 꽃이 무성하게 자라나 있었다. 나무 또한 한 번도 가지치기를 안 한 듯한 모습이었다. 저 거대한 나무의 가지를 정리하는 것도 하루 이틀 만에 끝날 일은 아니었다.

라하트는 이 나무에 요정이 깃들어 있다고 믿는 듯했지만, 실제 나무를 봤다면 그 말은 쏙 들어가게 될 터였다. 긴 세월을 살아온 나무는 요정보다는 유령이 나올 법했다.

특히 밤에 나무를 보게 된다면 금방이라도 유령이 소환될 것 같다며 라하트가 좋아할지도 몰랐다. 그는 요정뿐만 아니라 유령도 좋아했으니까.

요정이나 유령이나. 다르지만 비슷한 것들이었다.

유령과 요정이 보고 싶다고 노래를 부르던 라하트를 떠올리고는 한숨을 내쉰 엘로라는 얼마나 많은 잡초를 뽑아야 할지 견적을 내기 위해 나무를 중심으로 돌았다.

백 년이 넘는 시간 동안 사람의 손을 타지 않았다는 사실이 고스란히 느껴질 정도로 유독 이 나무 주변에 풀이 무성했다.

길게 자란 풀과 꽃이 엘로라의 다리를 스쳤다. 자연 그대로의 것이라고 보아도 좋았다.

하나씩 바꿀 계획을 짜며 그렇게 반쯤 돌았을 때, 엘로라의 시야에 무언가가 잡혔다. 낯선 문양이었다.

처음에는 잘못 본 줄 알았으나 아니었다. 한 걸음 나무 쪽으로 가까이 다가갔다. 누군가가 날카로운 것으로 나무를 긁어 문양을 새겨 놓았다.

그 흔적에 가까이 다가간 엘로라가 살짝 인상을 찡그렸다. 이곳은 오랫동안 사람들의 발길이 끊어졌다고 알고 있었다. 중간에 누군가 왔다 하더라도 한가하게 나무에 의미불명의 문양을 새길 일은 없을뿐더러, 이 나무는 제국의 자산이었다.

어느 간 큰 사람이 제국이 건국할 때부터 있었다는 나무에 흠집을 내겠는가. 정말 이상한 일이었다.

장난이라고 하기에는 의미심장한 문양을 뚫어져라 쳐다보던 엘로라는 평생 흉터를 안고 가야 할 나무가 안쓰러워 손을 뻗어 음각을 따라 쓸어내렸다.

나중에 기회가 된다면 에곤에게 이 문양이 어떤 의미를 가지고 있는지 물어봐야 할 것 같았다. 여간 찜찜한 게 아니었다.

생각을 마친 엘로라는 이만 하던 일을 마저 하기 위해 손을 떼었다. 그 순간, 빛이 시야를 장악했다.

갑작스러운 빛에 두 눈을 감은 엘로라는 거대한 힘과 함께 바닥에 쓰러졌다. 등허리에 묵직한 무언가가 느껴졌다.

워낙 순식간에 일어난 일이라 현실인지 착각인지 분간이 가질 않았다.

"아야야."

낯선 타인의 목소리가 엘로라의 귓가에 울렸다. 맑고 고운 여성의 목소리였다. 깜짝 놀라 두 눈을 크게 뜬 엘로라는 기다란 갈색 머리칼을 볼 수 있었다.

천천히 눈을 깜빡여 보았지만 그녀를 짓누르는 무게감도, 시야를 장악한 갈색 머리칼도 사라지지 않았다.

"……누구세요?"

너무 당황해서 목소리가 떨렸다.

빛과 함께 나타난 여자라니. 지금 꿈을 꾸고 있는 걸까?

언제부터 자고 있었던 걸까. 다양한 가능성을 떠올렸다. 그러는 동안 뒤늦게 엘로라를 발견한 여자가 토끼 눈으로 엘로라를 보았다. 많이 놀란 기색이었다. 그런 여자를 밀어내고 상황을 정리하려던 엘로라는 갑자기 어깨가 잡혔다.

"헤르시아!"

"예?"

헤르시아? 여자는 분명 엘로라를 헤르시아라고 부르고

있었다.

안 그래도 말이 안 되는 상황인데 상대의 반응이 너무나 당혹스러워 멍청히 되물었다. 그러나 아직 엘로라를 헤르시아라고 착각하고 있는 여자는 아랑곳하지 않고 물었다.

"헤르시아, 클라우디아는 어디에 있어?"

"저……, 모르겠는데요."

아는 사람을 모른다고 할 수 없었다. 게다가 엘로라는 헤르시아가 아니었다.

솔직하게 대꾸하니 여자가 두 눈을 빠르게 깜빡였다. 그제야 자신이 사람을 착각했다는 것을 깨달은 모양이었다.

"너 헤르시아가 아니야?"

"네."

"그러면 누구야?"

이상한 일이었다. 제국 내에서 아르미트 가문의 은발은 제법 유명했다. 은발 여자라 하면 엘로라임을 쉬이 떠올릴 수 있을 텐데 여자는 엘로라가 누군지 전혀 모르는 듯했다.

자신이 엘로라임을 밝히려다가 바깥에서 일을 하느라 화장을 하지 않았다는 걸 깨달았다. 그 어떤 변장도 하지 않은 맨얼굴이었다.

맨얼굴을 처음 보는 사람에게 들키다니. 순간 머릿속이 새하얗게 변했다.

이걸 어떻게 설명해야 할까. 아르미트가의 사생아? 아니면 타국 사람? 그도 아니면 숨겨진 쌍둥이?

심장이 빠르게 뛰었다. 이성적인 판단이 되지 않았다.

겉으로는 입술을 꾹 다물고 가만히 있었지만 속은 번잡하던 엘로라는 맑은 초록색 눈동자와 딱 시선이 부딪쳤다.

순진한 눈망울이었다. 현실에 찌들지 않은 듯한. 보자마자 혼란스럽던 머릿속이 언제 그랬냐는 듯이 평온해졌다.

그 눈을 직시하며 엘로라가 작게 중얼거렸다.

"……지나가던 사람이요."

황자비가 기거하는 궁을 지나가는 사람이라니. 말도 안 되는 말이었다. 그러나 여자는 엘로라의 얼토당토않은 말을 쉬이 수긍했다. "아, 그렇구나."라며 고개를 끄덕였다. 그런 여자를 보고 있자니 굉장히 이상한 기분이 들었다.

"그쪽은 누구신데요?"

그러고 보니 이 여자는 누구기에 하늘에서 뚝 떨어진 걸까. 빛과 함께 등장한 여자는 누가 보아도 수상했다.

보통 이런 상황에서 자객이 아닐까, 하고 의심할 법했으나 나쁜 의도로 나타난 건 아닌 듯해 숨겨 놓은 단도를 꺼내지 않고 차분하게 물었다.

엘로라의 물음에 이름이 떠오르지 않은 건지 고개를 갸웃하던 여자가 웃으며 대답했다.

"나? 아모몬."

"예?"

"아모몬이야. 너 클라우디아 못 봤어?"

아모몬이라니. 그건 이 궁의 이름이자 바로 앞에 있는 나무의 이름이었다. 혹 자신을 속이기 위해 급하게 만든 거짓말인가 싶어 엘로라는 여자를 뚫어져라 살펴보았지만 거짓말을 하는 얼굴은 아니었다.

순진한 얼굴로 본인도 어리둥절해하는 듯한 여자에게서 악의 같은 건 느껴지지 않았다. 그냥 서로서로 당황스럽고 얼떨떨한 것 같았다.

일단 자신이 아모몬이라고 주장하는 여자가 찾고 있는 헤르시아나 클라우디아를 찾게 된다면 의문은 자연스레 풀릴 듯해, 클라우디아라는 사람을 찾는 걸 도와주기로 했다.

"클라우디아요?"

"응."

"클라우디아라는 분이 뭐 하시는 분인지 아세요?"

"인간들이 왕녀라고 부르던데? 그러니 왕녀겠지?"

"……왕녀요?"

"응! 왕녀!"

제국 내에서 왕녀라는 호칭은 쓰지 않았다. 왕국에서 제국으로 격상된 탓이었다.

혹시 타국의 왕녀를 찾고 있는 걸까? 하지만 엘로라가 알기로는 근처 나라에 클라우디아라는 이름을 가진 왕녀는 없었다. 적어도 엘로라가 아는 범위 내에서는 그러했다.

오늘 타국에서 사신이 왔다는 얘기는 전혀 듣지 못했는데. 미미하게 인상을 찡그리며 '클라우디아'라는 왕녀에 대해 있는 정보 없는 정보 쥐어짜 내며 떠올려 보려고 했다.

그런 엘로라에게 성큼 다가선 여자가 얼굴을 가까이 붙이더니 엘로라의 냄새를 맡았다.

"너한테서 헤르시아랑 비슷한 냄새가 난다. 혹시 헤르시아 동생이야? 아닌데. 헤르시아는 동생 같은 거 없는데."

클라우디아도 클라우디아였지만 헤르시아는 또 누구란 말인가.

빠르게 말을 쏟아 낸 여자는 혼자 묻고 혼자 답하더니 결국 혼자 답을 내리고는 고개를 끄덕였다. 그 모습을 지켜본 엘로라는 정신이 멍해졌다.

대체 이 여자의 정체는 무엇일까. 이쪽은 혼자 고민해도 답이 나오지 않건만 여자는 밝은 얼굴로 순식간에 많은 걸 단정 지었다.

"잠자기 전에 클라우디아가 많이 화가 나 보였는데 아직 화가 덜 풀렸겠지."

그렇게 말하는 여자의 녹색 눈동자는 매우 슬픈 빛을 띠고 있었다. 잠을 자기 전에 클라우디아라는 사람과 싸운 모양이었다.

우울한 기색을 숨기지 않는 여자에게 엘로라는 조심스럽게 물었다. 침묵으로 상대를 배려하기에는 의문점이 너무 많았다.

"본명이 정말 아모몬인 거예요?"

"응! 넌 헤르시아랑 비슷하게 생겼으니까 내가 특별히 아몬이라고 부르는 걸 허락해 줄게!"

딱히 원치 않았으나 거절하기 어려운 분위기라 어색하게 고개를 끄덕이며 감사하다고 했다. 언제 침울했냐는 듯이 아모몬, 그러니까 아몬은 활짝 웃었다. 그녀는 엘로라가 몹시 마음에 든 듯했다. 단순히 헤르시아라는 사람과 닮았다는 이유만으로 아몬의 호감을 사기 충분한 모양이었다.

그 얼굴을 빤히 바라보던 엘로라는 이번에 질문을 바꾸었다.

클라우디아라는 사람이 왕녀인 걸 알았으니 그 일행인 듯한 헤르시아는 무엇을 하는 사람인지 알 필요가 있었다.

여러모로 수상하지 않은 사람이 없었다. 왕녀로 추정되는 클라우디아나 엘로라를 닮은 듯한 헤르시아나 본인 이름이 아모몬이라고 하는 이 눈앞의 여자나. 엘로라가 보기에는 셋 다 수상했다.

"헤르시아는 뭐 하는 사람이에요?"

"내 친구! 클라우디아도 내 친구야!"

"두 분의 관계를 물은 게 아니에요. 헤르시아라는 분은 직업이나 지위 같은 거 없어요?"

"지위?" 하고 낯설게 단어를 발음한 아몬이 깊이 고민했다. 고개를 살짝 숙이고 열심히 생각하더니 별안간 번쩍 고개를 들어 해맑게 외쳤다.

"헤르시아 아르미트. 그냥 내 친구야!"

"예?!"

해맑게 말한 것치고 너무 충격적인 발언이었다. 헤르시

아 아르미트라고? 아르미트 가문에 그런 이름을 가진 사람이 있었던가?

아몬의 말이 거짓말이라고 단정 짓기에는 너무나 때 묻지 않은 얼굴이었다. 섣불리 단정 짓기엔 일렀다.

"아르미트라고요?"

"응, 아르미트야. 아, 맞아! 다들 아르미트 각하라고 불렀어."

진실은 더더욱 미궁 속으로 빠졌다.

현재 아르미트 후작은 헤르시아라는 이름을 가진 여성이 아니었다. 아니, 애초에 여성이 후작이 된 적이 있었던가? 엘로라가 알기로는 없었다.

어릴 적에 역대 아르미트 후작의 이름을 외운 적이 있었으나 '헤르시아'라는 이름을 본 기억은 전무했다.

혹시 아몬이 그냥 미친 여자인 걸까? 그렇게 된다면 지금까지 대화가 모두 설명 가능했다. 그러나 아몬의 복장은 전혀 황실에 소속된 것이 아니었기에 아몬이 어떻게 이곳에 있었는지에 대해 전혀 설명할 수가 없었다.

하나씩 따지게 된다면 인과 관계가 불분명한 여자였다.

이런 엘로라의 고뇌를 알지 못하는 아몬은 여전히 해맑은 미소를 지으며 저 혼자 짧게 고민하다가 손을 흔들었다.

"클라우디아가 더 화내기 전에 내가 직접 찾아가 봐야겠다. 그러면 안녕!"

"저, 저기!"

엘로라는 그녀와 해야 할 얘기가 아직 많았다. 그녀가 어디에서 왔는지, 정체는 무엇인지, 어째서 이곳에 있었는지 등. 맨얼굴을 보았으니 입막음도 해야 했다.

엘로라는 한눈판 사이에 폴짝 뛰어간 아몬을 붙잡기 위해 손을 뻗었다. 그리고 옷깃을 잡지도 않았는데 '아이쿠' 하면서 아몬이 앞으로 넘어졌다.

잔뜩 당황한 엘로라가 빠르게 거리를 좁혔다. 주변에는 딱히 걸려서 넘어질 만한 것도 없었다.

"괜찮으세요?"

쪼그려 앉아 눈높이를 맞췄다. 땅에 손바닥을 댄 채로 주저앉은 아몬의 두 눈에는 물기가 어려 있었다. 울먹거리는 그 얼굴을 본 엘로라는 황급히 주머니에서 손수건을 찾았다.

아몬은 주머니를 뒤지는 엘로라가 아닌 어깨 너머의 그 어딘가를 보며 중얼거렸다.

"날개……."

"예?"

날개라고 한 걸까? 주머니에 손을 넣은 엘로라가 흠칫했다.

"……날개가 없어."

"날개요?"

"응, 내가 너무 오래 잤나 봐. 힘이 안 들어가."

그렇게 말하며 아몬이 울상을 지었다. 가득 고인 눈물은 떨어지지 않았다. 엘로라는 주머니에서 손수건을 찾아 아몬에게 건네준 후, 서러움이 가득한 얼굴을 보았다.

손수건을 받은 아몬은 “넌 참 친절하구나. 고마워.”라고 하고는 눈물을 닦는 대신 손수건만 만지작거렸다. 그 모습을 보고 있자니 불현듯 엘로라의 머릿속에 스쳐 지나가는 생각이 있었다.

아모몬 궁에 있는 아모몬 나무에서 떨어진, 본인 이름이 아모몬이라고 하는 여자. 알 수 없는 말만 잔뜩 늘어놓는 그녀는 정체불명이었다. 날개가 없다고 울먹거리는 모습마저 상식에서 벗어났다.

고로 상식을 깨면 답이 나온다는 말이었다.

“저기…….”

“응?”

엘로라는 마른침을 삼켰다. 아무래도 라하트와 자주 있다 보니 옮은 듯했다. 평소라면 절대 이런 생각을 하지 않을 텐데 하도 라하트의 유령 타령이나 요정 타령을 들은 탓인지 가능성이 하나밖에 떠오르지 않았다.

정상 범주 내에서 생각해 보려고 해도 말이 되지 않았다. 혹시나 하는 마음으로 엘로라는 상대에게 실례가 될 수 있었기에 조심스레 물었다.

“혹시…… 요정이세요?”

막상 말을 꺼내고 나니 자신의 귀로 들어도 어처구니가 없었다. 말이 되는 소리인가. 처음 보는 사람에게 요정이냐고 묻는다니.

아무래도 아몬이 아닌 엘로라, 자신이 미친 사람 같았

다. 이대로 두었다가 괜한 오해를 살까 봐 바로 정정했다.

"아니, 방금 말은 못 들은 걸로……."

아니, 바로 정정하려고 했다.

"응!"

"……."

"요정 맞아."

아몬이 살포시 웃었다.

너무 명쾌한 대답이라서 엘로라는 순간 넋이 나갔다.

"나무의 요정. 저 나무에서 비롯된 존재가 바로 나야."

"……세상에."

라하트가 그리도 노래를 불렀던 요정이 코앞에 있었다.

아직 믿기지는 않지만 나무의 요정이라고 한다. 아몬은 정확히 아모몬 나무를 가리키고 있었다. 때 묻지 않은 미소를 지으며.

아몬의 주장대로라면 나무에 새겨진 문양을 만졌을 때 쏟아진 빛과 함께 그녀가 나타난 이유가 어느 정도 설명이 됐다.

저 문양이 일종의 장치였는데 엘로라가 잘못 만져 아몬의 잠을 깨운 것이고, 아몬은 그 나무의 요정이라는……. 굉장히 상식적으로 말이 되지 않았으나 일단 앞뒤가 맞았다. 다른 경우를 대입했을 때는 모순적이었던 것들이 사라졌다.

"진짜 요정이 맞으세요?"

혹시나 하는 마음에 재차 물었다.

돌아오는 대답이 단호하다.

“응, 진짜 요정이야. 너는 의심이 많구나.”

“아니, 애초에 말이 되는 이야기면 몰라도…….”

“왜 말이 안 돼? 주위에 요정은 나만 있는 게 아니잖아.”

“그쪽밖에 없어요.”

“얼마 전에 물의 요정도 봤고, 꽃의 요정도 봤고, 바람의 요정도 봤는걸. 헤르시아만 해도 물의 요정과 인간 사이에서 태어났는데 어째서 의심하는 거야? 너처럼 내가 요정인 걸 믿지 않는 인간은 처음 봤어.”

그 물의 요정이나 꽃의 요정이나 바람의 요정이 현실에 없다는 사실이 문제였다.

아몬은 얼마 전에 봤다고 주장했으나 엘로라는 그 모든 걸 책을 통해 접했다. 책이나 구전되는 설화가 아니었다면 요정이라는 존재 자체를 몰랐을 것이었다. 그리고 헤르시아라는 사람은 뭐 하는 사람이기에 반인반요인 걸까.

“그보다 어서 클라우디아를 찾아야해.”

원래 목적을 떠올린 아몬이 자리에서 일어났다. 쭉 생각을 잇던 엘로라는 이때까지 들은 정보 중 본인이 아는 것과 유사한 정보가 있음을 깨닫고 고개를 들었다.

물의 요정과 인간 사이에 태어난 사람. 헤르시아 아르미트.

아르미트 각하라고 불리었던 사람.

이름은 사뭇 다르나 비슷한 사람이 신화 속에 있었다.

"저기, 아몬!"

"미안하지만 난 정말 클라우디아를 찾아야 해."

"지금이 제국력으로 몇 년인지 아세요?"

"제국력? 난 그런 거 몰라."

"그렇다면 질문을 바꿔서, 당신이 자기 전에 이곳을 통치하던 황제, 그러니까 왕은 케르단이었나요?"

상식적으로 따지자면 그럴 리가 없었다. 하지만 기억을 더듬어 보니 '클라우디아 왕녀'라고 불렸던 사람을 알고 있었으며 동시대에 살았던 반인반요인 아르미트 사람 또한 알고 있었다. 그리고 그 시대에는 왕, 케르단이 있었다.

엘로라는 자신의 추측이 아닐 거라고 속으로 되뇌었다.

말이 안 되는 소리였다. 애초에 요정 또한 말이 안 되는 존재였으나, 어쨌든 엘로라는 지금 본인이 생각해도 살짝 미친 것 같았다.

"너 케르단을 알아?"

아몬이 두 눈을 크게 떴다. 토끼 눈을 뜬 아몬이 엘로라의 팔목을 잡았다.

"너도 케르단의 친구야?"

"……친구까지는 아니고 그냥 아는 사람이에요."

추측이 아니었으면 좋았겠으나 맞았는지 아몬의 반응이 격했다. 엘로라의 추측이 맞았던 것이다.

엘로라는 케르단을 알고 있었다. 책을 통해서. 제국 내에 케르단을 모르는 사람은 극히 드물었다. 왜냐하면 그가 바로 알에서 태어났다는 건국 왕이었으니까.

애초에 요정이라는 존재가 건국 초, 신화시대에 있었다고 알려져 있으니 지금 눈앞에 있는 아몬과 건국 왕이 동시대에 존재했던 인물이라 하여도 이상할 건 없었다. 단지 신화 속 존재가 눈앞에 있으니 말이 안 된다는 생각만 계속 들 뿐이었다.

"케르단의 친구라면 내 친구이기도 해. 그런데 왜 케르단은 알면서 클라우디아는 몰라?"

"클라우디아도 알아요. 방금까지는 다른 사람이랑 좀 헷갈렸어요."

"그래? 그렇구나."

쉽게 수긍한 아몬이 활짝 웃으며 외쳤다.

"그러면 클라우디아에게 날 데려다줘!"

아무것도 모르는 듯한 아몬의 얼굴을 보고 있자니 착잡해진 마음으로 엘로라는 말을 골랐다.

볼흐라스가 건국된 지 오랜 시간이 지났다. 건국 왕, 케르단과 요정 그리고 다양한 신비의 생물들은 신화 속의 인물이 되었다. 그 긴 시간 속에 클라우디아 왕녀가 살아 있을 리 없었다.

"저기, 아몬."

"응?"

"진정하고 들으세요."

"응, 응!"

몇 번이나 입을 달싹이던 엘로라는 끝내 진실을 실토했다. 기나긴 시간 동안 잠을 잔 나무 요정을 무지한 채로 둘 수 없었다.

"현재 볼흐라스의 건국 왕, 케르단이 죽은 지 500년이 지났어요."

아몬이 천천히 두 눈을 깜빡였다. 엘로라가 한 말을 한 번에 받아들이지 못해 곱씹고 있는 듯했다. 천진한 웃음만 짓던 요정이 슬픔에 빠질까 싶어 이를 지켜보던 엘로라는 속으로 안절부절못했다.

잔뜩 긴장하고 있는데 걱정과 다르게 아몬이 대수롭지 않게 대꾸했다.

"케르단이 죽었어? 시간이 얼마 지나지도 않았는데 죽었구나. 무슨 일이 있었나 봐. 그래서 클라우디아는 어디에 있어?"

엘로라는 신음을 삼켰다. 요정의 수명은 정확히 알 수 없으나 지금 아몬이 인간에 비하면 긴 삶을 사는 나무를 기준으로 생각하고 있다는 것만은 알 수 있었다.

"아몬, 인간의 평균 수명은 아세요?"

"나랑 비슷하지 않을까?"

"현재 인간의 평균 수명은 약 60살이에요. 이것도 지금 얘기지 건국 초 때는 의료 시설이 열악했으니 약 40살 정도 되겠네요."

"40?"

"네, 40이요."

이번에는 확실히 충격적인 발언이었는지 아몬이 멍하니 손가락을 쥐었다 폈다. '40'이라는 숫자가 어느 정도인지 대충 가늠하고 있는 듯했다. 아몬이 차분히 생각하고 판단을 내릴 때까지 엘로라는 기다려 주었다.

"그러면 클라우디아도 죽은 거야?"

"……네. 안타깝지만 그래요."

건국 왕 케르단의 딸인 왕녀 클라우디아는 죽었다.

그녀 또한 신화시대와 함께 저물었다. 현재 그녀의 자취는 문장 몇 개로만 남아 있을 뿐이었다.

엘로라에게는 케르단이나 클라우디아가 책에서만 보던 활자로 이루어진 인물이었으나 아몬에게는 아니었다. 말하는 투로 추측하건대 얼굴을 마주했던 기억이 바로 어제처럼 생생한 듯했다.

"난 자고 일어났어."

"그렇죠."

"클라우디아는 화가 났고, 난 자고 일어났을 뿐이야."

말없이 아몬의 어깨를 토닥여 주었다. 무어라 위로해 줄 수 없었다. 그저 이 작은 다독임이 아몬의 마음에 닿길 바랄 뿐이었다.

"클라우디아는 내가 싫었던 걸까?"

"그건 아닐 거예요."

"하지만 나를 잠재운 것도 클라우디아인걸."

클라우디아가 아몬에게 화가 나서 잠을 재운 듯한데 중간에 무슨 일이 있었는지는 몰라도 너무 오래 재워 버렸다. 문양이 이와 관련이 있는 듯했으나 안 그래도 상처받은 얼굴인데 더 상처받을까 봐 차마 말을 꺼내지 못했다.

"정말 긴 시간이 지났나 봐. 친구들이 없어."

조금 진정한 아몬이 주위를 둘러봤다. 그녀의 눈동자는 이곳이 아닌 머나먼 곳에 있는 다른 어딘가를 바라보고 있었다. 그녀의 상념을 깰까 싶어 엘로라는 숨을 죽였다.

"원래 이 자리에도 내 친구가 있었는데 지금은 아무도 없어."

"……지금 사람들에게 요정은 신비의 존재예요. 당신이 아는 인간 외의 존재 또한 마찬가지예요. 그래서 솔직히 말하자면 저 고목에서 비롯됐다는 당신의 존재가 아직 얼떨떨해요."

엘로라는 아몬을 내려다보았다. 거대한 나무와 다르게 요정은 작았다. 엘로라보다 10센티미터 정도 차이가 났다. 고개를 숙여야 눈높이가 맞았다.

"저는 요정을 처음 봐요."

엘로라의 고백에 느릿하게 두 눈을 깜빡이던 아몬은 붕대 감은 손을 잡았다. 무엇을 하려는지 몰라 잠자코 있자 조심스러운 손길로 붕대를 풀어냈다.

찻물을 쏟아 생긴 화상 자국이 가감 없이 드러났다. 많이 아물긴 했으나 흉터가 지는 건 어쩔 수 없었다.

"최근에 난 상처네. 아팠겠다."

상처를 유심히 보던 아몬이 손등에 손을 겹쳤다. 동시에 빛이 터졌다. 아름답고 포근한 빛이었다.

그것은 절대 인위적으로 만들 수 있는 게 아니었다. 눈으로 직접 목도하고도 믿어지지 않는 광경에 엘로라는 낮게 감탄을 내뱉었다.

"힘이 약해서 이런 것밖에 못해. 네 상처가 작아서 다행이야."

"아……."

아몬이 손을 떼자 빛이 사라졌다. 그리고 흉터 또한 자취를 감추었다. 절대 나을 수 없을 거라 생각했던 흉터가.

혹시나 싶어 손등을 문질러 봤지만 매끈했다. 완벽하게 나은 것이다.

"아직도 내 존재가 믿겨지지 않아?"

"아니요. 의심하지 않을게요."

"넌……, 정말 헤르시아를 닮아서 친절하구나."

아몬이 미소를 지었다. 어쩐지 씁쓸해 보이는 미소였다.

그 이유가 자신을 통해 헤르시아라는 여자를 보고 있기 때문이라는 걸 아는 엘로라는 화제를 전환시켰다.

엘로라는 현재 아몬에게 물어볼 게 많았다. 케르단이 재위했던 시절 아르미트 가문의 가주였을 헤르시아라는 여자도 그렇고, 아몬이 당시 겪었던 상황도 그렇고. 궁금한 점이 많았다. 그건 아몬 또한 마찬가지일 터였다.

"저희 자리를 옮기는 건 어떨까요?"
"그래, 네가 원한다면."
"차를 마시거나 과자를 드실 수 있으세요?"
"응! 나 과자 정말 좋아해."
"그러면 얘기가 길어질 것 같으니까 먹으면서 얘기하도록 해요."
크게 고개를 끄덕인 아몬이 활짝 웃으며 자연스레 엘로라와 팔짱을 꼈다. 친근한 행동이었다.
이때까지 스킨십을 할 만큼 친한 또래의 동성 친구를 사귄 적 없던 엘로라는 순간 당황하였으나 겉으로 티를 내지 않았다.
아몬이 500년 이상 산 요정이라 하더라도 일단 외양은 엘로라와 연령대가 비슷했기 때문에 겉으로 보면 세상에 둘도 없을 정도로 친한 친구였다.
슬쩍 아몬을 내려다보았다. 팔짱 끼는 게 자연스럽다 싶더니 굉장히 편안한 표정을 짓고 있었다. 지금 자신이 당황했다는 걸 곧이곧대로 드러낸다면 아몬이 무안할 것 같아 엘로라는 조용히 있었다.
정원에서 실내로 걸음을 옮기니 지나가던 히나와 딱 마주쳤다. 궁 내부를 청소하고 있던 히나의 손에는 헝겊이 들려 있었다.
"아가씨! 벌써 다 하셨……, 헉!"
엘로라를 보고 환히 웃던 히나는 옆에 딱 달라붙어 있는 낯선 이를 보고서는 크게 숨을 들이켰다.

요정이라는 사실도 밝히지 않았건만 유령이라도 본 듯 새하얗게 질렸다. 그동안 아무 언질 없이 타인이 방문한 적 없었던 만큼 적잖이 당황한 모양이었다.

엘로라는 그런 히나를 부드럽게 달랬다.

"히나, 손님이야."

"소, 소, 소, 손님이요?!"

히나가 말을 더듬었다. 이 정도로 히나가 놀란 모습은 처음 본 터라 엘로라는 살포시 미소를 지어 주었다.

"걱정 마. 내 맨얼굴을 봐도 괜찮은 손님이니까."

아몬은 요정이었다. 현재 엘로라가 제국에서 제일가는 추녀라는 사실도, 제국의 최고 망나니와 결혼했다는 사실도 몰랐다.

처음 만났을 때 지나가던 사람이라고 얼버무렸으니 아르미트 가문이라는 것 또한 모르고 있었다. 그러니 어디 가서 소문을 퍼트릴 거라는 걱정은 들지 않았다.

"안녕!"

"예……, 안녕하세요."

아몬이 힘차게 손을 흔들어 히나에게 인사했다. 그런 아몬을 힐끔힐끔 보는 히나의 얼굴에는 걱정이 가득했다. 엘로라가 괜찮다고 하니 괜찮겠지만 처음 보는 얼굴인 데다 복장도 요즘 스타일이 아니었다. 의문의 소녀를 경계하게 되는 건 당연한 일이었다.

걱정하는 히나와 아무것도 모르고 해맑은 표정으로 서 있는 아몬을 번갈아 보던 엘로라는 자세한 상황 설명은 나중으로 미뤘다.

"바쁜데 부탁해서 미안하지만, 다과 좀 준비해 줄래?"

"네, 금방 갖다 드릴게요."

고개를 꾸벅 숙인 히나가 등을 돌려 다과를 준비하기 위해 떠났다. 그런 히나의 뒷모습을 보던 아몬이 중얼거렸다.

"힘이 전혀 느껴지지 않는 인간이었어."

"힘이요?"

"응! 클라우디아는 이걸 마법이라고 부르던데."

마법. 이 또한 이제는 동화책에서나 볼 법한 단어였다.

아무렇지 않게 마법을 언급한 아몬은 잠깐 시선을 내리깔며 고민하더니 한 가지 결론을 내렸다.

"믿음을 잃으면 사라질 힘이라고 했으니 지금은 믿음이 사라진 시대인가 봐."

"그것도 클라우디아가 말한 거예요?"

"응! 클라우디아는 똑똑한 친구야."

"제가 알고 있는 것보다 더 대단한 분인 것 같네요."

"그렇지? 케르단도 클라우디아가 세상에 둘도 없는 천재라고 했어."

그렇게 말하는 아몬은 굉장히 뿌듯해 보였다. 본인 칭찬도 아닌데 본인이 칭찬을 받은 듯한 표정이었다. 클라우디아 왕녀에 대한 기록을 떠올리던 엘로라는 미소를 지으며 고개를 끄덕였다.

아몬은 이곳이 클라우디아가 살았던 곳이라며 향수에 젖은 눈빛으로 주변을 둘러보았다. 보수 공사를 하지 않아 예전 모습 그대로를 유지하고 있는 궁 내부는 더욱 아몬을 과거의 기억으로 끌어들였다. 만약 세월의 흐름을 탄 흔적만 없었더라면 아몬은 클라우디아가 죽었다는 사실을 믿지 않았을지도 몰랐다.

응접실로 가서 마주 보며 앉은 두 사람은 얼마 지나지 않아 히나가 갖고 온 다과를 먹을 수 있게 되었다. 화려하게 생긴 과자가 마음에 들었는지 아몬은 두 눈을 반짝이며 과자를 하나 집었다. 얘기는 뒷전이었다.

하지만 그들에게 남은 시간은 많았고 딱히 급할 건 없었기 때문에 엘로라는 서두르지 않았다.

“이거 정말 맛있다!”

“많이 드세요.”

“편하게 말해! 헤르시아도 나한테 존댓말은 하지 않았어.”

“하지만…….”

엘로라는 헤르시아가 아니었다.

아몬은 계속 엘로라와 헤르시아를 겹쳐서 보았지만 그렇다 하여 엘로라가 헤르시아가 되는 건 아니었다. 혹 이에 대해 문제가 생길까 봐 조심스러운 태도를 고수했다. 그러나 아몬은 아무렇지 않은 얼굴이었다.

“괜찮아, 괜찮아. 이때까지 나한테 존댓말하는 인간은

없었는걸. 모두 친구였으니까."
"저도 친구인 건가요?"
"당연하지! 우리는 벌써 추억을 공유했잖아."
"추억이요?"
"응. 긴 잠에서 깨어나 가장 처음 본 인간이 너인걸. 뜻 깊은 인연이지. 게다가 나름 많은 대화도 나누었으니까 우린 친구야."
그렇게 말하며 아몬이 활짝 웃었다. 거짓이라고는 한 점도 섞이지 않은 미소였다.
친구.
엘로라는 그 단어를 되뇌었다.
어쩐지 낯설게만 느껴지는 단어였다. 아니, 정말 낯설었다. 너무 어린 나이에 많은 걸 포기했기 때문에 딱히 친구라고 부를 만한 사람이 없었다.
히나와 친근하게 지냈지만 어릴 적부터 이어 온 주종 관계였기에 친구라는 단어를 붙이기에는 애매했다. 그리고 변장을 하고 만난 이들은 역할이 끝나면 끊어질 인연이었다.
추악한 외모로 이름을 떨치면서 사교계 데뷔도 하지 않았으니 또래의 여성을 만날 기회가 현저히 적었다. 만난다 하더라도 소녀와 소녀가 아닌 소년과 소녀의 관계일 경우가 많았다.
결국 그 나이 대에 공유할 수 있는 추억 같은 게 거의 전무하다 할 수 있었다.

참으로 특별하면서도 특별하지 않은 단어였다.
입 밖으로 '친구'라고 중얼거리다가 고개를 끄덕였다.
"오늘부터 친구인 거예요?"
"응! 그리고 말 편하게 하라니까."
"예……, 음. 응."
입에 붙지 않아 어색하게 대꾸했다. 몇 번 말하다 보면 자연스레 말을 놓을 수 있게 될 것 같았다.
이걸 눈치챘는지 몰라도 아몬은 과자를 먹으면서 같이 먹자고 계속 권했다. 그때마다 사양했다. 아몬이 워낙 잘 먹고 있었기 때문이었다. 딱히 과자를 먹고 싶은 것도 아니었고, 아몬이 잘 먹어 주니 지켜보는 것만으로 충분했다.
그렇게 엘로라는 거절로 반말을 배웠다.
"이것도 엄청 맛있다."
"차랑 함께 먹어."
"응, 응!"
아몬은 게 눈 감추듯 다과를 해치웠다. 엄청난 속도였다. 과자에 손도 대지 않은 엘로라는 속으로 감탄했다. 요정은 새벽이슬만 먹고 산다고 서술한 동화책의 저자는 살면서 요정 한 번 보지 않은 사람이 분명했다. 아몬이 과자를 먹는 모습을 보았다면 필시 새벽이슬 부분을 정정했을 터였다.
요정은 과자를 굉장히 행복한 표정으로 먹는 생명체였다.
새벽이슬이 주식인지에 대해서는 아직 물어보지 않아 몰

랐으나, 엘로라는 아몬이 다른 음식도 잘 먹을 것 같았다.
"배고팠어?"
"아니, 그냥 맛있어서 먹은 거야."
아몬은 즐거운 표정으로 찻잔을 톡톡 두드리며 말을 이었다.
"맛있는 건 좋아. 맛있는 건 항상 옳거든."
"맞아. 맛있는 건 옳지."
아몬의 의견에 엘로라가 동조했다.
맛있는 건 옳다. 이건 요정마저 부정하지 않은 진리였다.
원래는 다과를 즐기며 천천히 문답 시간을 가질 예정이었으나 아몬이 너무 잘 먹는 관계로 문답 시간의 우선순위는 밀려났다. 이제 테이블 위에 차도, 과자도 없었다. 순위가 밀려난 문답 시간이 되살아날 때였다.
무엇을 물을지 말을 고르던 엘로라는 아몬이 입을 동그랗게 벌리고 하품하는 모습을 보았다. 입술도 작아서 하품하는 모습이 귀여웠다.
"졸려?"
"응? 아니야……. 별로 그렇지도 않아."
말은 아니라면서 피곤해 보였다. 낮잠을 자는 게 어떠냐고 제안하려던 찰나, 아몬이 손을 저었다.
"오랜만에 배가 불러서 그런가 봐. 신경 쓰지 마."
"졸리면 말해. 언제든 자도 돼."
"방금 자고 일어난걸! 과자를 먹은 탓에 배가 따끈따끈해져서 그런 거야. 정말 괜찮아."

통통 배를 두드린 아몬이 잠깐 뜸을 들이더니 활짝 미소를 지으며 물었다.

"있잖아, 내가 없는 동안 클라우디아가 어떻게 지냈는지 알아?"

현재 아몬으로서 가장 궁금한 물음이었다. 엘로라는 이 질문을 받을 걸 이미 예상하고 있었다. 클라우디아, 클라우디아. 그토록 이름을 불렀는데 그녀가 죽었다는 소식에 얌전히 있을 리 없었다.

그래서 아몬이 과자를 먹는 동안 머릿속에 있는 클라우디아 왕녀에 대한 지식이란 지식은 모두 정리했다. 그녀는 차후 왕이 된 것도 아니고, 볼흐라스의 첫 왕녀라는 호칭만이 남아 있었기에 정보는 얼마 있지 않았다. 있는 정보마저 진실인지 날조된 건지 확신이 서지 않았다.

후대의 손에 의해 거짓된 자료만이 남아 있을 수도 있었지만 그렇다고 아무것도 모른다고 할 수 없었기 때문에 엘로라는 차곡차곡 정리한 정보를 입 밖으로 내뱉었다.

"문서상으로 클라우디아 왕녀는 동맹국의 왕과 혼인했어."

"그리고?"

"그리고……."

그 뒤로 딱히 남아 있는 기록은 없었다. 공식적인 역사서뿐만 아니라 설화에서도. 건국 왕 케르단은 알에서 태어나 볼흐라스를 건국하고 수많은 전설을 만들어 냈으나 그의 딸인 클라우디아에 대한 기록은 몇 가지 없었다.

볼흐라스 왕가의 피를 이어받아 마법을 쓸 수 있었다거나 왕의 총애를 받았다는 아주 간단한 얘기뿐이었다. 설화에서도 그녀가 그저 존재했다는 식으로만 얘기가 나왔다.

그에 반해 케르단의 사후 왕위를 이어받은 왕자에 대한 얘기는 많았다.

아몬이 기대를 잔뜩 하며 바라보고 있으니 차마 없다고는 말할 수 없었다. 엘로라는 최대한 말을 짜내었다.

"혼인 덕분에 동맹국과 원만한 관계를 갖게 되어서 협력을 통해 다른 국가를 정복했어. 물론 이건 건국 왕 케르단의 업적이지만 클라우디아와 관계가 있지."

"그게 끝이야?"

"문서상으로는 그래. 더 알려진 바가 없어."

아몬이 볼을 부풀렸다. 잔뜩 불만스러운 표정으로 죄 없는 찻잔을 노려보았다.

소중한 친구가 죽은 것도 모자라 생전 행방에 대해 자세히 알 수 없으니 저런 반응이 나오는 것도 이상할 게 없었다. 엘로라는 아몬의 기분이 풀어질 때까지 조용히 기다려주었다.

"클라우디아는 행복했을까?"

"그러게."

엘로라는 얼굴도 모르는, 아주 옛날에 살았던 왕녀의 삶에 대해 섣불리 단정 짓지 못했다. 좋은 말을 해 줄 수 있었으나 감당 못할 동정은 무관심만 못했다.

일부러 모호하게 대답하자 인상을 와락 찌푸린 아몬이 재차 확인 과정을 거쳤다. 아무래도 믿기지 않는 모양이었다.

“클라우디아가 얼마나 대단한 친구였는지에 대한 거나 결혼 후에 행복했는지에 대한 얘기는 없어?”

“안타깝게도 없어.”

“정말?”

“응. 원한다면 나중에 관련 기록을 찾아 줄게. 하지만 내가 말한 것과 딱히 다를 건 없을 거야.”

단호한 엘로라의 말에 아몬은 체념했다. 매달린다 하여 바뀌는 건 아무것도 없음을 깨달은 것이다.

시간은 속절없이 지났고, 친구는 죽었으며, 아몬은 이곳에 살아남아 있었다.

함께 공유하지 못한 삶에 대한 미련을 버릴 수밖에 없었다.

하나 자연스레 의문이 남았다. 아까보다 훨씬 차분한 어조로 아몬이 머릿속에서 빙빙 도는 물음을 던졌다.

“있잖아. 인간의 삶은 시작과 끝이 결혼은 아니잖아. 그런데 어째서 클라우디아에 대한 얘기는 그것밖에 남아 있지 않은 거야?”

“음, 다른 것들은…… 학자들이 중요하다고 생각하지 않아서 뺐나 봐.”

“삶은 모두 소중해.”

“맞아, 삶은 모두 소중하고 가치 있지.”

가치 없는 삶이란 없었다. 개인이 있었기에 사회가 구성될 수 있는 거였다. 하지만 역사는 개개인의 일기가 아니었기에 모든 삶을 기록할 수 없었다. 후대에 남는 건 잘 솎아 낸 얘기 중 하나였다.

"역사란 결국 인간의 선택하에 쓰여지는 기록이야. 인간이 만들어 내고 인간이 선택하기 때문에 객관성을 잃기도 쉽지. 승자의 관점으로 보게 되니까 그만큼 편향적이기도 하고."

"클라우디아가 패자라는 뜻이야?"

"아니."

아몬은 엘로라의 말을 이해하지 못했는지 고개를 갸웃거렸다. 이에 엘로라는 미소를 지으며 설명을 추가해 주었다.

"역사 속에서는 클라우디아 왕녀뿐만 아니라 많은 여성들이 약자야. 약하기 때문에 역사 속에서 지워지기 쉬워졌어."

"클라우디아가 여성이었기 때문에 지금 내가 그녀의 행적을 알 수 없다는 말이야?"

"아예 상관없지 않을 거야."

아몬이 입술을 삐죽였다. 엘로라가 하고자 하는 말은 이해했으나 도통 마음에 들지 않는다는 표정이었다. 불만이 가득한 아몬의 얼굴을 보며 엘로라는 미소를 지우지 않았다. 매우 슬픈 얘기였으나 그만큼 익숙해진 얘기기도 했다.

"신체적 구조만 다르고 다 똑같은 인간인 거 아니야? 너무해!"

“권력을 쥔 자는 치졸하고 졸렬하며 비겁한 법이니까.”

“인간은 너무 어려운 것 같아.”

삐죽 내민 입술이 들어가지 않았다. 인간인 엘로라 또한 부당하다고 생각하는 점인데 요정인 아몬이라고 그렇게 느끼지 않을 리 없었다. 조용히 수긍한 엘로라는 아까부터 계속 머릿속에 맴돌았던 의문을 조심스럽게 꺼냈다.

“아몬, 아까 헤르시아 아르미트에 대해 얘기했잖아.”

“응! 헤르시아도 너처럼 다정한 친구야.”

“네가 말하는 헤르시아가 케르단과 함께 나라를 세운 인물 맞아?”

“응!”

“헤른 아르미트가 아니라?”

“헤른? 그게 누구야?”

아몬이 고개를 갸웃거렸다. 두 눈을 동그랗게 뜬 그녀는 ‘헤른 아르미트’가 누구인지 전혀 모르겠다는 표정이었다.

“나는 그런 사람 몰라.”

건국 왕, 케르단을 도와 아르미트 가문의 첫 가주가 된 사람은 헤른 아르미트라고 배운 엘로라로서는 당황스러운 말이었다.

이게 대체 어떻게 된 일인지 골똘히 고민하고 있으니 아몬이 그런 엘로라의 얼굴을 샅샅이 살폈다. 머리카락부터 시작하여 눈, 코, 입을 지그시 보다가 전체적으로 한 번 또 보았다. 그리고 결론을 내렸다.

"너 혹시 헤르시아의 자손이야?"
"아……, 응."
헤르시아와 헤른. 서로 알고 있는 이름은 달랐으나 아르미트 가문의 첫 가주라는 점에서 동일 인물일 가능성이 높았다.
누가 들어도 헤르시아라는 이름은 애칭이 아니었다. 그런데 왜 역사서에서는 헤른 아르미트라고 되어 있는 건지 고민하던 엘로라는 어색하게 고개를 끄덕였다.
"우와, 신기하다. 어쩐지 헤르시아랑 비슷한 냄새가 나더라. 마법은 쓸 수 없겠지만 기운도 비슷해!"
아몬이 엘로라의 손을 잡아 코 가까이 대었다. 갑작스러운 아몬의 행동에 당황했지만 그녀가 요정이었고 아주 오래전 사람임을 감안하여 얌전히 있었다.
킁킁, 엘로라의 손을 잡고 냄새를 맡은 아몬이 활짝 웃었다.
"그녀가 너를 봤다면 나처럼 신기해했을 거야!"
"그녀?"
"응! 헤르시아 말이야!"
"아……."
순간 깨달음을 얻은 엘로라가 작게 앓는 소리를 냈다.
헤르시아와 헤른. 한 사람이지만 두 이름을 갖게 된 사연을 대충 알 것 같았다.
"왜 그래? 무슨 문제 있어?"
"아, 아니야. 생각해 보니 내가 잘못 알고 있었어. 헤른

이 아니라 헤르시아 아르미트가 맞아."

"그렇지?"

티 없이 밝은 아몬에게 조금 전의 깨달음을 구구절절 설명했다가는 정말 인간에 대한 오만 정이 다 떨어질 수도 있다고 판단한 엘로라는 대충 얼버무렸다.

아무리 아몬이 긍정적이고 해맑다고 하지만 연달아 이런 소식을 듣는다면 인간에 대한 불신이 싹틀 수 있었다. 깨어난 지 얼마 되지 않은 요정에게 굳이 편협적인 시각을 만들어 주고 싶지 않았다.

클라우디아의 경우와 마찬가지로 여성이 큰 업적을 이루는 걸 보지 못한 사관들의 행패를 알게 된 엘로라는 그저 혼자 고통받을 뿐이었다.

역사가 날조되었다. 건국 초에는 여성이 가주가 되었던 걸로 보아 그다지 성별에 대한 차별이 심하지 않았던 것 같은데 지금 현재는 어째서 이런 건지 알 수 없었다.

퇴보하는 미래라니. 잘못돼도 한참 잘못되었다.

착잡한 감정을 숨긴 채, 엘로라는 아몬과 다양한 얘기를 나누었다. 아몬에게는 마치 어제 일처럼 생생했기 때문에 실감 나는 신화시대 얘기는 몇 번이나 들어도 질리지 않았다. 동화를 듣고 있는 듯해 마치 어릴 적으로 돌아간 기분이었다.

아몬은 신화시대 얘기를 하고, 엘로라는 현재 볼흐라스에 대한 얘기를 했다. 500년이 넘는 세월 동안 바뀐 것이

참 많았기 때문에 대화는 끊이질 않았다.

해가 지고, 피곤함을 느낀 아몬이 하품을 했을 때서야 두 사람은 자리에서 일어나 침실로 이동했다. 그토록 오랫동안 얘기를 나눴는데 아직도 대화할 거리가 무궁무진하다는 게 엘로라에게는 참으로 신기했다.

오늘 많은 일이 있었던 탓인지 엘로라 또한 피곤했기 때문에 일찍 잠자기 위해 침실로 간 그들은 침구를 정리하는 히나와 마주할 수 있었다.

기척을 느꼈는지 "아가씨!"라고 외치며 활짝 웃던 히나는 다시 한번 마주한 아몬의 존재에 당황한 듯했다. 잠시 지나가는 손님인 줄 알았는데 침실까지 함께 와서 더욱 그런 것 같았다.

오후에는 정신이 없어서 제대로 된 소개를 해 주지 못했는데 이제는 제대로 소개할 필요성을 느꼈다. 아몬이 다른 거처가 있는 것도 아니고 앞으로 쭉 이 궁에서 지낼 예정이었다.

볼흐라스가 건국됐을 때부터 아몬은 줄곧 이곳에 있었으니 엄밀히 따지면 외부인은 엘로라와 히나였다. 하지만 이 자리에 있는 사람 중에 그 사실을 크게 신경 쓰는 사람은 없었다.

이러나저러나 앞으로 세 명이서 지내야 했다.

넓은 궁에 고작 세 명이 지내는데 서로가 서로를 모르는 건 또 이상했다. 웬만해서는 아몬에 대해 대충 인간이라고 얼버무리면 되었지만 히나는 함께할 사람이었다.

인간이 아닌 존재가 있다는, 믿기지 않는 사실을 고백하기 위해 엘로라는 입을 열었다.

"음, 그러니까 히나."

"네, 아가씨."

"이쪽은……."

말을 골랐다. 사람이 아닌 존재에 대해 설명하는 과정은 생각보다 꽤 어려웠다. 너무 오래 뜸을 들인 탓인지 기다리다 못한 아몬이 나섰다.

"아모몬이야! 반가워!"

"……예?"

당황한 히나가 두 눈을 껌뻑거렸다. 손을 내밀고 다짜고짜 자신을 아모몬이라고 소개하니 당연한 반응이었다. 다른 이름이면 몰라도 아모몬은 궁 이름이었기 때문에 당황할 법했다. 또 아몬이 너무 활기찬 게 문제라면 문제였다.

"방금 들은 대로 이쪽은 아모몬이고, 그러니까……."

"요정이야!"

아몬은 방황하는 히나의 손을 덥석 잡아서 흔들었다. 너무나 당황한 히나는 입만 벙긋거리고 어떤 말도 내뱉지 못했다.

에너지가 넘치는 아몬과 당황한 히나 그리고 중간에 낀 엘로라는 한숨을 내쉬었다.

둘만 있었다가는 잔뜩 당황한 채로 하루가 끝날 듯했다.

중간에 낀 그녀가 상황을 정리할 필요가 있었다.

"응, 맞아. 요정이야. 나무의 요정이지."

"저, 저, 저. 아가씨, 제가 지금 무슨 소리를 듣고 있는지……."

"안타깝게도 꿈이 아니야."

"아가씨……."

"놀리는 것도 아니고. 농담은 더더욱 아니야."

냉정하고 단호한 엘로라의 말에 정신을 차린 히나가 이때까지 들은 정보를 취합했다. 듣고도 믿겨지지 않았으나 다른 누구도 아닌 엘로라가 농담이나 장난이 아니라고 했으니 믿어야 했다.

"……요정이라고요?"

"응! 정원에 커다란 나무 있지? 거기에서 나왔어!"

히나가 정보를 받아들일 시간도 주지 않고 다른 정보를 마구 뿌리는 아몬은 혼란을 가중시켰다. 그러나 틀린 말을 한 건 아니어서 가만히 내버려 두었다.

사람을 만난 게 기쁜지 아몬은 두 눈을 반짝이며 마구 손을 흔들었다. 그 탓에 히나의 몸이 흔들렸다. 중간에 엘로라가 저지하지 않았더라면 히나는 반쯤 넋이 나간 상태로 계속 흔들리고 있었을 터였다.

히나가 진정됐을 때쯤 엘로라는 아몬에게 히나를 소개해 주었다.

"아몬, 이쪽은 히나야. 나와 어릴 적부터 함께한 시녀지."

"친구?"

"응. 친구에 가까워."

"그러면 너도 내 친구야!"

엘로라에게 했던 것과 비슷한 레퍼토리였다.

아무래도 아몬의 목표는 세상에 있는 사람과 전부 친구 하는 게 아닌가 싶을 정도였다.

"아몬이라고 불러!"

"네, 네!"

긴장한 히나가 얼떨결에 아몬을 따라 외쳤다. 그 대답이 퍽 만족스러웠던 아몬이 배시시 웃었다.

"정리하자면 아몬은 요정이고, 의도치 않게 내가 정원에서 잘 자고 있던 아몬을 깨우게 돼서 함께 지내기로 했어."

"아, 요정……."

"히나. 네가 지금 얼마나 당황했을지 이해해. 상식적으로 말이 되지 않는 상황이니까. 하지만 눈앞에 있는 걸 부정할 수는 없잖아."

"아가씨께서는 유령도 믿지 않으시잖아요."

"존재한다는 정확한 증거가 없으니까. 정 억울하면 아몬처럼 내 앞에 나타나라지."

"유령? 그런 것도 있어?"

잠자코 엘로라와 히나의 대화를 듣고 있던 아몬이 불쑥 끼어들었다. 깜짝 놀란 히나가 천천히 설명해 주었다.

"예? 예. 이 궁에 유령이 살고 있다는 소문이 자자해요. 실제로 울음소리도 들었고요."

"울음소리?"
아몬이 고개를 갸웃했다. 그러고는 골똘히 무언가를 고민했다. 아무래도 울음소리에 대해 짐작 가는 것이 있는 것 같았다. 엘로라는 아몬이 머릿속을 정리할 수 있도록 내버려 두었다.
서로에 대한 소개도 끝나고, 아몬의 침묵과 함께 히나가 요정을 받아들임으로써 정신없었던 분위기도 어느 정도 소강되었다. 조용히 서 있는 엘로라와 아몬을 힐끔 보던 히나는 슬슬 뒤로 물러섰다.
"저는 원래 방으로 돌아갈게요."
"바깥에서 울음소리가 날 때마다 혼자 두려움에 떨 거잖아. 여기 있어. 여자 셋이서 같이 잔다고 침대가 무너지지 않아."
"오늘은 해가 져도 소리가 들리지 않으니 괜찮을 거예요."
아마.
히나가 작게 덧붙이는 말을 들은 엘로라는 한숨을 내쉬었다.
사람이 늘어서 더는 눈치 보지 않고 한방에서 잘 수 없다는 히나의 판단은 이해했으나 엘로라는 이대로 히나를 보낼 수 없었다.
"암살자가 라하트 전하의 목숨을 위협했다는 소식은 들었지?"
"네."

"암살자가 이곳에 안 온다는 보장은 없어. 난 내 소중한 사람을 잃고 싶지 않으니까 함께 있자."

아히발트가 최대한 빨리 결혼하도록 뒤에서 음모를 꾸미는 이유와 비슷했다. 라하트가 표적이 되었으니 그의 부인인 엘로라 또한 언제 암살 위협에 시달릴지 몰랐다.

그 과정에서 하나밖에 없는 시녀인 히나 또한 위험에 노출된 건 당연했다. 저번에는 어찌 포크로 막았으나 이번에는 같은 방식이 통하지 않을 터였다.

최대한 노력은 해 보겠지만 제일 좋은 경우는 암살자가 안 오는 거였다. 아니면 십자가를 본 뱀파이어처럼 단도를 보자마자 암살자가 도망치는 것도 나쁘지 않았다.

그때를 떠올린 엘로라는 라엘에게 단도에 마법이라도 걸어 놨냐고 물어볼 걸 그랬다고 생각했다. 몇 번이나 기억을 되짚어 봐도 완벽하게 유리한 상황에서 암살자가 단도를 보자마자 도망친 건 객관적으로 납득할 수 없는 일이었다.

아주 옛날에 요정도 있고, 마법도 있었다는데 단도에 고대 마법을 걸어 놨을지도 모른다는 가정은 동화 속에만 나올 얘기가 아니었다.

진실을 알지 못한 엘로라는 다음에 기회가 된다면 꼭 라엘에게 물어봐야겠다고 다짐했다.

엘로라가 단도의 무게를 느끼는 동안 감동받은 히나는 결국 나가지 못하고 침실에 머물렀다. 소중한 사람이라고 불러 주는데 매정하게 나갈 만큼 히나는 엘로라에게 강하지 않았다.

서로 소개도 했고, 나가려는 히나도 붙잡았으니 당장 해야 할 건 다 끝냈다고 느낀 엘로라는 이제 정말 잘 준비를 하려고 했다.

그런데 계속 무언가를 골똘히 고민하던 아몬이 엘로라를 불렀다.

"있잖아. 엘로라."

"응?"

"그 울음소리 말이야. 혹시 내가 코 고는 소리가 아니었을까?"

"……뭐?"

이게 무슨 뚱딴지같은 소리인가.

아몬이 본인을 요정이라고 주장했을 때보다 더 놀란 엘로라가 고개를 돌렸다. 시야에는 한없이 진지한 아몬의 얼굴이 잡혔다.

마냥 밝게 웃는 얼굴만 보다가 진지한 얼굴을 보게 되니 농담으로 하는 소리는 아니라는 걸 알 수 있었다.

"내가 나무로 돌아가서 자면 클라우디아가 작작 울라고 혼을 내고는 했어. 물론 나는 울지 않았어! 정말 행복하게 잠만 잤는데 나무랑 동화돼 있으면 소리가 이상하게 울리나 봐."

"……아."

아몬은 쑥스러운지 머리를 긁적거렸다. 어떤 반응을 해

야 할지 몰라 엘로라도 히나도 벌어진 입술을 다물지 못한 채 침묵했다.

데굴데굴 눈을 굴리다가 엘로라와 히나의 시선이 딱 마주쳤다. 두 사람 다 난감한 표정으로 서로를 바라보다가 아몬에게 눈길을 주었다.

아몬은 침묵을 다른 의미로 받아들이고는 수줍게 말을 이었다.

"코를 곤다고 표현했지만 진짜로 코를 골지는 않아! 클라우디아가 놀릴 때마다 이렇게 표현해서 이렇게 말한 것뿐이야. 너희랑 잘 때는 아주 조용히 흡합흡합 하고 잘 테니까 걱정 마!"

아몬이 과장되게 숨을 들이쉬었다가 내쉬었다. 결국 웃음을 터트린 엘로라는 아몬의 어깨를 토닥여 주었다. 진지하게 얘기를 하고 있던 아몬은 엘로라의 행동이 뜬금없다고 느꼈는지 두 눈을 동그랗게 떴다.

그 맑은 에메랄드빛 눈동자를 내려다보며 엘로라는 다정히 속삭였다.

"시끄럽게 자도 괜찮아."

"아니야. 아주아주 조용히 잘게."

본인의 말에 신빙성을 주기 위함인 듯 아몬은 목소리를 낮췄다. 그 모습이 귀여워 엘로라는 미소를 지우지 못했다.

"그런데 요정이 깃든 나무는 다 그런 소리가 나는 거야?"

"아니! 내가 특이 체질인 거야. 인간도 같은 인간이라고 해서 다 똑같지는 않잖아."

"그렇지."

고개를 끄덕였다. 이로써 볼흐라스의 건국 후 많은 사람들을 공포에 떨게 했던 유령의 정체가 허무하게 밝혀졌다. '유령'이라는 음습한 명칭과 다르게 실제로는 발랄한 요정이었다.

오밤중에 들리는 울음소리만 듣는다면 요정의 '요' 자도 떠올리지 못할 만했다.

기억을 더듬어 보면 소리의 근원지는 정원이었고, 소리를 따라 걷다 보면 항상 아모몬 나무 근처를 맴돌았다. 그제야 흩어졌던 조각이 한데 모이면서 이때까지 있었던 일을 납득할 수 있었다.

아모몬 궁에 몰래 들어온 침입자도 아니었고 실체가 없는 유령도 아니었다. 아무것도 모르는 요정이라고 생각하니 마음이 편해졌다.

그들은 씻고 옷을 갈아입었다. 가벼운 잠옷으로 갈아입은 아몬은 기분이 좋은지 혼자 춤을 추다가 침대에 쓰러졌다. 거의 종일 수다를 떨었더니 피곤한 모양이었다. 엘로라는 그 옆에 누웠다.

불을 끄고 잘 준비를 마쳤을 때는 엘로라의 왼쪽에 아몬이 오른쪽에 히나가 있었다. 중간에 낀 엘로라는 양옆에 사람이 있으니 든든하다고 느꼈다.

친한 친구들끼리 한집에 모여 자고 가는 경우도 있다던

데 지금이 딱 그런 것 같았다.

바로 옆에 한 명이 있는 것과 양옆에 한 사람씩 있는 건 또 달랐다. 굉장히 신선한 기분으로 눈을 감고 잠을 청하려던 엘로라는 문득 든 의문에 조심스럽게 입을 열었다.

"아몬, 자?"

"응! 눈 감고 있어!"

평소와 같이 밝은 대답이었으나 피곤은 숨길 수 없었다. 차라리 날이 밝을 때 말을 꺼낼까 고민하던 엘로라는 잠시 뜸을 들이고는 마음에 걸리던 의문을 꺼냈다.

"클라우디아랑 어쩌다 싸운 거야? 대답하기 힘들면 하지 않아도 돼."

"음, 그게 말이지……."

아몬은 꽤 오랫동안 말을 잇지 못했다.

긴 침묵 끝에 대답을 들을 수 있었다.

"사실 나도 기억이 잘 안 나."

"……."

"너무 오랫동안 멈춰 있었나 봐. 하나씩 떠오르면 그때 가서 얘기해 줄게."

"괴로우면 억지로 기억해 내지 않아도 돼."

"괴로운 기억은 아니야. 클라우디아랑 관련된 추억이니 오히려 소중해."

아몬의 말투에서 진실 된 감정이 묻어 나왔다.

"내일이면 기억이 나지 않을까?"

“그러길 바랄게.”
“넌 정말 착한 친구야.”
고개를 돌린 아몬이 엘로라의 뺨에 쪽 하고 뽀뽀했다.
갑작스러운 뽀뽀에 당황한 엘로라가 두 눈을 떴다. 슬쩍 아몬을 보았으나 아몬은 아무렇지 않게 정자세로 누워 눈을 감고 있었다.
“잘 자, 엘로라.”
“응, 너도.”
부드럽게 대꾸한 엘로라는 다시 눈을 감았다.
고요 속에서 어둠이 내리고, 하루가 지나가고 있었다.

이른 시간에 잠을 잔 만큼 세 사람은 일찍 눈을 떴다. 어차피 오늘은 로이스로서 라하트의 초상화를 그려야 했기 때문에 일찍 일어나야 하는 날이기도 했다.
길게 하품을 한 엘로라는 기지개를 켜고 나서 씻고 나왔다. 히나는 식사 준비를 하기 위해 나간 지 오래였고, 침대 위에는 조금 더 자고 싶다며 게으름을 피우는 아몬만이 남아 있었다.
정확히 표현하자면 아몬은 자고 싶다기보다는 침대에서

일어나고 싶지 않아 하는 듯했다. 굳이 아몬을 침대에서 내려오게 할 이유가 없어 그녀가 뒹굴거리도록 내버려 두었다. 그리고 엘로라는 화장을 하기 시작했다.

"우와, 엘로라가 엘로라가 아니야!"

다크서클이 짙은 로이스의 얼굴이 어느 정도 완성됐을 때쯤 아몬이 관심을 가지고 가까이 다가왔다.

엘로라는 고개를 돌리지 않아도 거울을 통해 아몬의 얼굴을 볼 수 있었다. 놀라움과 신기함이 섞인 표정이었다.

"나도 변신시켜 줘!"

"변신이 아니고 단순히 화장을 한 것뿐이야. 원한다면 내일 시간이 비니까 그때 해 줄게."

"정말? 약속한 거야!"

"응."

붕붕 뛰는 아몬의 새끼손가락을 걸어 약속했다. 어떤 마법도 쓰지 않고 얼굴이 바뀌는 게 꽤 흥미로웠는지 아몬은 자리에서 떠나지 않았다. 바로 엘로라의 뒤에 서서 흥미진진한 표정으로 지켜보았다.

"그런데 누구 만나러 가?"

"……내 남편?"

엘로라가 어색하게 '남편'이라는 단어를 발음했다.

마치 오답을 내놓은 듯한 기분이었다.

결혼식도 했고, 신혼여행도 다녀온 데다 법적인 절차도 모두 마쳤으니 라하트가 남편인 건 맞았다. 하지만 한 번도 남편이라고 의식하지 않은 탓에 굉장히 어색했다.

그 덕에 엘로라는 이때까지 자신이 라하트를 '라하트'로 인식하고 있었음을 깨달았다. 황자나 남편 같은 그를 따르는 부수적인 지위나 관계가 아닌 라하트, 그 자체로.

"엘로라, 결혼했어? 우와, 네 반려자는 어떤 사람이야?"

"반려자라는 거창한 단어를 쓸 만큼 대단한 관계는 아니야."

아몬은 새로운 사실을 깨달아 흥분했으나 엘로라가 차갑게 일축했다.

반려자라고 하니 관계가 너무 거창해 보였다. 그들은 그저 어쩔 수 없이 결혼했으며 곧 있으면 남남이 될 사이였다. 평생을 함께할 것만 같은 '반려'라는 단어는 어울리지 않았다.

"사랑하니까 관계를 맺은 거 아니야? 그래서 어떤 사람이야? 왠지 엘로라처럼 친절한 사람일 것 같아."

"음……."

거울 너머로 잔뜩 기대하고 있는 아몬의 얼굴이 보였다. 반짝이는 시선을 받은 엘로라는 고민했다. 라하트가 어떤 사람이냐고 묻는다면 정해진 대답이 하나 있긴 했다.

"이상한 사람?"

"이상한 사람이라고?"

의외의 답변이었는지 아몬이 되물었다. 살짝 고개를 끄덕인 엘로라는 화장하던 걸 멈추고 시선을 내리깔았다. 라하트는 확실히 이상한 사람이었다. 그러나 이상한 사람이라는 답변이 완벽한 답은 될 수 없었다.

"정확히 알 수 없어서 이상한 남자."

겨우 정의를 내렸다. 엘로라에게는 나름 만족스러운 정의였으나 아몬은 이해하지 못했는지 고개를 갸웃거렸다.

구구절절 라하트와 있었던 일을 설명하기도 애매해서 더 이상 말을 덧붙이지 않았다. 다시 화장 도구를 들고 마무리를 지으려고 하는데 문이 열리고 히나가 들어왔다.

"아가씨, 준비 다 하셨어요?"

"다 끝나 가."

"바로 식사 들고 올게요."

"응."

대화를 끝내고 식사를 들고 오려던 히나는 쪼르르 달려온 아몬에게 붙잡히고 말았다.

"히나!"

"예? 예!"

"엘로라의 남편은 어떤 사람이야?"

뜬금없는 아몬의 질문에 잠깐 당황하던 히나가 라하트에 대한 얘기임을 깨닫고 금세 침착해졌다.

"그분에 대한 악평은 제국 내에서 모르는 사람이 없어요."

"악평?"

"네. 술에 취하지 않은 날이 없고, 매일 여자를 끼고 다니는 데다 본인이 해야 할 일은 하지도 않아요. 매일 놀고, 먹고, 마시고. 돈과 시간을 탕진하는데 바쁘다고 다들 잘 알고 있죠."

히나가 침착해진 데에는 다 이유가 있었다. 이때다 싶어서 라하트에 대한 나쁜 말을 줄줄 읊다시피 했다. 따로 적어 놓은 대본이 없는데도 막힘이 없었다.

아르미트가의 사람들은 기본적으로 라하트에 대해 악감정을 가지고 있었다. 이를 아는 엘로라는 그저 미소만 지었다.

아예 틀린 말도 아니고, 그 소문이야 귀에 못이 박히도록 들었던 탓이었다.

남의 험담을 마구 늘어놓는 건 나쁜 일이 분명했으나 정말 술에 취하지 않은 날이 없고, 처음 만났을 때부터 여자를 끼고 있었으며, 시간과 돈을 탕진하는 모습을 실제로 봤기 때문에 부정하기도 애매했다.

무언가 말을 더 쏟아 내려는 히나를 보고 작게 그녀의 이름을 불러 경고하는 것으로 일단 상황을 일단락시켰다.

"정말이야?"

"마치 소비하기 위해 태어난 사람인 것 같긴 하지."

신혼여행을 갔을 때는 계속 무언가를 사 주었고 로이스한테는 끊임없이 먹이려고 했다. 퍼 주지 못해 안달 난 사람처럼 보이기는 했다.

"나쁜 사람은 아니야."

"나쁜 사람이 아니라는데?"

"아가씨가 착하셔서 그래요. 아가씨의 눈에 나쁜 사람은 얼마 없을걸요."

미운털이 단단히 박혔는지 히나의 말투에는 잔뜩 날이 서 있었다. 무작정 나쁜 식으로 몰아갈 만큼 라하트가 쓰레기는 아닌 터라 엘로라는 타이르듯이 말했다.

"막무가내라서 당황스러울 때가 많지만 그렇다고 해서 악인은 아니야. 네가 직접 만나 봤어야 해."

"사랑하나 봐."

"내가 그를?"

"응."

이번에 당황한 건 엘로라였다.

사랑이라니.

라하트와 자신의 관계를 수식하는 단어라고 생각되지 않았다.

"아니야, 아몬. 이건 사랑이라기보다는 최소한의 호감이야."

"최소한의 호감?"

"자주 보면 정이 든다고 하잖아. 우연히 부딪칠 일이 많아서 그 사람의 여러 면을 보게 된 것뿐이야."

"그게 사랑이 아니야?"

"사랑에 다양한 종류가 있지만 남녀 간에 느낄 수 있는 사랑은 깊고 진지한 편이지."

"잘 모르겠어."

"사실 나도 잘 모르는 감정이야."

"그런데 어떻게 확신해? 네 남편을 사랑하지 않는다는

사실을."

"아닌 건 확실히 알아."

"인간은 정말 어려워."

콧잔등을 찡그린 아몬은 그대로 침대에 가서 벌러덩 누웠다. 그 모습을 보고 작게 웃은 엘로라는 다시 화장을 했고 히나는 식사를 들고 오기 위해 나갔다.

히나가 들고 온 간단한 아침 식사를 마치고 엘로라는 히나까지 화장을 해 주었다. 그 과정에서 아몬은 "우와, 진짜 못생겼다!"를 연발했다.

못생기게 화장했으니 당연한 반응이었지만 히나는 못생겼다는 말이 자못 부끄러운지 두 볼을 붉혔다.

얼굴에 열이 오르면 화장이 잘 먹지 않아 가볍게 손등으로 히나의 뺨을 식혀 준 엘로라는 평소와 같이 한 치의 오차도 없이 못생긴 엘로라를 그렸다.

그렇게 평소보다 소란스러운 아침을 보내고 엘로라는 초상화를 그리기 위해 아모몬 궁을 떠났다. 범상치 않은 하루의 시작이었다.

오늘도 푹신한 의자에 앉은 라하트는 지루한 기색을 숨

기지 않았다. 엘로라가 분주히 화구를 만지고 붓을 움직이는 소리가 고요한 실내를 울리고, 그 사이에 라하트가 하품하거나 꼼지락대는 소리가 간헐적으로 끼어들었다.

라하트가 최소한의 인내심도 없는 자였다면 이미 이곳을 뛰쳐나갔을 게 분명했다. 움직이고 싶어서 온몸이 근질근질거리는 게 엘로라에게도 느껴질 정도였다.

그런 라하트가 뛰쳐나가기 전에 하루빨리 정기적인 만남을 끝내기 위해서라도 엘로라는 최대한 속도를 내어 작업했다. 더 이상 작업 시간 외에 사적인 만남을 갖지 않는다 하여도 오래 노출될수록 좋을 게 하나도 없었다.

또한, 최초로 라하트의 초상화를 그리게 되었다는 이유로 쓸데없는 관심을 받고 싶지 않았다.

라하트의 초상화를 마지막으로 로이스는 이 세상에서 사라질 운명이었다. 주목은 '로이스'라는 존재에게는 독이었다.

원래 사람은 위기감을 느끼면 극한의 능력을 발휘했다. 그림에 집중하느라 잡생각도 싹 사라진 엘로라는 무아지경에 빠져 간결하고도 정확하게 붓을 움직였다. 이 상태에서 쉬는 시간을 가진다면 집중력이 깨지기 때문에 중간 휴식은 모두 생략했다.

원래 라하트는 꼬박꼬박 휴식을 챙기는 편이었으나 엘로라가 집중하는 모습을 유심히 보더니 쉬자고 보채지 않았다. 본인이 고통스러워도 엘로라의 페이스에 맞춰 준 것이었다.

긴 시간 끝에 오늘의 초상화 그리기 시간도 끝이 났다. 숨 쉬는 법도 잊고 그림을 그린 탓에 잔뜩 지친 엘로라가 붓을 내려놓고 대충 뒷정리를 했다.

자리에 앉은 채로 기지개를 켠 라하트는 으쌰 하고 일어섰다. 라하트가 한 걸음 내디디는 순간 엘로라는 그가 또 엎어질까 봐 잔뜩 긴장하면서 살폈다. 너무 오래 앉아 있으면 방향 감각을 잃고 자주 쓰러지는 라하트였다.

예상을 깨지 않고 휘청거린 라하트는 발을 헛디뎌 춤을 추듯 요란한 움직임으로 엘로라의 앞에 섰다. 다행히 쓰러지지는 않았다.

라하트가 휘청거릴 때 앞으로 넘어질지도 모르는 그를 잡기 위해 팔을 뻗었던 엘로라는 어정쩡한 자세로 있다가 아무렇지 않은 척 팔을 내렸다.

그림을 그릴 때는 라하트가 지루함을 못 이기고 바깥으로 뛰쳐나갈까 봐 불안하지 않았으나 그림을 다 그리고 나면 쓰러질까 봐 걱정이 들었다. 몇 번이고 쓰러진 경력이 있는 남자였다.

오늘은 무사히 캔버스 앞까지 도착한 라하트가 색이 입혀진 그림을 보고 만족스러운 미소를 지었다.

"이 속도면 건국제 전에 완성되겠네."

"예, 그쯤 완성하는 걸 목표로 작업하고 있어요."

"좋아, 마음에 들어."

고개를 끄덕이는 라하트를 확인하고 오늘도 뿌듯한 마음

으로 돌아가려고 했다. 거침없이 달리고 있는 것치고는 그림은 어디 문제 될 게 없었고, 빠른 마감을 고려하면 매우 흡족한 결과가 나올 듯했다. 황궁 어디에 걸어 둔다고 해도 부끄럽지 않을 결과물이.

"그러면 저는 이만 가 보도록 하겠습니다."

일도 끝났겠다, 아모몬 궁으로 돌아가기 위해 엘로라가 몸을 돌렸다. 만약 라하트가 붙잡지만 않았어도 그대로 바깥으로 나갔을 거였다.

"잠시 거기 있어 봐."

"전하, 식사라면 더 이상 하지 않는 걸로 알고 있는데……."

"그런 거 아니야. 금방 끝나니까 시간 좀 내 줘."

다급하게 말을 끝맺은 라하트가 바깥으로 나가서 "그거 들고 와, 그거."라고 외쳤다. 그게 무엇인지 모르는 엘로라는 가만히 서 있을 수밖에 없었다.

식사는 더는 하지 않겠다고 못 박아 놨으니 음식은 아닐 테고. 대체 뭘 들고 오라는 건지 짐작이 가지 않았다. 그전에 낌새라도 보였으면 모르겠는데 그런 기색도 전혀 없어 궁금증을 안은 채로 기다리던 엘로라는 잠시 후 기함할 수밖에 없었다.

"이 중에서 골라 봐."

"……예?!"

깜짝 놀란 엘로라가 한 걸음 뒤로 물러섰다.

라하트가 들고 오라고 한 건 다름이 아닌 보석이었다.

한두 개면 그러려니 하는데 잘 세공된 보석을 지나가던 돌멩이처럼 한 보따리 들고 와서 쫙 깔아 놨다. 누가 보면 보석 장사 하는 줄 알 정도였다.

“그녀에게 선물할 거야. 물론 여기 있는 거 전부 다.”

‘그녀’라고 함은 엘로라를 가리키는 말이었다.

무수히 많은 보석을 다 준다는 말에 난감한 기색을 숨기지 못한 엘로라는 벌어진 거리를 좁히지 못한 채 물었다.

“그런데 어찌 저한테 고르라고 하시는 건가요?”

“너는 화가니까 안목이 좋을 거 아니야. 그녀에게 특별히 어울리는 보석을 나보다 더 잘 알겠지. 없으면 없다고 말해. 새것을 사면 되니까.”

엘로라의 안색이 파리해졌다. 무분별한 소비의 화신인 건 알았지만 여기서 또 새것을 산다니. 국고를 거덜 낼 셈인가? 눈앞에서 반짝거리는 보석이 너무 부담스러웠다. 적당하면 그러려니 하는데 이 남자는 중도를 몰랐다.

엘로라의 속마음을 모른 채, 사파이어를 손안에서 굴리던 라하트가 사뭇 진지하게 중얼거렸다.

“그녀가 보석을 좋아한다고 알려졌지만 아무 보석이나 막 줄 수는 없는 노릇이잖아. 내 신부님인데.”

“기념일인가요?”

“아니, 그냥 주는 건데.”

“그냥 주는 것치고는 매우 많네요.”

“언제 죽을지 모르는데 선물은 미리미리 줘야지.”

암살자가 다녀간 이후로 이런저런 생각을 한 모양이었다. 하지만 화자가 라하트인 만큼 죽음을 언급하는 것치고는 산뜻하기 그지없는 어조였다.

"또 환심을 미리 사 둬서 나쁠 건 없잖아."

"환심이요?"

"응. 낯선 장소에 와서 힘들 텐데 나라도 신경을 써야지. 수도에서 나고 자랐다고 해도 잠자리가 바뀌고 주위 사람이 바뀌었는데 힘들 거 아니야."

이때까지 누구도 입궁한 엘로라에 대해 신경 쓰지 않았다. 시녀와 시종을 쫓아낸 것에 대한 일화를 간식거리 삼아 꺼낼 뿐이지, 그녀가 강제로 결혼하게 되어 슬플지 기쁠지는 그 누구의 관심사가 아니었다.

혼인을 하는 여인은 매년 있었고, 그녀들이 남편에게 종속되는 건 매우 당연하게 여겨졌다. 생활 환경이 바뀌는 것 또한.

지금 라하트는 답지 않게 섬세한 발상을 하고 있었다.

선물이 과하긴 했으나 신경 써 주고 있는데 기분이 나쁠 리 없었다. 마냥 부정적으로 라하트를 보지 않으려고 노력했다. 하지만 쫙 깔린 보석만 보고 있으면 너무 부담스러워 학을 떼게 되었다.

"요즘에도 그녀랑 만날 기회가 없어?"

"예? 예. 한 번도 마주친 적 없어요."

"안타깝네. 너를 통해서 소식이라도 전해 들으려고 했는데."

그렇게 말하는 라하트는 나름 진지했다. 왜 이렇게 신경을 쓰는지 알 수 없었다. 단순 흥미라고 하기에는 지속적이고 짙은 관심이었다.

"나를 싫어하지만 너는 좋아하니까 한 번쯤은 만나 줄지도 모르겠다고 생각했어."

"저번에 사랑이 아니라고 하셨잖아요. 그런데 왜 그렇게 신경 쓰세요?"

"꼭 사랑해야만 신경이 쓰이는 건 아니지. 일단 나의 하나뿐인 신부잖아. 그것 외에 다른 이유가 더 필요해?"

너무나 당연하다는 듯이 대꾸해서 딱히 할 말이 없었다.

결혼 전, 계약을 제시했을 때는 평소 부부 관계임을 의식하지 말고 각자 생활을 하자고 했건만 라하트는 퍽 성실하게 챙겨 주려고 노력하고 있었다. 무관심이 절실한 엘로라로서는 부담스럽고 어리둥절할 뿐이었다.

단순 동정일까? 인생을 막살고 있지만 천성이 악하지 않아서 잘해 주려고 노력하는 것일지도 몰랐다. 어쨌든 라하트란 엘로라에게 있어 미지의 영역이었다.

"이제 이 중에서 네 마음에 드는 걸 골라 봐."

"제 마음이요?"

"응, 너한테 주는 뇌물이야."

"아니요, 저는 이런 거 필요 없어요. 뇌물이라니. 제 주제에 맞지 않아요."

빠르게 고개를 저었다. 라하트의 초상화를 그리게 되면

서 돈을 과분할 정도로 많이 받았는데 보석까지 추가로 준다니. 게다가 라하트는 분명 뇌물이라는 단어를 썼다. 굉장히 뒤가 구린 의도가 있음이 틀림없었다.

"약조를 위한 뇌물이니 부담 갖지 마."

마치 엄청난 비밀을 알려 준다는 듯이 라하트가 목소리를 낮추었다. 약조라는 말에 잠깐 의문을 표한 엘로라는 이어지는 말로 그가 왜 보석을 쥐여 주려고 하는지 알 수 있었다.

"그녀에게 이 얘기를 하면 안 돼. 비밀 선물이거든."

"아, 그렇군요."

이미 들통났다.

라하트에게는 안타까운 일이지만 그 사람이 그 사람이었다.

비밀이고 뭐고 당사자 앞에서 보석을 깔아 놓고 선물하겠다고 당당히 말해 놨는데 비밀이 유지될 리 없었다. 그러나 아무리 뇌물을 쥐여 주어도 비밀 유지가 되지 못한다는 사실을 모르는 라하트는 몹시 조심스러웠다.

"그러니 마음에 드는 것이 있다면 한두 개쯤은 슬쩍해도 돼."

"……괜찮습니다."

"정말?"

"네."

"진심으로 주겠다는 건데 이대로 넘어갈 거야?"

"저에게는 과분해요. 비밀은 유지할 테니 황자비 전하께 모두 주세요."

"네 의견이 그렇다면 어쩔 수 없지. 대신 필요한 게 있다면 언제든 말해."

고개를 끄덕였다. 엘로라가 고개를 끄덕이는 걸 확인한 라하트가 기다렸다는 듯이 보석을 들고 이것저것 물어보기 시작했다. 언뜻 의사를 물어보는 듯했으나 결국 '답은 정해져 있고 너는 대답만 하면 돼.' 식의 물음이었다.

"이건 목걸이로 만들어 달라고 할까?"

"하하, 그래도 참 좋겠네요."

"팔찌도 괜찮을 것 같아."

"팔찌. 참 좋죠."

"이렇게 보석을 모아서 티아라로 만들라고 해도 괜찮지 않을까?"

"좋죠, 티아라. 예쁘고."

계속 이어지는 라하트의 말에 지친 엘로라는 영혼 없는 대꾸만 해 주었다. 딱히 조언을 해 줘도 받아들여지지 않을 듯한 분위기였다. 혼자 흥에 취한 라하트가 워낙 야단법석이었다.

귀한 건 희소성이 있기 때문이었다. 제아무리 보석의 가치가 높다 하지만 눈만 돌리면 보석이 반짝거리고 있는데 아름다움이 제대로 느껴질 리 없었다. 보석에 흥미를 잃은 엘로라는 대충 맞장구만 쳐 주었다.

아마 라하트가 선물을 보낼 때쯤에는 보석을 너무 많이 봐서 아무런 감흥도 없을 듯했다. 라하트는 라하트 나름대로 깜짝 선물을 주려고 애쓴 듯한데 참으로 안타까운 일이었다.

오랜 시간이 지났다. 하품마저 나오려고 했다. 초상화를 그릴 때 라하트가 어떤 마음으로 얌전히 있었는지 대충 알 것 같기도 했다. 얼떨결에 라하트의 마음에 감정 이입을 하고 있던 엘로라는, 조심스레 라하트를 부름으로써 겨우 풀려날 수 있었다. 고된 시간이었다.

굳이 자신이 아니더라도 동조해 줄 만한 사람을 붙잡고 있으면 될 듯한데 라하트는 아직 그 사실을 느끼지 못한 모양이었다. 도움이라고 할 만한 건 고개를 끄덕이는 것밖에 없었으나 매우 만족스러워하는 라하트를 보니 굉장한 도움을 준 듯한 기분이 들었다.

수고했다고 다정히 어깨를 토닥여 주는 라하트에게 꾸벅 인사한 엘로라는 도망치듯이 궁을 빠져나왔다.

한동안 보석을 보기만 해도 신물이 나올 것 같다고 생각하며.

선물을 받기도 전에 질려 버린 그녀였다.

엘로라는 지친 몸으로 침대에 쓰러졌다.

맞장구를 쳐 주는 것도 생각보다 고된 노동이었다. 심적으로 너무 고된 노동. 보석을 볼 땐 시간이 느리게 간다고 느껴졌건만 시간이 제대로 흐르긴 했는지 늦은 밤이었다.

씻지도 않고 침대에 쓰러진 엘로라는 따가운 시선을 느낄 수 있었다. 히나와 아몬이었다. 아몬이 호기심 어린 표정을 지었다. 평소보다 늦게 귀가한 데다 피곤한 듯이 침대로 향한 엘로라의 행동 탓이었다.

제대로 뻗은 엘로라는 고개를 들어 두 사람에게 중얼거렸다.

"한 달 안에 어마어마하고 무시무시한 보석이 몰려올 거야……."

유언처럼 말을 남기고 침대에 얼굴을 박았다.

오늘따라 침대가 너무 푹신해서 떠나고 싶지 않았다. 솜사탕으로 온몸을 감싼 듯한 기분이었다.

포근하고, 따듯했다. 종일 고생했던 몸이 흐물흐물 녹아내렸다. 어서 식사하고, 씻어야 하는데 꼼짝하고 싶지 않았다.

식사보다 급한 건 화장을 지우는 일이었다. 지금처럼 꼼짝하지 않고 누워 있다가 저도 모르게 스르륵 잠들 게 분명했다. 옷도 옷이지만 화장을 지우지 않은 채로 잘 수 없었다. 하지만 너무 귀찮았다.

"보석이요?"

"보석?"

"……응."

힘이 조금이라도 남아 있을 때 화장을 지워야 한다는 생각에 억지로 다시 고개를 든 엘로라가 긍정했다.

침대는 가히 늪과 같았다. 한 번 눕자 손가락 하나 까닥하기 싫었다. 괜히 누웠다는 생각이 불쑥 들었지만 이미 눕고 난 후였다. 어찌 돌이킬 방법이 없었다.

"보석에 저주라도 걸렸어? 왜 무시무시하다고 해?"

꿈틀거리는 엘로라에게 다가온 아몬이 그 어깨를 꾹꾹 누르며 물었다. 지친 엘로라가 침대 위에서 꼼지락거리는 게 퍽 신기한 듯했다.

"보다가 뒷걸음질 칠 정도로 엄청나게 많아서."

"얼마나 많았길래 그래?"

"너도 봤어야 해. 보석이 증식하는 듯한 그 광경을."

질린 표정으로 고개를 저었다. 다시 떠올리기도 싫었다.

여기도 반짝, 저기도 반짝. 세상이 반짝반짝. 손을 조금 뻗기만 해도 차가운 광물이 닿았다. 그 많은 걸 선물 받을 생각을 하니 기쁨보다는 회피하고 싶다는 생각이 먼저 들었다.

이래서 사람이 뭐든 적당히 해야 했다. 벌써부터 잔뜩 질리고 말았다.

"전하께서 나 줄 거라고 보석을 마차째로 구해 왔어. 만약 따로 세공하게 된다면 한 달 이내에 도착할 거야. 그렇지 않으면 당장 내일 보낼지도 모르지."

"어머, 전하께서요?"

"응."

라하트가 보석을 선물할 거라는 말에 히나가 눈에 띄게 좋아했다. 사치품을 그냥 주겠다는데 싫어할 사람이 어디 있겠는가.

라하트의 '라' 자만 나와도 질색하는 히나가 반색하는 걸 보니 역시 환심을 사는 데에 보석만큼 좋은 게 없다는 생각이 들었다. 하지만 그것도 적당할 때였다.

"웬일로 전하께서 좋은 일을 하시네요."

"……아니야. 전혀 좋은 일이 아니야."

엘로라는 침대에 얼굴을 처박고 싶은 기분이었다. 모임을 자주 나가면 몰라도 못난이 엘로라인 채로 외출도 하지 않아 그 많은 보석들은 창고에 처박힐 운명이었다.

실제 사용할 리 없는 걸 잔뜩 받아 봤자 뭐 하겠는가. 공간만 차지하지. 더불어 너무 많이 봐서 질린 상태고.

"맛있는 음식도 한두 번 먹어야 맛있다고 느끼지. 삼시 세끼 한 음식만 십 년을 먹으면 질릴 거야. 아니, 십 년까지 갈 필요도 없어. 한 달만 돼도 질려서 몸부림칠걸."

"그래도 보석은 좋은 거잖아요. 전하께서 주신 거면 값어치가 떨어지는 보석도 아닐 테죠."

"틀린 말은 아니지만 너무 많아!"

루비, 사파이어, 토파즈, 스피넬, 자수정, 아콰마린, 가넷, 페리도트, 오팔, 문스톤, 앰버, 다이아몬드, 탄자나이트, 알렉산드라이트, 페어나이트 등등. 듣도 보도 못한 이름을 가진 보석도 많았다.

"전하의 사전에는 중도라는 단어가 없을 거야."

소비의 화신이었다. 그가 황족으로 태어나서 다행이지 그렇지 않았으면 벌써 패가망신하고 거리에 나앉았을 게 분명했다.

꽤 즐거운 얼굴로 보석을 보며 말하던 라하트를 떠올리던 엘로라는 몸을 일으켰다. 귀찮고 피곤했지만 화장을 지우는 걸 더는 미룰 수 없었다. 식사는 하지 않더라도 씻는 건 꼭 해야 했다. 눈에 띄는 뾰루지라도 난다면 정체를 들킬지도 몰랐다.

뾰루지라는 것이 생기는 건 하룻밤에 생기면서 사라지는 건 오래 걸렸다. 다른 때면 몰라도 극도로 조심해야 하는 지금, 눈에 띄는 흔적이 얼굴에 남으면 여러모로 낭패였다.

격렬히 움직이기를 거부하는 몸을 억지로 이끌고 화장을 지웠다. 피곤도 함께 씻겨 나갔는지 정신이 번뜩 들었다. 역시 침대로 직행할 게 아니라 귀찮다고 느낄 새도 없이 화장을 지우는 게 답이었다.

방금 전보다 또렷한 정신이 된 엘로라는 가발을 벗고 침의로 갈아입었다. 가발에 숨겨져 있던 은발이 자유를 되찾았다. 자연스럽게 빗질해 주기 위해 다가온 히나에게 괜찮다고 손을 저은 엘로라는 스스로 머리칼을 정리했다.

빛 아래에서 결 좋은 은색 머리칼이 반짝였다. 계속 빗질하다가 얌전히 있던 아몬과 눈이 마주쳤다. 아몬은 그냥 빗질하는 모습일 뿐인 데도 두 눈을 반짝이며 지켜보고 있었다.

"나 없는 동안 뭐 하고 지냈어?"

조용히 있는 것이 심심해 말을 붙였다.

엘로라의 질문에 잠깐의 고민도 없이 아몬이 대꾸했다.

"히나랑 궁을 구경하고 정원도 둘러봤어."

"둘이서 즐거운 시간을 보냈네."

"응! 재미있었어!"

아몬이 격하게 고개를 끄덕였다. 히나가 바쁜 와중에 아몬을 잘 챙겨 준 모양이었다. 자리를 비운 사이에 꽤 친해진 듯한 두 사람을 흐뭇하게 쳐다보았다. 호감이 가는 사람끼리 사이가 좋아 나쁠 건 없었다.

"나는 엘로라도 좋고 히나도 좋아."

"감, 감사합니다."

"히나는 착하고 좋은 사람이야."

면전에서 칭찬이 쏟아지니 당황한 히나가 말을 더듬었다. 그 속에서 쑥스러움을 느낄 수 있었다.

"저, 정말 감사합니다."

"사실인걸."

"그렇지, 사실이지."

엘로라가 짧게 동조했다.

아몬은 히나의 어깨를 가볍게 팡팡 두드렸다. 친근감의 표시였다. 쏟아지는 칭찬과 시선에 히나의 얼굴은 토마토처럼 새빨갛게 달아올랐다. 한 명이면 몰라도 두 명의 관심은 감당하기 버거운 듯했다.

어째 히나를 놀리는 것 같은 모양새가 됐다고 생각한 엘로라가 티 없이 밝은 아몬에게 시선을 주었다. 근심이라고는 없어 보이는 그녀를 보고 있자니 문득 걱정이 들었다.

"아몬, 궁 내에서 돌아다니는 건 네 자유지만 바깥으로는 나가지 마."

"왜?"

"네가 요정이라는 사실을 나는 믿지만 다른 이들은 믿지 못할 거야. 타인의 눈에 비치는 너는 신분이 불분명하고 이상한 여자겠지. 더불어 황궁에 무단 침입한."

"아, 여기에는 다른 요정이 없지."

고개를 끄덕였다. 본인이 요정이라고 주장하는 아몬은 누가 보아도 이상한 사람이었다.

엘로라야 아몬이 하늘에서 뚝 떨어지는 걸 보았기 때문에 납득이 그나마 빠른 편이었지만 다른 이들은 달랐다.

"그러니 불편하겠지만 절대 혼자서 바깥으로 나가면 안 돼. 혹시 바깥 외출을 하고 싶으면 나와 함께하자. 알겠지?"

아모몬 궁을 제외한 다른 궁을 구경하는 건 어렵더라도 비밀 통로를 알고 있으니 바깥 외출 정도야 나들이 삼아 할 수 있었다. 비밀 통로를 하나 알아 두니 여러모로 유익했다.

"어차피 클라우디아와의 추억이 가장 많이 깃든 곳이라 한동안 이곳을 돌아다닐 생각이었어. 어째서 싸웠는지 기억도 할 겸."

그렇게 속삭이듯 말하며 아몬이 허공을 보았다. 마치 500년 전 과거를 되새기는 듯했다.

"이곳에는 많은 것이 변했지만 아직 클라우디아의 흔적이 남아 있어."

씁쓸한 아몬의 말에 해맑기만 하던 그녀가 옛사람이라는 게 실감이 났다. 어설픈 위로는 독이라는 걸 알고 있었다. 선뜻 말을 꺼낼 생각을 하지 못한 엘로라는 그저 그런 아몬을 지켜볼 수밖에 없었다. 그들 사이로 거대한 세월의 벽이 느껴졌다.

짧게 상념에 젖어 있던 아몬은 어둠을 걷어 내고 금세 원래 텐션으로 돌아왔다. 자신으로 인해 생긴 침묵이 무겁게 느껴진 탓이리라.

"바깥 구경도 재미있을 것 같아. 바깥은 또 얼마나 많이 변했을까."

"언제 한번 날 잡아서 외출하자. 얼마 뒤에 건국제가 있어서 수도가 축제 분위기일 거야. 그때면 다들 정신이 없으니 히나도 같이 외출할 수 있어. 아몬, 네게도 좋은 볼거리가 될 거고."

"건국제라는 거 아직도 해?"

"500년 전이나 지금이나 볼흐라스는 잔존하니까."

"아, 500년이 지나도 볼흐라스지. 히나, 너는 구경 가 봤어?"

"예? 예. 건국제라면 매년 제국민들이 좋아하는 행사 중 하나인걸요. 거의 해마다 구경했어요. 삼 일간 진행되는데 볼거리가 참 많아요."

"맞아, 그날만큼은 슬퍼하는 사람을 보기 힘들지."

히나의 말에 엘로라가 거들었다. 축제 이야기에 아몬이 잔뜩 들떴다.

"아몬, 네가 기억하는 것보다 더 큰 행사가 돼 있을 거야. 기대해도 좋아."

500년 전 행사의 규모는 몰랐지만 자신 있게 말할 수 있었다. 건국 초에는 왕국이었지만 현재 제국이라 칭할 만큼 거대한 몸집을 가지지 않았는가. 그에 맞춰서 건국제는 매년 큰 규모로 벌어졌다. 때문에 건국제가 다가오면 아르미트가의 남자들은 눈코 뜰 새 없이 바빴다.

많은 사람들의 잦은 야근으로 일궈 낸 건국제였다. 이 시간까지 일하고 있을지도 모르는 가족을 떠올리던 엘로라는 손으로 입을 가려 작게 하품했다. 입을 가렸다 하더라도 그녀가 하품했다는 사실을 모르는 사람은 없었다.

"피곤해?"

"씻고 나서 괜찮다고 생각했는데 아니었나 봐."

씻었다고 하여 피로까지 깔끔하게 사라질 리 없었다. 이만 자야겠다고 생각한 엘로라는 빗을 제자리에 두고 자리에서 일어났다.

화장도 지웠고, 가발도 벗었으며, 옷도 갈아입었다. 잠을 자기에 더할 나위 없이 완벽한 상태였다.

"또 잠 깨기 전에 어서 자자."

"그래."

방을 환히 밝히는 불을 껐다. 한 침대에 누운 세 사람은 잠을 청하기 위해 눈을 감았다.

"다들 잘 자."

작은 속삭임이었지만 양옆에 누운 두 사람이 듣기에 충분한 크기였다. 어둠이 부드럽게 온몸을 감싼다. 침묵만이 맴도는 평화로운 밤이었다.

빛이 살며시 안으로 들어왔다.

아모몬 궁에서 가장 먼저 아침을 맞이한 건 히나였다. 곤히 자고 있는 한 사람과 한 요정에게 짧게 시선을 준 히나는 금세 잠기운을 지우고 일하기 위해 걸음을 옮겼다.

그리고 히나가 깨어난 지 얼마 되지 않아 엘로라가 두 눈을 떴다. 엘로라는 너무 피곤하여 꼼짝하기 싫었다. 초점이 정확하지 않은 눈빛으로 멍하니 천장을 바라보던 엘로라의 머릿속에 불현듯 오늘이 라하트의 초상화를 그리는 날이라는 생각이 스쳐 지나갔다.

'라하트'라는 단어가 떠오르자마자 엘로라는 벌떡 상체를 일으켰다. 언제 몽롱했냐는 듯이 신경이 뾰족하게 곤두서 있었다.

순식간에 잠이 깼다. 마법처럼.

이대로 아모몬 궁을 한 바퀴 뛸 수도 있을 것 같았다. 누군가 원한다면 제자리에서 백 번 도는 것 또한 물론이고.

긴장이 묻어난 표정으로 침대에서 빠져나온 엘로라는 화장대를 향해 성큼 다가갔다. 어서 화가 로이스로 변장해야 한다는 생각만이 머릿속을 지배하고 있었다. 전쟁 같은 하루의 시작이었다.

단단한 바닥을 밟고 화장대 앞에 선 엘로라는 거울을 통해 지금 자신의 모습을 확인할 수 있었다. 항상 단정하던 머리칼은 빗질을 하지 않아 부스스해져 있었다. 누가 보아도 방금 깬 모양새였다. 그런 자신을 꼼꼼히 살피다가 손으로 대충 머리칼을 매만졌다.

하지만 한두 번 만진다 하여 새싹처럼 삐쭉 튀어나온 머리카락 한 올은 어찌할 수 있는 것이 아니었다. 솟아오른 은빛 머리칼을 보던 엘로라는 바쁜 것도 잊고 설핏 웃음을 터트렸다. 잠기운이 채 사라지지 않은 모습으로 눈만 동그랗게 뜨고 있는 게 퍽 웃겼기 때문이었다.

살짝 입꼬리를 올린 엘로라는 정신없었던 머릿속이 단번에 환기됨을 느끼며 화장품을 꺼냈다. 로이스로 변장할 때마다 쓰던 화장품이었다.

하나둘씩 꺼내고 있자니 어쩐지 기시감이 들었다. 마치 어제 이 행동을 반복한 듯한.

멍하니 화장품을 들다가 오늘은 라하트의 초상화를 그리는 날이 아님을 뒤늦게 떠올릴 수 있었다. 어찌나 열심히 잤는지 어제 열심히 초상화를 그리고 왔다는 사실을 까먹고 말았다.

긴장이 탁 풀렸다. 괜한 짓을 했다고 생각하니 다시 온몸에 피로가 몰려왔다. 침대에 누운 엘로라는 잠시 꿈나라를 헤매고 있는 요정의 얼굴을 보다가 어쩔 수 없이 찌뿌둥한 몸을 일으켰다. 어차피 슬슬 일어날 시간이었다.

엘로라는 확실히 어제보다 여유로운 움직임으로 히나를 도와주기 위해 걸음을 옮겼다. 고요한 밤을 몰아낸, 시끌벅적한 낮의 시작이었다.

씻고, 아침 식사를 다 만들었을 때는 제법 시간이 지나 있었다. 이른 시간부터 분주히 움직이는 엘로라와 히나의 기척으로 인해 잠에서 깬 아몬은 침대에서 뒹굴거렸다. 식사 준비가 끝나고 난 후에야 그런 아몬을 침대에서 끌어내릴 수 있었다.

그들은 식사를 하며 소소하게 일상에 대한 얘기를 나누었다. 잠깐잠깐 대화가 끊겼으나 이를 부담스러워하는 이는 없었다. 마치 아르미트 저택에서 가족과 생활했을 때처럼 편안한 시간이었다.

다른 누군가를 가장하여 행동하지 않아도 되고, 화장한 가짜 얼굴을 보이지 않아도 되는.

있는 그대로를 상대에게 보여 줄 수 있다는 건 큰 행복이었다.

평화롭게 식사를 끝내고 에곤에게 보낼 편지를 미리 썼다. 질 좋은 종이 위에 펜촉이 돌아다니는 소리가 사각사각 울렸다.

대외적으로 못생긴 엘로라는 외모가 빼어난 제 가족에게 집착한다고 알려졌기에 편지를 보내는 것쯤이야 이상할 것 없었다. 아모몬 궁에서 나가게 해 달라, 보고 싶다, 그 외 가족에게 하기에는 이상하고 광적인 집착을 드러내는 말을 적어 냈다고 치면 되니까.

실제 편지 내용은 전혀 다르지만 보자마자 태우면 다른 누가 알 텐가. 사전에 에곤과 말을 맞췄기 때문에 이 편지를 읽자마자 태우리라는 사실을 알고 있었다.

안부 인사로 시작하여 가족들의 근황과 에곤 쪽 상황을 물어보았다. 본격적으로 황태자 연애 조작단 활동을 하기에 앞서 사전 조사해야 할 것이 많았다.

그 외에도 건국 초기 자료를 열람하고 싶다는 내용 등을 쓰고는 편지지를 고이 접어 봉투에 넣었다. 그리고 밀랍을 녹여 봉인했다.

편지 봉투를 책상 위에 놔두면 나중에 히나가 에곤에게 전달할 것이었다. 종이로 된 답장은 받을 수 없지만 히나의 입을 통해 답을 들을 수 있을 테니 충분했다.

오늘 해야 할 일 중 하나를 끝마쳤다. 이만 자리에서 일어나 밖으로 나가니 근처에 있었는지 엘로라를 발견한 아몬이 쪼르르 달려왔다.

"엘로라, 오늘은 남편한테 안 가?"

"……응, 오늘은 안 가는 날이야."

순간 '남편'이라는 단어가 너무나 낯설어, 누구를 지칭하는 단어인지 짧게 고민한 엘로라가 한 박자 늦게 대꾸했다. 헤어짐을 염두에 둔 결혼인 탓에 '남편'이라는 단어를 듣자마자 라하트를 바로 연상시키기가 어려웠다.

엘로라에게 있어 라하트란 제국의 황자도 아니고 남편도 아닌 그저 이상한 남자 정도로 치부되어 있었다. 그의 기행이 한 손에 다 꼽지 못할 만큼 많으니 당연한 일이었다.

자신 또한 라하트에게 이상한 여자 정도로 기억되고 있지 않을까, 하고 짐작할 뿐이었다. 이리저리 챙겨 주려고 하는 게 눈에 보였지만 사랑은 아니라고 못 박았으니.

"그러면 네 남편이 놀러 와?"

"아니, 오늘은 아예 안 만나는 날이야."

"만나는 날이 정해져 있어?"

"주에 세 번. 만나는 시간도 정해져 있어."

엘로라의 대꾸에 아몬이 고개를 갸웃거렸다. 전혀 이해가 되지 않는다는 표정이었다.

"반려자잖아. 보고 싶을 때 보는 거 아니야?"

자세한 사정을 아몬에게 얘기한 적이 없었다. 때문에 타인에게 있어서 엘로라는 못난 얼굴이라는 사실이나 로즈나 로이스와 같이 인생을 가장한 채 살아간다는 사실 같은 것을 알지 못했다.

엘로라가 어째서 변장을 하는지도 몰랐다. 아니, 이것이 변장인 줄도 모르고 있었다. 엘로라가 완전히 다른 사람처럼 보이구나, 하는 감상이 끝이었다.

아몬은 엘로라가 화장을 하는 것 자체에 큰 의미를 두지 않고 있었다. 다른 사람처럼 보인다고 해도 엘로라는 엘로라니까. 겉모습이 바뀐다 하여 사람이 바뀐 것은 아니었다.

아몬에게 엘로라는 그냥 눈앞에 있는 엘로라인 것이다.

동그랗게 뜬 눈동자와 마주하고 있으니 어디서부터 얘기해야 할지 감이 잡히지 않았다. 입술을 달싹인 엘로라는 맑은 에메랄드빛 눈동자와 마주하며 천천히 말을 꺼냈다.

"부부 관계로 만나는 게 아니라 고용인과 피고용인의 관계로 만나는 거라서 만나는 날이 정해져 있어."

"고용인과 피고용인?"

부부 관계와 고용인과 피고용인의 관계의 간극은 매우 컸다. 전혀 이해하지 못하는 표정을 짓던 아몬은 소리가 나게 짝 손뼉을 치더니 물었다.

"다른 사람 같은 얼굴을 하고 남편을 만나러 가는 거랑 관계가 있는 거야?"

"……응, 맞아. 사정을 설명하려면 조금 복잡해."

"괜찮아. 내게는 시간이 많아. 네가 이 얘기를 하고자 마음먹기까지 기다리는 시간도, 얘기를 듣는 시간도."

다정한 음색이었다. 안심이 되는. 살포시 웃는 아몬의 얼굴을 보던 엘로라는 천천히 고개를 끄덕였다.

일부러 숨긴 건 아니었지만 되도록 피하고 싶은 화제라는 건 인정했다. 한 번도 타인에게 나서서 설명한 적이 없기 때문에 더욱 그러했다.

어째서 라하트와 고용인과 피고용인의 관계가 되었고, 어째서 변장해야 하는지에 대해 얘기하려면 첫 시작부터 거슬러 올라가야 했다. 엘로라가 변장하기 시작한 그때로.

'아르미트'라는 울타리 안에 있는 사람을 제외하면 누구에게도 한 적 없는 얘기여서 서두를 떼기가 어려웠다. 망설임이 남아 있었지만 상대는 아몬이었기 때문에 영원한 비밀로 간직하고 싶지 않았다.

"그러면 엘로라는 오늘 뭐 해?"

"음, 오늘은 풍경화를 그릴 거야."

"엘로라는 많이 바쁘구나."

라하트의 초상화를 미친 듯이 그리고 있는 지금, 일정을 얼추 맞추기 위해 풍경화 또한 열심히 그려야 했다. 초상화를 빨리 그렸음에도 불구하고 풍경화 작업이 늦어져 로이스로 계속 있어야 하는 상황이 온다면 곤란할 테니까.

오늘도 쉴 틈 없이 일할 예정이었다. 어제의 고단함은 지우고, 계획에 차질이 없도록 차근차근 나아가고 있었다.

말이 나온 김에 바로 풍경화를 그리기 위해 정원 쪽으로 걸음을 옮기려는 엘로라의 시야에 계속 아몬이 밟혔다.

한두 걸음 앞으로 가다가 우뚝 멈춰 서서 아몬의 에메랄드빛 눈동자를 뚫어져라 쳐다보았다. 아몬 또한 걸음을 멈추고 엘로라와 마주했다.

둘 사이에 침묵이 에돌았다. 결국 아몬이 먼저 왜 그러냐는 듯이 고개를 갸웃거렸다.

그 얼굴을 보며 잠깐 갈등하던 엘로라는 불쑥 말을 꺼냈다.

"아몬, 변신할래?"

"변신?"

"응, 정확히 말하자면 화장. 어제 하고 싶다고 했잖아."

"화장, 할래! 하고 싶어!"

'화장'이라는 단어가 나오자 아몬의 얼굴에 화색이 돌았다. 손까지 번쩍 들어 격렬하게 환영하는 아몬의 행동에 엘로라는 저도 모르는 사이에 미소 짓게 되었다.

"그런데 엘로라는 바쁘지 않아?"

"짧으면 한 시간, 길어도 세 시간쯤 걸릴 건데 그 정도 짬은 있어."

"그렇게 오래 걸려?"

"당연하지. 제대로 마음먹고 하면 오래 걸려."

"하긴 클라우디아도 한 번 준비하기 시작하면 끝이 나지 않았어."

"그녀는 왕녀라서 더욱 꼼꼼하게 준비해야 했을 거야.

당시 유행하는 화장법은 몰라도 왕녀에게 해 주는 것처럼 제대로 솜씨를 발휘해 볼게.”

싱긋 웃은 엘로라는 아몬의 팔목을 붙잡고 앞장섰다. 보는 이마저 경쾌해지는 걸음으로 아몬을 이끌고 방에 들어가, 화장대 앞에 앉혔다. 얼떨결에 거대한 거울을 들여다보게 된 아몬이 힐끗 엘로라를 보았다.

“이제 변신이 시작되는 거야?”

“그럼. 그렇고말고. 자, 그러면 손님. 어떻게 해 드릴까요?”

엘로라가 갈색 머리칼을 만지작거리며 과장된 어조로 물었다. 목소리 또한 다른 사람처럼 힘주어 말하고 있었다. 이 상황이 즐거운지 아몬이 큭큭 웃으면서 대답했다.

“예쁘게 해 주세요!”

“원래 예쁜데 여기서 더 예쁘게 해 달라는 건 너무 어려운 부탁이야.”

허리를 굽히고 아몬의 얼굴 옆에 나란히 얼굴을 대었다. 거울을 통해 두 여성의 얼굴이 반사되었다. 즐거운 표정을 짓고 있는 아몬과 다르게 순식간에 엘로라의 표정은 진지해져 있었다.

올라갔던 입꼬리는 일자로 굳어져 있었고, 잔뜩 들떠 있던 눈빛도 가라앉아 있었다. 살짝 상기되어 있던 볼마저 다시 창백해져 조금 전의 소녀 같았던 모습은 상상하기 어려웠다.

손바닥 뒤집듯 바뀐 얼굴에 놀란 아몬이 빠르게 고개를

돌렸다.

“물론 불가능을 가능으로 만드는 게 변신의 묘미지.”

비밀스럽게 속삭인 엘로라의 입꼬리가 올라갔다. 언제 엄한 얼굴을 했냐는 듯이 화색이 도는 엘로라의 옆얼굴을 보고 아몬은 느릿하게 두 눈을 깜빡일 수밖에 없었다. 두 눈으로 직접 목격하고 있지만 너무나 대단하다고 느껴지는 변화였기에.

“어떻게 꾸며도 예쁠 테니까 한번 손 가는 대로 꾸며……, 아니. 변신시켜 줄게.”

“응! 좋아!”

다시 거울을 통해 본 엘로라의 얼굴에는 웃음기가 만연했다. 아몬은 허리를 다시 꼿꼿이 세운 엘로라가 화장 도구와 화장품을 꺼내는 걸 지켜보았다.

익숙한 움직임으로 착착 물건을 꺼낸 엘로라는 세팅을 마치고 손뼉을 쳤다. 모든 것이 완벽했다.

“자, 그러면 시작할게요.”

“네!”

손바닥보다 조금 더 큰 이 얼굴은 지금 이 순간, 엘로라를 위한 도화지였다. 또한 더욱 완벽해질 공간이기도 했다. 하나의 예술 작품으로서.

가장 먼저 피부부터 손보기 위해 다양한 화장품과 도구를 들었다. 그리고 침착하고 정확하게 손을 움직였다.

아몬의 피부는 결점 하나 찾기 힘들 정도로 하얗고 깨끗

했지만 지금 하는 건 변신이었다. 변신이 그냥 변신이겠는가. 평소와 다르기 때문에 변신이라 부르는 것이다. 아무리 원 상태가 완벽하다고 하더라도 지금 당장은 신선한 바람을 불어넣을 필요가 있었다.

흥미로운 눈길로 엘로라의 손짓 하나하나를 지켜보던 아몬은 눈을 감으라는 말에 결국 호기심 가득한 녹색 눈동자를 숨길 수밖에 없었다.

심혈을 기울여서 피부를 손보고 나면 그다음은 눈이었다. 눈은 매우 예민하고 섬세한 부위이기 때문에 극도의 긴장감을 유지해야 했다. 조금이라도 실수하면 끝이었다.

화장을 하는 사람도 화장을 받는 사람도 조심스러워졌다. 입술을 앙다문 아몬은 손길이 닿을 때마다 움찔움찔했다. 혹 아몬이 불편해하지 않을까, 다치지 않을까 세세하게 살피며 눈 화장을 끝냈다.

가장 시간을 많이 잡아먹는 두 과정을 마치니 진이 빠졌다.

한숨 돌릴 겸 잠시 화장 도구를 내려놓은 엘로라는 반쯤 완성된 아몬의 얼굴을 주시했다.

일련의 과정이 차질 없이 진행되고 있었다. 스스로 느끼기에도 예상했던 것보다 더 잘 해내고 있는 듯해 괜히 뿌듯해졌다. 오랜 시간 화장을 해 주면서 경직되었던 얼굴 근육이 풀리는 것을 느낄 수 있었다.

계속 쉬고 있을 수 없기 때문에 다시 화장 도구를 들던 엘로라의 시야에 긴장으로 인해 보이지 않던 것이 잡혔다.

두 눈을 꼭 감고 있는 아몬은 조금 전의 엘로라보다 더욱 경직돼 있었다.. 그것이 설렘으로 기인됐음을 굳이 말로 묻지 않아도 알 수 있었다.

차분하게 아몬을 훑어보았다. 체구가 작은 그녀는 날개가 없는 탓인지 언뜻 평범한 사람처럼 보였다. 하지만 지금 아몬이 사람이 아닌 요정이라는 사실은 그다지 중요하지 않았다. 화려하게 변신 중이니까.

엘로라는 변신의 설렘을 알고 있었다.

너무 많은 변신을 하여 처음의 감동은 퇴색되었지만 지금 아몬이 심정이 어떤지 대충 짐작할 수 있었다.

물론 엘로라는 빛나는 설렘만으로 변신한 게 아니었다. 절박함이 담긴 변신이었다. 이제는 그것이 절박함이라는 것마저 느끼지 못할 정도가 되었지만.

저도 모르게 과거를 되짚어 보던 엘로라는 조심스럽게 말을 꺼냈다. 둘밖에 없으며 서로의 시간을 공유하고 있는 지금. 얘기를 꺼내려면 지금만큼 적기가 없었다.

"사정이 조금 복잡하다고 했잖아."

어차피 맨얼굴도 보였으니 나름 비밀이라고 숨겨온 진실을 얘기하는 건 그다지 어렵지 않았다. 하지만 시작이 어려웠다. 어떻게 운을 떼야 할지 몰라 몇 번이나 입술만 달싹였다.

너무나 길게 느껴지는 고민 끝에 어렵사리 머릿속에서 문장을 만들어 낸 후 목소리를 내었다.

"안타깝게도 현재의 볼흐라스는 과거와 많이 달라. 여성으로 태어나는 순간 인생의 많은 부분이 결정되지."

그리 희망찬 이야기가 아니었기 때문에 쾌활하고 신나게 시작할 수 없었다. 막상 입 밖으로 사실을 내뱉고 나니 마음 한편이 무게 추를 달아 놓듯 무거워졌다.

"최대한 아름답게 자라서 적당한 혼처를 찾고, 결혼하고, 아이를 낳고, 영원히 누군가의 아내 혹은 누구의 어머니로 살아가. 그렇게 생이 끝나는 거야."

한숨처럼 날아간 언어가 스며들었다. 꼭꼭 숨겨져 있던 속마음은 한 번 말문이 터지자 언제 머뭇거렸냐는 듯이 망설임 없이 밖으로 나왔다.

"나라는 사람 그 자체로 존재하는 것이 아닌 누군가의 부속물로 살아가는 거지."

"……."

"난 그런 식으로 생을 마감하고 싶지 않았어."

엘로라는 아몬의 갈색 머리칼에서 시선을 떼어 거울 속의 자신과 마주했다.

푸른 눈동자가 그 어느 날보다도 음울하게 빛나고 있었다. 슬픔이 가득한 눈동자였다.

"역사책을 한 줄 장식하겠다는 거창한 포부가 있는 게 아니야. 그저 내가 하고 싶은 일을 하고자 하는 것뿐이지."

"지금 네 상황으로는 할 수 없어?"

"시도는 할 수 있어. 하지만 그게 다야."

목소리가 절로 낮아졌다.

말을 하면 할수록 너무나 멀게 느껴지는 기억이 하나둘씩 새록새록 떠올랐다. 축축하고 눅눅한 기억의 파편이었다.

"그 누구도 있는 그대로의 모습으로 봐 주지 않아."

"……."

"평가가 절하되고 내 가치를 마음대로 깎아내리려고 하지."

"아주 슬픈 일이네."

"맞아, 아주 슬픈 일이야."

느릿한 손길로 다시 화장하기 시작했다. 화장을 하면서도 머릿속으로는 이어 할 말을 고르고 있는데 아몬이 조심스럽게 입을 열었다.

"그래서 엘로라도 변신한 거야?"

"응."

"후회하지 않아?"

"후회?"

"완벽하게 다른 사람으로 변신해야 했을 거 아니야. 네가 아닌 다른 사람으로."

아몬의 말대로 벤더티도, 로즈도, 로이스도 타인이 보기에는 엘로라와 전혀 접점 없는 인물이었다. 완벽한 타인. 그들을 흉내 내면서 본인을 지우는 것을 후회하지 않느냐고, 아몬은 묻고 있었다.

엘로라 또한 이런 물음을 스스로에게 던져 보지 않은 건 아니었다. 그때마다 답은 항상 정해져 있었다.

"밑바닥부터 시작해서 내 능력을 인정받을 수 있다는 건 정말 말도 안 되게 황홀한 일이야. 그러니 후회하지 않아."

눈을 내리깔았다. 만약 과거로 돌아갈 수 있는 기회가 있다 하더라도 같은 선택을 반복할 터였다. 지금 서 있는 이 자리가 최선의 선택이었다.

"다시 하던 얘기로 돌아가자면 가족과 히나, 그리고 너를 제외한 사람들에게 엘로라라는 존재는 얼굴도 인성도 추악한 여자야. 라하트 전하……, 그러니까 내 남편. 응, 내 남편. 그 사람에게도. 아무것도 모르는 그 사람과 매주 고용인과 피고용인의 관계로 만나는 나는 엘로라가 아닌 젊고 가난한 화가야. 어제 봤던 그 얼굴 말이야."

"그래서 고용인과 피고용인의 관계라고 했구나."

"응, 미리 얘기했던 것처럼 상황이 조금……."

"복잡하네."

"그렇지, 복잡하지. 잘 따라왔어?"

"요약하자면 지금 날 변신시켜 주는 엘로라는 나만 아는 엘로라라는 거지? 아, 나만 아는 게 아니구나. 너희 가족이랑 히나까지 포함해서."

"맞아. 잘 이해했구나."

칭찬을 받아서 기쁜지 아몬이 싱긋 입꼬리를 올렸다. 예쁘게 말아 올린 입술을 보고 있자니 덩달아 기분이 좋아졌다.

대충 하고자 하는 얘기는 다 했기 때문에 화장을 하는 데에 조금 더 집중했다. 열심히 손을 놀리고 있으니 얌전히 있던 아몬이 질문했다.

“그런데 이 사실을 왜 남편한테 얘기하지 않았어? 처음 만난 내게도 얘기해 줬는데 앞으로 계속 함께 살 반려한테도 얘기해 줘야 하는 거 아니야? 그러지 않으면 네가 변신하기 힘들잖아.”

“비밀은 많은 사람이 아는 순간 비밀이 아니게 돼.”

“널 위해서라도 밝힐 수 있잖아.”

“라하트 전하……, 그 사람한테는 밝힐 이유가 없어.”

“나는 있고?”

“너는 내 친구잖아.”

놀랍게도 ‘남편’이라는 단어보다 ‘친구’라는 단어가 이질감 없이 나왔다. 살면서 몇 번 쓰지도 않은 단어이건만 ‘남편’과는 대조적이게 너무나 쉽게 입 밖으로 나와서 엘로라는 순간 스스로도 당황하고 말았다.

“그는 너의 남편이지.”

이런 엘로라의 당황스러움을 눈치채지 못한 아몬이 이해가 안 된다는 듯이 말했다. 아몬은 부부 관계에 크게 가치를 두고 있었다.

‘반려’라는 표현까지 쓰는 걸 보면 요정 세계에서는 결혼한 상대가 영혼의 반쪽이거나 일생에서 단 하나뿐인 배우자인 모양이었다.

하지만 엘로라에게 라하트란 곧 타인이 될 상대였다.

이 얘기를 꺼낼 수 없었기 때문에 최대한 아몬이 납득할 수 있도록 노력했다.

"……애초에 말도 안 되는 결혼이었어. 그가 망나니가 아니었다면 단 한 번도 만난 적 없이 서로 갈 길 갔을 거야."

"상황이 아니라 사람을 본다면? 나쁜 사람이 아니라고 했잖아."

"악인이 아니라고 했지 착한 사람이라고는 하지 않았어."

냉정한 평가였다. 말투 또한 잘 벼린 칼처럼 날카로웠다. 말을 끝내자마자 자신이 과민하게 반응했음을 인식했지만 철회할 생각은 없었다. 라하트가 딱히 선한 인물이라고 생각되지도 않았기 때문이었다.

"종잡을 수 없는 사람에 가깝지. 믿음이 없을뿐더러 진실을 말할 이유도 없어."

선하지도 악하지도 않았다.

엘로라에게 라하트는 정말 모를 사람이었다.

사람은 대부분 타인이 자신에게 어떻게 행동하느냐에 따라 선악을 나눈다. 그런데 라하트는 여러 얼굴로 여러 번 부딪쳤지만 아직 정의를 내리지 못할 사람이었다.

"그에 대한 얘기가 나오면 엘로라, 너는 꼭 안개 속에 있는 것처럼 얘기해."

자세히 알지 못하니 아몬의 비유에 대해서는 엘로라도 찬성하는 바였다. 반박하지 않고 잠자코 화장만 해 주고 있자 잠시 고민하는 기색으로 침묵을 지키던 아몬이 느릿하게 입을 열었다.

"하나만 더 물어보고 싶어. 이건 네가 정확히 대답할 수 있을 거야."

"뭔데?"

"'라하트 전하'라고 불렀던 네 남편. 널 있는 그대로 봐주지 않는 사람이야?"

아몬의 질문을 듣자마자 곧바로 떠올린 건 보랏빛 눈동자였다. 숨거나 피하지 않고 언제나 또렷이 직시하는 그 눈동자. 아몬의 말대로 이 질문만은 정확히 대답할 수 있었다.

"……아니."

"그렇구나."

그것을 끝으로 사위가 고요해졌다. 아몬은 더 이상 말을 붙일 생각이 없었다. 화장 도구를 든 엘로라 또한 오로지 화장하는 것에만 집중하고 싶었지만 머릿속, 한구석에 라하트가 맴도는 건 어쩔 수 없었다.

어차피 머지않아 남이 될 사이였다.

입술을 살짝 깨물었다. 그리고 잡념을 지우고 마지막 단계인 입술에 색을 바르는 것까지 숨을 죽인 채로 진행했다. 체감상 그리 길지 않았건만 시간을 확인해 보니 한 시간이 훌쩍 지나 있었다.

"조금만 더 기다려 줘. 머리만 손질하면 돼."

마지막의 마지막이라고 할 수 있는 머리 손질까지 성실히 마친 엘로라는 아몬에게서 한 걸음 물러섰다. 변신이 완벽하게 끝났다.

"다 됐어."

말이 끝남과 동시에 아몬이 두 눈을 떴다.

기다란 속눈썹 아래 숨어 있었던 녹색 눈동자가 반짝이며 거울을 마주했다.

"우와."

작은 요정은 입을 다물지 못했다. 마치 거울에 들어가기라도 할 듯이 몸을 거울에 바싹 붙이고 얼굴을 꼼꼼히 뜯어보았다. 생경함과 놀라움, 그리고 반짝이는 행복을 안은 얼굴을 보고 있자니 절로 어깨가 으쓱했다.

"마음에 들어?"

"응! 엄청!"

"네가 만족한다니 나도 기쁘네."

원래의 순하고 귀여운 인상에서 반대되는 이미지가 되도록 살짝 손을 쓴 것뿐이었다. 덕분에 신선한 느낌을 받았는지 기대 이상으로 좋아해 주니 기분이 좋았다.

"정말…… 신기해!"

엘로라는 뚫어져라 거울만 쳐다보는 아몬을 뒤로하고 기지개를 켰다. 찌뿌듯한 몸이 여기저기서 비명을 질렀다.

한두 시간 동안 쉬지 않고 화장만 했으니 당연한 일이었다. 그래도 화장을 받은 고객인 작은 요정이 매우 기뻐하여 화장해 주길 잘했다는 생각만 들었다.

"종일 이 상태로 돌아다닐래! 잘 때도 이 모습으로 있고 싶어!"

"내가 아는 요정은 너밖에 없지만 한 가지는 확신할 수 있어. 화장한 채로 자면 피부 상해."

"꼭 지워야 해?"

"피부가 상하면 변신이 잘 되지 않아."

타이르는 듯한 어조에 아몬도 결국 납득할 수밖에 없었다.

변신은 변신이었다. 결국 언젠가 풀리게 돼 있었다. 영원히 이 상태로 살 수 없음을 받아들인 아몬이 제자리에서 한 바퀴 빙 돌았다. 자신의 행복을 주체할 수 없어 하는 소녀의 모습에 엘로라의 얼굴에서도 미소가 떠나질 않았다.

"바깥에서 그림 그리고 있을 줄 알았는데 여기 계셨네요."

방방 뛰고 있는 아몬을 지켜보던 중에 방에 들어온 건 히나였다. 항상 이 시간에 그림을 그리고 있어서 당연히 그림을 그리는 줄 알았던 모양이었다.

"응, 변신하느라 바빴지."

"변신이요?"

"히나, 이것 봐. 내가 변신했어!"

변신이라는 단어에 어리둥절해하던 히나는 달려든 아몬 탓에 한순간에 정신이 없어졌다. 히나 앞에서 자신의 얼굴을 보라고 난리를 치는 사랑스러운 요정을 짧게 보다가 시선을 옮기니 히나가 가져온 머핀을 발견할 수 있었다.

"이거 나 먹으라고 들고 온 거야?"

"네? 네!"

"고마워, 히나."

히나에게로 향한 아몬의 발랄함을 굳이 막지 않은 채 머핀을 들어 한입 먹었다. 맛있었다. 금세 사라지는 머핀이 아쉬워 천천히, 아주 천천히 먹었다. 머핀이 손에서 사라질 때쯤 잔뜩 들떴던 아몬이 진정하고 히나가 정신을 차릴 수 있었다.

"그림 그리는 데에 집중해서 점심을 안 드실 줄 알았는데 아니었네요. 지금 당장 식사 준비할까요?"

"아니, 그럴 필요 없어. 바로 그림 그리러 나갈 거야."

"피곤하시지 않으세요?"

"전혀. 지금 딱 좋은 집중력이야. 아무래도 정원으로 달려가야겠어. 지금 당장."

엘로라는 말을 끝맺자마자 두 사람을 남겨 두고 바로 문밖으로 뛰쳐나갔다. 놀란 히나가 서둘러 따라 나왔지만 엘로라는 이미 복도를 가로지르고 있었다. 가볍게 달려가는 엘로라의 뒷모습을 보던 히나가 크게 외쳤다.

"아가씨! 그러다 넘어져요!"

"괜찮아, 안 넘어져!"

여유롭게 손까지 흔들고 정원으로 달려간 엘로라는 그림을 꺼내 와서 이젤 앞에 섰다. 지금이라면 더욱 기쁘게 그림을 그릴 수 있을 듯했다.

화구를 펼쳐 놓고 있으니 뒤따라온 아몬이 뒤에서 풍경화를 보고 작게 감탄하는 소리가 들렸다. 아몬은 인간이 아닌 요정이라서 그런지 자신이 느끼고 있는 감정을 숨기지 않았다.

"엘로라는 못하는 게 뭐야?"

"나도 사람인데 못하는 거야 많지."

"꼭 마법사 같아."

"요정한테 마법사 같다는 말을 들으니 조금 쑥스러워지는걸."

"하지만 그 외에 딱히 적당한 단어를 못 찾겠어."

거창한 걸 이뤄 낸 것도 아니었다. 화장을 하고 그림을 그리고. 누구나 할 수 있는 일을 한 건데 마법사라고 해 주니 대단한 사람이 된 기분이었다.

사람이 아닌 요정에게 들어서 더욱 그런 기분이 드는 거라고 생각하고는 붓을 들고 그림을 그리기 시작했다.

근처에 앉아 구경하던 아몬에게 조그마한 새가 포르르 날아왔다. 아몬이 팔을 뻗자, 새는 그 위에 앉아 경쾌한 소리를 내었다. 그림에 몰두하던 엘로라는 절로 그쪽에 귀를 기울였다.

"내 얼굴 좀 봐. 평소랑 다르지? 내 친구인 엘로라가 해준 거야."

방해하지 않으려는 것인지 아몬이 아주 작게 속삭였다. 사위가 조용한 덕에 집중하면 겨우 들을 수 있을 정도였다. 이에 화답하듯 새가 지저귀었다. 새의 말을 알아들은 아몬은 신이 나서 목소리를 낮춘 채 재잘거렸다.

종족을 뛰어넘는 대화를 가만히 듣던 엘로라는 살며시 갈색 물감을 덧발랐다.

인생이 어떤 식으로 흘러갈지 모르듯, 완성되지 않은 그림 또한 언제 어떤 식으로 바뀔지 몰랐다. 그리고 지금, 붓으로 이곳에 있는 사랑스러운 요정을 새길 차례였다.

벅차오르는 순간의 연속이다.

# 09. 거짓과 진실

## 09. 거짓과 진실

사건은 원래 방심하고 있을 때 일어나는 법이었다.

그 시작은 편지였다.

그림 완성이 코앞인 터라 평소처럼 그림 그리는 데에 많은 시간을 할애하며 일상을 보내던 엘로라는 히나의 손에 들린 편지를 내려다보았다. 히나가 아직 아무 말도 하지 않았건만 불길함이 몰려왔다.

가족에게서 온 편지였으면 좋겠건만 '아르미트'라는 성을 가진 그 누구도 편지를 보낼 수 없는 상황이었다. 대외적으로 가문의 수치라고 알려진 여자를 적당히 무시해야 하니까.

그렇다면 미지의 인물이 보낸 행운을 담은 편지이지 않을까, 하는 바람이 잠깐 무럭무럭 자라났다가 산산이 부서졌다. 바람 앞 촛불처럼 부질없는 희망이라는 걸 누구보다 잘 알았기 때문이었다.

황실을 상징하는 문양이 밀랍 도장에 선명하게 찍혀 있었다. 어디 숨길 수도 없게 겉봉투에 정확히 찍힌 문양은 엘로라로 하여금 현실을 부정하게 만들었다.

관심을 꺼 줬으면 하는 입장이라 황실 사람이라면 누구든 환영하고 싶지 않았다.

"아가씨?"

가만히 편지 봉투만 내려다보고 있자 이상함을 느낀 히나가 조심스레 불렀다. 꿈에서 깨듯 고개를 번쩍 든 엘로라가 히나와 얼굴을 마주했다.

"괜찮으세요?"

"괜찮고말고. 아주 멀쩡해."

"안색이 안 좋으신 것 같은데……."

"아니, 전혀. 괜찮아. 완벽해. 이 편지는 누가 보낸 거야?"

묻고 싶지 않았지만 물어야 했다. 그래야 미리 마음의 준비를 할 수 있으니까.

별다른 내용이 아니었으면 좋겠지만 수도 내에서 가장 아름답다고 알려진 아가씨에게 보내는 러브레터가 아니었다.

상대는 무려 황실이었다. 큰 용건 없이 편지를 보냈을 리 없었다. 무언가 일이 있으니 안부든 뭐든 물으려고 편지를 보냈겠지. 마른침을 삼킨 엘로라는 침착하게 히나를 보았다.

"라하트 전하께서 보낸 편지예요."

"엘로라의 남편?"

히나의 대답이 끝나자마자 잠자코 상황을 지켜보던 아몬이 물었다.

"……응. 맞아. 내 남편이지."

'남편'이라는 단어를 어색하게 굴린 엘로라가 조심스럽게, 아주 조심스럽게 편지를 받았다. 마치 편지를 폭발물처럼 다루고 있었다.

큰 용건 없이도 편지를 보낼 사람이긴 했지만 이쪽은 어디로 튈지 모르기 때문에 무슨 내용을 써 보냈을지 짐작도 가지 않았다. 짐작한다 하더라도 틀릴 확률이 더 높았다.

그냥 아무 생각 하지 말고 보자.

입술을 앙다문 후 봉인된 봉투를 뜯었다. 내용은 딱히 보고 싶지 않았지만 안 볼 수도 없는 노릇이었다. 편지 봉투를 건네받을 때처럼 아주 조심스럽게 편지지를 꺼낸 엘로라는 느릿하게 새겨진 활자를 읽었다.

그리고 길고 긴 정적이 이어졌다.

"아가씨?"

"……."

"아가씨!"

"엘로라, 괜찮아?"

새파랗게 질린 엘로라는 미동도 하지 않고 편지만 보다가 히나와 아몬의 외침에 뒤늦게 정신을 차리고 대답했다.

"……어, 어."
"어디 아파?"
"아, 잠시 딴생각하고 있었어. 미안."
"그런데 안색이 안 좋아."
"악몽이 떠올랐거든."
"악몽?"
"사치스러운 악몽이지."
보석에 둘러싸이는 것만큼 사치스러운 악몽이 어디 있겠는가. 남들은 평생 못 볼지도 모르는 보석을 질릴 때까지 봤다. 그것이 무가치하게 느껴질 정도로.
"종이에 악몽이 담겨 있어? 딱히 그런 것 같지는 않은데."
"마법이 없어도 마법 같은 일이 일어나고는 해."
갸웃거리는 아몬에게 가볍게 대꾸하고는 다시 한번 편지 내용을 읽었다. 그렇다고 해서 새겨진 문자가 바뀌는 건 아니었다. 깊은 한숨을 쉰 엘로라는 도로 편지지를 접었다.
사실 편지에 적힌 내용 자체는 간단했다.
라하트는 딱 한 문장만 적어 놓았다.
깜짝 선물이 곧 도착할 거라는 말을.
엘로라는 그 깜짝 선물이 무엇인지 이미 알고 있었다. 깜짝이지만 깜짝이 아닌 선물인 거다. 그러니 방심할 때 놀라게 하려고 일부러 시간을 두고 선물을 보내는 거면 매우 훌륭한 깜짝 선물이 되었다.
그날, 보석으로 난리를 피운 이후 로이스에게 보석 얘기를 꺼내지 않아서 그가 엄청난 보석을 보낼 거란 사실을 새까맣게 잊고 있었다. 금방이라도 보낼 것처럼 굴다가 갑자기 조용하니 먼 미래에 줄까 싶어 안심도 했다.

그래서는 안 됐는데.

마치 살인 예고장처럼 일상에서 불쑥 등장한 편지 한 장으로 크게 동요하고 있었다.

"히나, 편지만 도착한 거야?"

"네."

"별다른 말은 없었고?"

"전혀 없었어요."

편지 같은 건 보내지 않고 곧바로 선물부터 보낼 줄 알았는데 의외였다. 이제 라하트가 말한 그 '곧'만 기다리면 되는 듯했다. 그리고 그 전에 궁금함이 담긴 시선으로 이쪽을 보고 있는 히나에게 얘기해 줘야 했다. 엄청난 것이 이곳으로 오고 있음을.

"히나, 일전에 내가 말했던 보석이 곧 도착할 거야. 정확히 말하자면 장신구겠지. 그동안 세공을 열심히 했을 테니."

"어머, 황자 전하께서 보내시는 거겠네요."

"응."

히나는 매우 좋아했다. 보석이 덕지덕지 박힌 장신구를 왕창 주겠다는데 싫어할 사람이 있을까. 웬만해서는 좋다고 받을 거였다.

그래, 웬만해서는.

"거절하자."
"예?"
"오면 되돌려 보내자."
"어째서요?"
히나가 전혀 이해가 되지 않는다는 표정으로 대꾸했다. 나쁜 것을 주겠다는 것도 아니고 고가의 장신구를 거저로 가지라는데 돌려보내라고 하다니. 납득할 수 없는 듯했다.
"너무 부담스러워. 또 딱히 내가 받아야 할 이유도 모르겠고 필요도 없으니까. 받아 봤자 어딘가에 대충 쌓아 둘 거잖아."
"가지고 있으면 쓸 데가 있을 거예요. 아가씨께서는 지금 황자비이니 앞으로 공식적인 행사에 많이 참여하실 거고, 그렇게 되면 아름답게 꾸미고 나가셔야 하잖아요. 그럴 때일수록 옷이나 보석이 많으면 많을수록 좋죠."
히나는 갖가지 보석으로 엘로라를 아름답게 꾸밀 생각에 가슴이 부풀어 올라 있었다. 상상만 해도 좋은지 구름 위를 걷는 표정을 하고 있었다.
이대로 내버려 뒀다가는 구름 저 너머까지 날아갈 기세라 히나가 잊고 있었던 사실을 일깨워 줄 수밖에 없었다.
"히나, 나는 성인이 된 후 사교계에 제대로 데뷔조차 하지 않았어."
최악의 외모와 우스꽝스러운 패션 센스.
공적인 자리에 나가 봤자 비웃음거리밖에 되지 않는 존

재였다.

히나가 바라보고 있는 아름답고 총명한 여인은 사람들 앞에 모습을 드러내서는 안 됐다. 그러면 모든 게 끝이니까.

"그런 내가 공식적인 자리에 얼굴을 비칠 리 없잖아."

타이르듯, 부드럽게 말을 이었다. 잠자코 말을 듣던 히나는 세간에 떠도는 엘로라에 대한 소문을 떠올렸는지 점점 표정이 좋지 않아졌다. 엘로라는 단번에 알아볼 수 있었다. 그 얼굴에 우울함이 차오른다.

"그래도 부득이하게 나갈 일이 있을 거 아니에요."

"한두 번. 그리고 히나, 네 기대에 부응하지 못해 미안하지만 나는 아름답게 꾸미고 나가는 게 아니라 우스꽝스럽게 꾸미고 나가야 해. 최대한 과장하고 부풀린 채로. 그래야 다들 나를 제국 최고의 추녀라고 부르겠지."

놀라고, 경악하고, 수군거리고, 소문을 퍼뜨리고.

그들은 계획대로 엘로라에 대한 악명을 쌓아 갈 터였다.

더 나빠진다 하여 잃을 것 없는 평판이었다.

"히나, 우울해하지 마. 이때까지 잘해 왔잖아? 물론 네 말대로 전하께서 준 보석을 온몸에 두르고 나가는 것도 나쁘지는 않을 거야. 훌륭한 재료에서부터 좋은 결과물이 나오는 법이니까. 하지만 몰상식한 사람이 된 기분이야. 빚지는 기분도 들고."

큰 문제는 그것이었다. 황자쯤 되니 보석쯤이야 발에 채는 돌멩이 같을지 몰라도 받는 입장에서는 달랐다. 너무 부담스러웠다. 게다가 선물의 정확한 이유도 모르니 영 꺼림칙했다.

서로의 생일도 기념일도 아니었다. 오늘 기분 좋은 일이 있냐고 묻는다면 그건 더더욱 아니었다.

그냥 지나가는 날 중 하나였다.

평범한 날. 어제도 그제도 그끄제도 있던 날이었다.

편지만 도착하지 않았어도 어제와 비슷하게 보냈을 것이다.

차라리 라하트가 또렷한 목적이 있어 선물을 보낸 거라면 훨씬 편했을 거다. 나는 이거 줄 테니 너는 이거 달라. 다소 어린아이 같아 보이긴 해도 이쪽이 마음 편했다. 상대의 의중이 또렷하니까. 그런데 지금은 그런 게 아니었다.

"아가씨에게 온 선물이니 제가 왈가왈부할 수 있는 게 아니죠. 그렇지만 천천히 생각해 보셨으면 좋겠어요."

"히나는 보석이 탐나?"

불쑥 튀어나온 물음이었다. 예상보다 히나가 강력하게 본인의 의견을 피력하고 있었기에 절로 입 밖으로 나왔다.

"원한다면 너한테 줄게."

그동안 섭섭하지 않을 정도로 보수를 준다고 생각했는데 그게 아니었던 모양이었다.

히나의 보수에 대해서는 엘로라의 관할이 아니었기에 자세히 알지 못하지만 아르미트 후작의 성격상, 절대 노동 착취는 하지 않았으리란 걸 알고 있었다. 분명 다른 곳보다 후하게 보수를 쥐어 줄 것이었다.

그래도 돈이 부족하다면 무언가 사고 싶은 게 생겼다는 뜻일 테고, 그게 무엇인지는 모르겠지만 엘로라에게는 돈을 더 줄 능력이 있었다.

히나가 원한다면 보석쯤이야 줄 수 있었다. 굳이 라하트가 준 보석이 아니더라도 엘로라 또한 보석이 박힌 장신구는 많았고, 히나는 보석을 받을 자격이 충분한 사람이었다.

"가지고 싶은 게 있다면 언제든 말해. 널 위해서라면 줄 수 있어."

다정함이 깃든 엘로라의 말을 들은 히나가 깊은 한숨을 내쉬었다. 엘로라가 지금 오해해도 한참 오해했다는 얼굴이었다.

"제가 오해를 살 법한 발언을 했네요. 저는 단지 아가씨께서 너무 스스로를 위하지 않는다고 생각해서 한 말이었어요."

"날 위하지 않는다고?"

"보석이라면 값어치 있는 것이니 한 번쯤 욕심낼 만도 한데 전혀 미련 없다는 듯이 행동하고 계시잖아요. 아가씨, 아가씨께서는 가끔 지나치게 타인을 위하세요. 국고가 걱정돼서 거절하시는 거라면 그건 아가씨가 아닌 그분이 해결해야 할 몫이니 외면하셔도 돼요. 문제가 있다면 주는 사람이 책임을 져야죠."

히나가 어느 때보다 단호하게 말했다.

라하트에 대한 악감정이 남아 있는지 라하트가 책임을

져야 할 일이 생겼으면 하는 바람이 말투에서 살짝 묻어 나왔다. 황족에 대해 그리 말해서는 안 된다고 짧게 얘기할 수도 있었지만 엘로라는 굳이 그러지 않았다.

"다들 욕심부리면서 사는데 아가씨도 이기적으로 살아도 된다고 생각해요. 세간에 떠도는 소문의 아가씨만큼은 아니더라도……. 그러고 보니 보석을 좋아한다고 알렸으니 받는다 해서 이상하게 볼 사람도 없네요. 조금 더 본인에게 솔직해져도 돼요."

열정적으로 얘기하던 히나는 뒤통수를 한 대 얻어맞은 것처럼 느릿하게 두 눈을 깜빡이는 엘로라를 보고는 점점 목소리를 낮췄다.

약간 흥분했던 목소리가 땅으로 꺼지다 못해 아예 사라졌다.

제 할 말을 다 한 히나는 제법 오랫동안 엘로라가 같은 상태인지라 괜한 말을 한 건가 싶어서 불안해졌다. 조금 전 한 말에 실수한 건 없는지 과거를 되돌아보게 됐다. 이미 엎질러진 말은 되돌릴 수 없으니 큰일이었다.

"아가씨. 제가 했던 말이 심기를 거스르게 했다면 무지로 인한 과실이니……."

"아니, 히나. 괜찮아. 그냥 네 눈에 그렇게 보였을 수도 있겠다 싶었어."

나보다 남을 더 배려하는 이타적인 사람. 히나의 눈으로 본 자신이 어떤 사람인지 대충 짐작할 수 있었다.

"나를 위한 말을 해 줘서 고마워. 그런데 그런 이유로 거절하는 게 아니야. 내 분수에 맞지 않은 선물이라고 생각했어. 나는 줄 수 있는 게 없으니까. 잘 알지 못하는 상대의 일방적인 선물은 오히려 독이 될 수 있지. 혹시나, 아주 혹시나 나중에 내가 받은 보석을 핑계로 다른 무언가를 요구할 수도 있잖아."

"그렇다면 전하께서 정말 치졸하고 졸렬한 데다 음습한 사람이라고 생각해요."

치졸하고 졸렬한 데다 음습한 사람. 너무나 적절한 표현에 엘로라는 웃음을 터트렸다. 소리 내어 짧게 웃고는 고개를 끄덕였다.

"맞아, 그냥 줬다가 갑자기 저당 잡으면 치졸하고 졸렬한 데다 음습한 사람이긴 하지. 전하께서는 안 그럴 것 같지만 확신할 수도 없어."

"……."

"길 가다가 모르는 사람이 사탕 준다고 졸졸 따라가면 안 되듯이."

"전하께서는 모르는 사람이 아니잖아요."

"거의 모르는 사람에 가깝지."

몇 번이나 부딪쳤는데 아직도 정확히 파악되지 않는 인물이니 안다고 할 수 없었다. 어느 정도 알겠다 싶으면 다른 모습을 보여 주고, 그 때문에 놀라면 가면을 쓰듯 원래대로 돌아왔다. 그렇게 그는 항상 사람을 헷갈리게 만들었다.

"네 말대로 계속 생각해 볼게. 그렇지만 지금의 내 대답은 거절이야."

"알겠어요. 사람들이 오면 되돌려 보낼게요."

"수고해 줘. 부탁할게."

고개를 끄덕인 히나가 나갔다. 문이 닫히고, 방은 정적에 휩싸였다.

기나긴 한숨을 내쉰 엘로라가 편지를 다시 봉투에 넣어 책상 위에 아무렇게나 놓았다. 황실의 문양이 반듯하게 반으로 나뉜 채 봉투가 입을 벌리고 있었다.

그것이 괜히 거슬려 손가락으로 지그시 밀랍 도장을 누른 엘로라는 아몬의 기척을 느꼈다. 히나와의 대화에서 끼어들 틈이 없었기 때문인지 가만히 있던 아몬이 곁으로 다가왔다.

"결국 거절했네."

"응, 필요 없으니까."

"아깝지 않아?"

"너도 히나랑 같은 말 하려고?"

"아니, 그냥. 궁금해서."

맑은 에메랄드빛 눈동자를 힐끔 쳐다본 엘로라는 아예 편지 봉투를 뒤집어 놓았다. 황실의 문양이 보이지 않도록.

"전혀. 이곳에도 고가의 장신구는 있잖아. 보석에 파묻혀 죽고 싶다는 꿈은 없어. 너무 욕심부리다가는 탈 나."

빙긋, 장난스러운 미소를 지으며 말을 마쳤다. 천천히

고개를 끄덕인 아몬은 따지려고 물은 게 아니었기 때문에 그러려니 하고 넘어갔다.

"그러면 엘로라. 오늘은 뭐 할 거야?"

"완성이 얼마 남지 않은 그림을 마무리해야지. 아몬은?"

"그런 너를 구경할래!"

"좋아. 정원으로 나가자."

편지 봉투에서 등을 돌린 엘로라는 아몬의 손을 맞잡고 가벼운 발걸음으로 밖으로 나갔다. 또 다른 그림자가 다가오는 것을 알지 못한 채, 낮부터 작은 소란이 있었다고 생각한 그들이었다.

황실 문양이 찍힌 두 번째 편지는 오후 일찍 도착했다.

줄줄이 이어진 마차를 돌려보낸 후 잔뜩 진이 빠진 히나가 쉬다가 일하기 위해 막 움직였을 때였다. 이번에도 황실에서 보낸 편지가 엘로라 앞에 도착했다. 당황한 히나는 재빠르게 달려갔다.

"아가씨."

가쁜 숨을 고루 쉬며 그림 그리기에 몰두하는 엘로라에게 빠끔히 얼굴을 내밀었다. 그 얼굴을 본 엘로라는 이 시간에 아무 이유 없이 찾아오는 히나가 아니었기 때문에 꽉 잡고 있던 붓을 내려놓았다.

"편지가 도착했어요."

"이 시간에 깨어 있으셨나 보네. 내일은 돼야 선물을 돌려보낸 걸 눈치챌 줄 알았는데."

누가 보냈는지도 묻지 않고, 편지 봉투에 찍힌 밀랍 도장도 보지 않았지만 엘로라는 바로 라하트가 보낸 편지라고 단정 지었다. 지금 이 상황에서 편지를 보낼 사람은 라하트밖에 없으니까.

라하트가 자신만만했던 깜짝 선물을 돌려보냈을 땐 해가 중천에 떠 있었다. 주로 낮에 자고 밤에 활동하는 라하트였기 때문에 돌려보낸 선물에 대한 얘기를 나누게 된다면 내일쯤이 될 거라 예상했다. 그런데 웬일로 깨어 있었던 모양이다. 그것도 황궁에서.

마차 안에 무엇이 들었는지 확인도 하지 않고 돌려보냈다는 사실이 라하트의 귀에 들어갔을 테니 자신을 무시했다는 이유로 분노할지도 몰랐다.

연상이 잘 되지는 않았으나 격정적으로 화를 내는 라하트를 떠올리고 있는데 히나가 빠르게 고개를 저었다.

"아가씨. 전하께서 보낸 편지가 아니에요."

"……뭐?"

"황제 폐하께서 보내신 편지라고 들었어요."

황제라는 말에 흠칫했다.

뜬금없어도 너무 뜬금없는 단어였기 때문이다.

"갑자기 왜?"

"그건 저도 잘 모르겠어요."

구체적인 설명은 듣지 못했는지 히나는 아무것도 모르는 기색이었다. 엘로라 또한 대략 짐작 가는 구석이 하나 있긴 했지만 애써 부정하고 싶었다.

돌려보낸 선물. 선물을 준비하느라 국고를 너무 낭비하여 주의를 주기 위해 부르려는 걸까. 그도 아니라면 애지중지 키운 아들이 보낸 선물을 받지 않아 괘씸하여 편지를 보낸 걸 수도 있었다. 그 정도로 아들을 애틋하게 여기는 것 같지 않았으나 또 모르는 일이었다.

마른침을 삼킨 후 봉투를 뜯어 편지지를 펼쳤다. 한 문장에 용건만 간단히 적었던 라하트와는 다르게 화려한 수식어가 첫 문단을 장식하고 있었다. 그만큼 내용도 길었다.

이렇게 격식 있고 화려한 문체는 오랜만인 터라 절로 집중력이 흐려질 뻔했지만 마음을 다잡고 꼼꼼히 읽었다.

긴 시간이 지났다. 마지막 마침표에 온전히 도달한 엘로라는 살짝 인상을 찡그린 채 고개를 들었다.

"히나."

"네?"

"방금까지 따로 하던 일이 있으면 당장 중단해."

무슨 상황인지 몰라 히나가 눈을 크게 떴다. 그런 히나와 시선을 마주한 엘로라는 사뭇 비장한 음색으로 말했다.

"지금 바로 화장대 앞으로 가야 해."

"……지금요?"

"지금 당장! 시간이 없어!"

화구를 정리할 틈도 없었다. 어서 준비해야 한다는 생각에 히나에게 자세히 설명해야 한다는 것조차 잊고는 그대로 이젤에서 등을 돌려 달렸다. 엄청나게 빠른 속도였다.

얼떨결에 영문도 모른 채 엘로라의 뒤를 따라 히나와 아몬이 달렸다. 아몬은 자신이 굳이 끼어들 필요가 없음을 알고 있었지만 무슨 상황인지 궁금하여 따라갔다.

"아가씨, 도대체 무슨 일이에요!"

히나가 방에 도착했을 때는 먼저 온 엘로라가 황급히 화장 도구를 꺼내고 있었다. 부산하고 정신없는 와중에 히나와 아몬의 기척을 느끼고는 크게 외쳤다.

"어서 준비해야 해! 폐하께서 만찬에 초대하셨어!"

"만찬이요?!"

"농담처럼 들릴지 몰라도 거짓말 아니고 진짜야."

"보통 이런 일정은 일주일 전쯤에 얘기해 주시지 않나요?"

"……그러게 말이야. 갑자기 내가 보고 싶으셨나 봐."

아랫입술을 살짝 깨물었다. 히나의 말대로 예의상 일주일 전에 얘기를 해 주는 게 맞았다. 그런데 갑자기 오늘 함께 만찬을 가지자고 편지지 한 바닥을 가득 메울 정도로 써서 보냈다는 건 급하게 얘기할 거리가 생겼다는 것이었다.

편지에는 예상했던 문제에 대한 얘기가 하나도 없었지

만 아예 무관하다고 볼 수도 없는 듯했다. 그동안 시녀를 단체로 쫓아낸 것을 제외하면 문제 하나 일으키지 않고 조용히 살고 있으니까. 라하트의 깜짝 선물을 받기 전까지만 해도 그랬다.

"옷은 대충 아무거나 꺼내 와."

"아무거나 입을 수 없어요!"

"몇 번이나 갈아입을 시간이 없어."

"하지만……."

"어쩔 수 없어. 적당한 것 하나만 들고 와."

머뭇거리던 히나가 어쩔 수 없이 고개를 끄덕였다.

만찬까지 앞으로 네다섯 시간 남짓 남았다. 얼핏 보면 시간이 많이 남은 듯했으나 전혀 아니었다. 준비하고 나가는 데에만 그 정도 시간이 걸렸다.

화장은 변장이고, 옷은 보석이 치렁치렁 달린 데다 머리도 다소 유행에 동떨어진 스타일로 적절하게 해 줘야 하고 장신구도 일일이 끼워 줘야 했다. 또 약속 시간에 늦으면 안 되니 이동 시간까지 모두 고려해야 했다.

한마디로 지옥이 도래한 것이다.

시간 안에 결점 없이 준비가 끝나길 바랄 수밖에 없었다.

엘로라가 정신없이 화장하는 동안 히나와 아몬은 드레스룸에서 긴 고민을 하다가 고심 끝에 드레스와 장신구를 낑낑대며 들고 왔다.

오랫동안 옆에 있어 주었던 히나답게 지금 이 상황에 입기 괜찮은 드레스를 골라 왔다. 엘로라의 허락이 떨어지기 무섭게 히나는 바로 머리 손질에 들어갔다.

화장과 머리 손질까지 마친 후 비슷한 속도로 드레스를 입고 장신구까지 해치웠다. 바쁘게 움직인 덕인지 모든 과정을 완료했을 때는 다행히 늦지 않은 시각이었다.

겨우 한숨 돌린 엘로라는 마지막으로 전신 거울 앞에서 자신의 모습을 체크했다.

"저번에 히나가 했던 변신이랑 비슷해. 누구로 변신한 거야?"

"남들이 알고 있는 나."

"못생겼어."

"맞아, 못생겨야 해."

히나를 못생긴 얼굴로 분장시킨 적은 많아도 직접 하는 건 오랜만인 터라 그것을 처음 본 아몬이 신기하다는 시선을 보냈다. 반짝이는 녹색 눈동자는 전혀 불쾌하지 않았다.

아몬을 보고 한 번 미소 지어 준 엘로라는 문제가 없음을 확인하고 이만 만찬 장소로 가기 위해 걸음을 내디뎠다.

"조심히 다녀오세요."

"다녀와."

"갔다 올게."

걱정 어린 시선으로 자신을 보는 히나와 여전히 신기하다는 얼굴로 보는 아몬을 뒤로하고, 아모몬 궁을 빠져나와 대기하고 있던 마차에 올라탔다.

엘로라를 태운 마차는 빠르게 만찬 장소로 이동했다. 그리 오래 지나지 않아 마차가 멈추고, 화려하게 치장한 엘로라는 그 위용을 뽐내며 시종을 따라 뒤뚱뒤뚱 걸어갔다. 오랜만에 하는 뒤뚱 걸음이었다.

한참 걸어가고 있는데 익숙한 냄새가 났다. 동시에 앞서 가던 시종이 문득 걸음을 멈추고 허리를 숙였다. 따라 멈추게 된 엘로라는 굽힌 허리 너머를 보았다.

뿌연 연기가 시야에 넘실거렸다. 그리고 그곳에는 익숙한 남자가 서 있었다.

"오랜만이네."

라하트였다.

황궁에서 유일하게 자유분방한 패션 스타일을 뽐내고 있는 그가 손을 흔들었다. 겉옷은 제대로 입지도 않고 대충 어깨에 걸쳤으며 와이셔츠 위 단추도 평소처럼 풀어져 있었다.

저 겉옷도 시종들이 아득바득 우겨서 억지로 입었음을 굳이 보지 않아도 알 수 있었다.

파이프에서 연기가 피어올랐다. 꽤 오랜 시간 이곳에서 피웠는지 담배 냄새가 제법 강했다. 흐리멍덩한 보라색 눈동자와 마주친 엘로라는 당황스러움을 숨기고 무심하게 대꾸했다.

"그러게요."

무표정한 엘로라의 얼굴을 살피던 라하트가 성큼 다가왔

다. 부담스러운 거리였다.

"내가 보고 싶지 않았어?"

"전혀요."

"나는 보고 싶던데."

달콤하게 속삭인 라하트가 눈꼬리가 휘어지게 웃었다.

코앞에서 그 얼굴을 보고 있으니 다른 건 몰라도 그의 얼굴만큼은 열심히 일하고 있음을 알 수 있었다. 목소리 또한.

"만나고 싶었어."

"……입에 침도 안 바르고 거짓말을 하시는 건 여전하네요."

하지만 넘어갈 엘로라가 아니었다. 저 꿀 발린 거짓말에 넘어갔더라면 애초에 넘어갔다.

습관과 같은 라하트의 달콤한 말에 한 치의 미동도 보이지 않았다. 엘로라의 입술이 일자로 굳은 것을 확인한 라하트가 빠르게 말을 돌렸다.

"우리가 마지막으로 본 게 언제였더라. 시간이 꽤 흐른 것 같은데."

"일일이 세어 보지 않아서 모르겠네요."

"가장 최근에 만나서 먹은 게 양파 수프였던가?"

자연스럽게 가장 최근에 만나서 같이 먹은 음식 메뉴가 떠올랐다. 그냥 양파 수프가 아닌 감자가 들어간 양파 수프였다. 재료가 들어간 비율로 따지면 정확한 명칭은 감자 양파 수프라 할 수 있었다.

보통 전날 먹은 음식 메뉴도 잘 떠올리지 못하지만 포크로 암살자와 맞선 날이었던 터라 생생히 기억났다. 술에 잔뜩 취하기 전까지.

그럼에도 아무 말 하지 못한 건 엘로라가 아닌 로이스로서 그 자리에 있었기 때문이었다.

시간을 거슬러 올라, 로이스가 아닌 못난이 엘로라로서 라하트와 마주한 날을 떠올리려고 애썼다.

괜히 입 한 번 잘못 놀렸다가는 이상한 데서 예리한 라하트에게 추궁을 당할 것이었다. 기억의 혼선으로 말실수를 하지 않도록 노력했다.

"거위를 구운 요리? 아니, 오리였나. 그도 아니라면 송아지였을 수도 있겠네."

"기억나지 않아요."

"그렇지? 사실 나도 그래."

장난스럽게 웃는 라하트를 보고 있자니 이 남자가 또 헛소리를 하고 있었구나, 하고 깨닫게 되었다.

방금 전에는 기억력 테스트라도 하고 싶었던 걸까. 출제자도 정답을 모르는 탓에 답안지가 없는 테스트.

왜 하는지 모를, 시간 낭비인 라하트의 장난이었다.

"그래도 같이 마셨던 술은 훌륭했어. 안 그래?"

"술은 마시지 않아요. 다른 사람과 착각하신 듯하네요."

"정말? 한 모금도 안 마셔?"

"네. 한 모금도."

"술은 인간이 만들어 낸 큰 축복인데 즐기지 못하다니.

아쉽게 됐네."

기시감이 들었다.

아니, 비슷한 말을 들은 적이 있었다.

흠칫한 엘로라는 그것이 로이스로 변장했을 때의 일이라는 걸 어렵지 않게 떠올릴 수 있었다. 상대가 술을 마시지 않는다 하면 습관처럼 나오는 말인 듯싶었다.

"폐하가 불러서 가는 길이지?"

"네."

손안에서 파이프를 만지작거리던 라하트는 결국 그것을 시종에게 넘겼다. 파이프를 계속 피울까 고민하다가 그냥 그만두기로 마음먹은 듯했다.

그 원인이 자신에게 있음을 눈치챈 엘로라가 느릿느릿한 라하트의 행동을 눈으로 좇다가 물었다.

"전하께서도 오후에 연락받고 오신 거죠?"

"응, 자다가 급하게 끌려왔어."

"혹시 사고 치셨어요?"

"사고라니. 난 굉장히 얌전한 사람이야."

신빙성이 전혀 없는 발언에 게슴츠레 눈을 떴다.

입만 열면 거짓말이었다. 예의상으로도 믿어 주는 척하지 못할 거짓말. 가볍게 그 말을 무시한 엘로라는 궁금했던 점을 물었다.

"저희 두 사람을 갑자기 부르신 것에 대해 짐작 가는 점이라도 있으세요?"

"음……. 짐작 가는 게 하나 있긴 해."

"무엇인데요?"

최대한 차갑게 말했지만 그 속에 담긴 흥미와 관심은 숨길 수 없었다. 이를 눈치챈 라하트가 잔뜩 뜸을 들였다.

말할 듯 말 듯, 입술만 계속 달싹이는 얼굴을 빤히 바라보고 있으니 한참 시간을 끌던 라하트가 끝내 입을 열었다.

"아들이랑 며느리의 얼굴이 보고 싶으셨나 봐. 내가 널 보고 싶어 했듯이."

이번에도 라하트의 장난에 말려들고 말았다.

기대로 인해 잔뜩 들떴던 푸른 눈동자가 한순간에 싸늘해졌다.

"마지막 말은 굳이 덧붙이지 않아도 됐어요."

"내 진심을 매도하지 마."

"진심인 적이 있어야 매도하지요."

결국 라하트도 아는 게 없었다. 나름 기대를 걸었던 라하트조차 모른다고 하니 여러 가정을 고려한 채 부딪치는 수밖에 별다른 방법이 없었다.

크게 말이 오가지 않았으면 좋겠지만 너무나 갑작스러운 초대인 만큼 무슨 꿍꿍이가 있을 게 분명하여 괜히 불안했다.

힐끗 라하트를 보았다. 그는 선물을 거절한 것에 대해 아직까지 아무 말도 하지 않았다. 한마디 할 법도 한데 가만히 있는 걸 보니 돌려보냈다는 사실을 전해 듣지 못한 모양이었다.

퍼질러 자다가 폐하의 부름을 받고 소식을 전해 들을 겨를도 없이 이곳에 온 것 같았다. 굳이 그에 대해 당장 얘기를 나누지 않아도 되어 다행이라 여긴 엘로라는 라하트와 동행했다. 목적지가 같으니 당연한 일이었다.

두 사람 다 입을 꾹 다물고 있으니 불편한 공기가 내려앉았다. 당사자는 워낙 당연한 일인 터라 신경 쓰지 않았지만 길을 안내하던 시종이 덩달아 불안해했다.

힐끔힐끔 이쪽 눈치를 보는 것이 느껴졌다. 하지만 굳이 달랠 필요성은 느끼지 못했기에 얌전히 있었다.

그렇게 원치 않게 일행이 늘어난 상태로 겨우 목적지에 도착한 엘로라는 예기치 못한 자리를 만든 황제와 황후를 만날 수 있었다.

라하트와 아옹다옹하고 있었던 터라 정해진 시간보다 늦은 탓에 그들은 이미 착석해 있었다. 황제와 황후를 기다리게 하다니. 죄스러운 일이 아닐 수 없었다. 더불어 제시간에 맞춰 오느라 고군분투했던 지난 시간이 부질없어졌다.

예의 바르게 인사한 엘로라는 조심스럽게 자리에 앉았다. 옆자리는 자연스럽게 라하트가 차지했다. 이 남자를 어디에 좀 떨어뜨려 놓고 싶었지만 떨어져 앉아 달라고 부탁한다면 이상한 사람으로 몰릴 상황이었다.

머릿속으로 '그와 나는 부부 사이다.'를 여러 번 되뇌었다. 자꾸 그와 결혼했다는 사실을 깜빡하다 보니 이렇게라도 해야 했다.

"어쩐 일로 늦지 않고 왔구나."

분명 정해진 시각을 넘었다. 그런데 황제는 라하트가 기특하다는 듯이 말했다.

아들에 대한 지독한 애정으로 보일 법도 하지만 라하트의 지난 행적을 떠올려 보면 충분히 이해가 되는 발언이었다. 저번 만찬 때는 지정된 시간을 훌쩍 넘은 것도 모자라 요란하게 엎어지며 등장했지 않는가.

얌전히 들어왔으니 약속 시간을 살짝 어긴 건 애교로 여겨질 만했다.

아들을 대견히 여기는 아비는 보이지 않는지 라하트는 느릿하게 고개만 끄덕였다. 눈동자를 보아하니 넋이 나가 있었다. 그의 시선이 고정된 곳은 하나였다.

"심지어 둘이 같이 왔구나."

술에 영혼이 팔린 라하트는 대꾸할 생각이 전혀 없어 보였다. 라하트의 온 신경은 오로지 술에 팔려 있었다. 이를 빠르게 눈치챈 엘로라는 황제가 무안해하기 전에 대신 답했다.

"앞에서 우연히 만났습니다."

"그 또한 인연이지."

이번에는 황후가 흐뭇하게 웃으며 말했다. 자애로운 미소였다. 여전히 엘로라의 얼굴을 보지는 못하지만 돌아가는 상황이 매우 흡족한 모양이었다.

정작 엘로라는 어느 포인트에서 황후가 좋아했는지 알

수 없는 노릇이었다. 심지어 황후의 입에 오른 '인연'이라는 단어가 굉장히 부담스러워 '우연'일 뿐이라고 일축하고 싶었다.

그러나 이 자리에서 엘로라가 할 수 있는 최선의 행동은 그저 웃는 것뿐이었다. 그들은 보지 못할 미소를 지어 주었다.

"입궁 후 크게 챙겨 주지 못한 것 같아 오늘 급하게 자리를 만들었는데 괜찮은 것이겠지?"

"예, 신경 써 주셔서 감사합니다."

오늘 일정을 먼저 제안한 건 황후인 듯했다. 조용히 진행된 결혼식에 신혼여행을 떠올린다면 조용한 황궁 생활이 그다지 이상할 것도 없는데 마음에 걸렸나 보다.

차마 얼굴은 보지 못하고 시선을 약간 비스듬히 둔 황후의 말에 예의 바르게 대꾸했다. 급해도 너무 급하게 약속을 잡긴 했으나 의도 자체는 나쁘지 않았다.

떨이로 파는 것처럼 어쩔 수 없이 한 결혼이라 있는 듯 없는 듯한 취급을 받을 줄 알았는데 의외였다.

이 와중에 라하트는 일어난 지 얼마 안 된 탓에 체내 알코올이 부족했는지 옆에서 열심히 술을 마시고 있었다. 여러 의미로 정말 대단한 사람이었다.

왜인지 몇 주 사이에 엘로라에 대한 호감도가 부쩍 오른 듯한 황제, 황후와 꿋꿋이 자신의 길을 가고 있는 라하트 사이에 낀 엘로라는 차려진 음식을 먹기 시작했다.

상황이 상황인 터라 음식이 입으로 들어가는지 코로 들어가는지 몰랐다. 제대로 입에 넣는 스스로가 대견하게 느껴질 정도였다. 이 자리를 뛰쳐나가고 싶은 걸 꾹 참으며 깨작깨작 먹었다.

술을 퍼마시다가 이 모습을 본 라하트가 다양한 음식을 앞으로 끌어당겨 줬지만 애초에 식욕이 들지 않으니 먹을 리 없었다.

필요 없으니 그만하라는 말 대신 영혼 없이 감사하다는 말만 중얼거렸다. 감사하다는 말에 속이 비었음을 눈치채지 못한 라하트는 괜히 뿌듯해져서는 계속, 계속, 계속 음식을 앞에 내어 주었다. 먹기 힘든 생선은 손수 발라 주기까지 했다.

안 그래도 불편한 자리인데 라하트의 행동 탓에 이목이 이쪽으로 집중되었다. 시선을 한 몸에 받은 엘로라는 문득 기시감을 느꼈다. 두 번째 기시감이었다.

이번에도 마찬가지로 라하트 때문이었다.

저번에 로이스에게 했던 행동과 비슷한 행동을 하고 있었다.

다 먹으면 배가 터져 죽을 만큼 많은 양의 음식을 주는 것이나 그것을 먹는 모습을 지켜보는 눈빛이나.

남몰래 식은땀을 흘렸다. 아무래도 라하트에게는 괴이한 취미가 있는 듯했다. 절대 해치우지 못할 음식을 타인에게 먹이는 괴이한 취미가.

어서 이 불편한 만찬이 끝나길 바라며 꿋꿋하게 버티고 있는데 이 모든 상황을 지켜보던 황후가 말을 걸었다.

"궁에서 지내면서 크게 불편한 점은 없느냐?"

"네, 황후 폐하께서 신경 써 주신 덕에 없습니다."

"네가 원한다면 현재 지내는 곳보다 훨씬 좋은 곳으로 궁을 옮겨 줄 수도 있으니 편히 이야기해 보렴."

"아, 아니요. 괜찮습니다."

궁을 옮기게 되면 자연스럽게 전속 시녀도 붙을 거였다. 전혀 좋을 게 없었다. 마음이 급해진 엘로라는 다소 빠르게 대답했다. 이를 다른 의미로 해석한 황제가 조용히 듣고 있다가 근엄한 얼굴로 입을 열었다.

"미우나 고우나 결국 제 자식이니 아르미트 후작도 무어라 하지 않을 거다."

아르미트 후작의 눈치가 보여 거절한다고 생각하는 듯했다. 대외적으로 아모몬 궁에 배정받은 이유는 아르미트 후작의 고집 탓이니까.

모든 것이 엘로라의 계획임을 모르는 황제와 황후는 이번 기회에 제대로 된 곳으로 궁을 옮겨 주기로 마음먹은 것 같았다. 엘로라에게 있어서는 전혀 달갑지 않은 발언이었다. 딱 지금 상태가 완벽했다.

남의 간섭도 받지 않고, 이동도 자유로우며, 함께 생활하고 있는 친구도 있었다. 더 바랄 게 없었다.

적당히 공손하고, 적당히 납득 가는 적당한 거절을 최대한 골랐다.

"제가 나고 자란 저택보다 아름답고 훌륭한 거처입니다. 지금도 제게 과분한 곳이라 생각합니다."

아모몬 궁은 가장 오래된 궁이었다. 어디 하나 새로 쌓아 올린 곳 없는, 옛 모습을 간직한 궁. 그런 곳을 아무리 관리한다 하더라도 한계라는 게 있는 법이었다. 역사적 가치는 있을지 몰라도 현대의 미적 감각에 부합하냐고 묻는다면 선뜻 대답하지 못할 것이다.

심지어 클라우디아 왕녀 이후 공식적으로 아모몬 궁에서 지낸 사람은 없었고 유령이 나온다는 소문마저 떠도는 탓에 시중인들 또한 침입을 꺼려 하여 오랜 세월 방치됐다.

지금이야 엘로라가 지낸다고 급하게 정리를 한 데다 엘로라 본인도 노력했기 때문에 말문이 막힐 정도는 아니었으나 이전에 한 번이라도 와 봤다면 빈말로라도 아름답고 훌륭하다는 수식어를 붙일 수 없었다.

본인이 생각해도 너무 터무니없는 말을 늘어놓은 것 같아 황급히 덧붙였다.

"이것이 다 폐하의 은덕입니다."

은덕까지 운운하는데 무작정 의견을 밀어붙일 수 없을 것이다. 그 예상은 적중했는지 황후는 한 걸음 물러서는 모습을 보여 줬다.

"네 의견이 그렇다면 더는 강요하지 않겠지만 불편한 점이 있다면 언제든 편히 말해다오."

"예, 감사합니다."

이쯤 되면 궁금해지기 시작했다. 여전히 얼굴 한 번 똑바로 쳐다보지 못하면서 과한 친절을 보이는 이유가 무엇인지. 또 이걸 묻기 위해 갑작스레 자리를 만들었는지. 굳이 얼굴을 보지 않아도 충분히 의사를 물을 수 있는 사안이었다. 라하트까지 불러 놓을 필요도 없고.

이것을 순수한 호의라 칭하기에는 영 꺼림칙했다.

방금 먹은 음식이 목구멍에 턱턱 막히는 기분이었다.

대놓고 얘기해 줬으면 좋겠건만 대화는 점점 빙빙 둘러가기 시작했다. 일상적인 얘기가 오가고, 라하트는 술만 마시며 딴청을 피웠다. 적당히 대꾸를 하다 보니 대화 주제는 어느덧 건국제에 대한 것으로 흘러갔다.

"그러고 보니 건국제와 관련하여 네가 준비한다는 소식을 듣지 못한 것 같구나."

"아……."

"혹시 후작과 이 얘기를 나눈 적이 있느냐?"

"없습니다."

가족과 사적으로 연락하지 않음을 뻔히 알면서 예의상 한 질문이었다. 건국제에 참여할 생각이 전혀 없었기 때문에 손 놓고 있었던 엘로라는 대략 난감해졌다.

보통 이 시기에 사치품을 대량 사들이는데 얌전히 있어도 너무 얌전히 있었다. 입궁 후 죽은 사람처럼 처박혀서 나오지 않았다. 저택에서 가져온 드레스로 계속 생활할 생각이었던 터라 재단사 또한 만난 적이 없었다.

한마디로 다들 축제 분위기인데 혼자만 딴 세상이었다.

황후 또한 엘로라가 이 정도로 아무것도 안 하고 있을지 몰랐는지 잠깐 당황한 표정을 짓다가 노련하게 표정을 갈무리했다. 찰나의 변화를 빠르게 잡아낸 엘로라는 무슨 말이라도 해야겠다 싶어 입술을 열었으나 그보다 먼저 말을 꺼낸 건 황후였다.

"평생을 아르미트로 살았으니 아직 익숙하지 않은 것도 이해한다. 하지만 이제는 황실 사람이니 다른 의무를 지게 되었음을 자각해다오. 아까도 말했지만 필요한 것이 있다면 망설이지 말고 언제든 편하게 말해도 된단다. 너는 그리해도 되는 위치에 있으니."

그녀는 모두 이해한다는 듯한 태도를 취했다. 꾸지람을 들을 수도 있겠다 생각했는데 예상보다 훨씬 유한 반응이었다. 아직 신혼인 만큼, 가만히 있었던 행동을 어리숙함이라고 치부한 듯했다.

따로 변명하지 않아도 되어 다행이었다. 나쁘지 않은 상황인 터라 살짝 고개를 숙이고 조용히 경청하던 엘로라는 이어지는 말에 잔뜩 굳고 말았다.

"우리가 이제 가족이라는 사실을 잊지 말렴. 나 또한 너를 딸처럼 여기고 있단다."

여전히 엘로라의 얼굴에서 살짝 비껴 나간 곳을 주시한 황후가 자애로운 미소를 지었다. 엘로라 또한 예의상 황후를 어머니처럼 여기겠다는 발언을 해 줘야 할 것 같았으나 목소리가 나오지 않았다. 차마 빈말로도 그 말은 할 수 없었다.

결국 고장 난 인형처럼 감사하다는 말만 연거푸 했다. 이 상함을 눈치채지 못했는지 황제와 황후는 아주 흡족하다는 얼굴을 하고 있었다.

그들에게 있어 이제까지 엘로라를 방치했다는 사실은 아예 존재하지 않는 듯했다. 어떻게 돼먹은 심경 변화기에 얼굴 한 번 똑바로 쳐다보지 못하는 사람들이 딸까지 입에 올리면서 친절을 베푸는 건지 점점 더 알 수 없어졌다. 짐작 가는 점이 하나도 없었다.

직설적으로 물어보고 싶었으나 지금은 달리 해야 할 말이 있었다. 황제와 황후를 살핀 엘로라는 화기애애한 분위기를 틈타 운을 띄웠다.

"저, 그리고……."

"그리고?"

"죄송한 말씀이지만, 제가 근래 들어 미약하게 열이 있어 건국제에 참석하지 못할지도 모릅니다."

그 날 아플 예정이었다.

원래라면 전날쯤에 아프다고 연락을 넣을 생각이었지만 이렇게 된 김에 포석을 깔아 둘 필요가 있었다. 최근에 멀쩡한 모습으로 만난 사람이 행사 당일 아프다고 하면 누가 보아도 참석하지 않기 위한 꾀병이니까.

얼굴이라도 살짝 보이고 빠질까 고민한 적도 있었다. 그러나 국외 사신이 몰려오는 건국제였다. 황태자의 신부를 찾기 이보다 더 좋은 날이 없었다. 연애 조작단이 직접 발로 뛰는 날인 것이다.

그 누구보다 바쁜 건국제를 보낼 계획인 엘로라에게 라하트가 불쑥 얼굴을 들이밀었다.

"아파?"

"그렇게 많이 아픈 건 아니고 미약하게 감기 기운이 있습니다. 걱정하지 않으셔도……."

말이 끝나기도 전에 커다란 손이 이마를 덮었다. 갑작스러운 접촉에 흠칫한 엘로라는 아차 싶었다. 라하트가 계속 조용히 있던 탓에 그라는 변수를 잠시 잊고 있었던 것이었다. 황제와 황후는 대충 말로 넘어가면 되지만 라하트는 행동파였다.

꾀병이니만큼 열이 날 리 만무한 이마를 짚은 그가 어떤 행동을 보일지 예측 불가능이었다.

"전하께서 신경 써 주시니 괜찮아진 것 같습니다. 걱정하지 않으셔도 됩니다."

어금니를 꽉 깨문 채 말했다. 눈빛으로는 입 다물고 있어 달라는 무언의 전령을 쏘아 보냈다.

서로의 시선이 교차됐다. 푸른 눈동자를 담은 라하트가 잠깐 두 눈을 크게 뜨더니 소리 없이 웃었다. 꾀병이라는 걸 알아차린 것이었다.

몹시 즐거운 표정이 된 그는, 만난 이후 가장 생기 있는 모습을 하고 있었다.

그런 라하트는 언제 터질지 모르는 폭탄과 같아 당장에라도 꾀병이라는 사실을 발설할 것만 같았다. 조용히 묵인하라는 의미에서 눈을 부릅떴다.

라하트의 입꼬리가 잔뜩 올라갔다. 식탁을 치면서 크게 소리 내어 웃지 않은 게 다행이었다.

"음, 내 손에 열이 많아서 잘 모르겠네."

그의 목소리에 웃음기가 살짝 섞여 있었다. 엘로라는 빠르게 황제와 황후의 눈치를 보았다. 다행히 그들은 라하트의 목소리를 주의 깊게 듣지 않았는지 전혀 모르는 기색이었다. 거짓말을 했다는 것도, 라하트가 그것을 눈치챘다는 것도.

"혹시 모르는 일이니까 내가 약 줄까?"

"아니요."

'필요 없어요.'라는 말까지 덧붙이려다가 너무 까칠하게 보일까 싶어 참았다. 입술이 움찔하는 것을 보고 엘로라가 많은 말을 참고 있음을 짐작한 라하트가 빙긋 웃었다.

잘생긴 얼굴이 순식간에 밉상으로 보였다. 차라리 아까처럼 조용히 술이나 마셨으면 하는 바람이 강렬하게 들었다. 하지만 마음의 소리를 듣기라도 한 건지 눈이 마주친 순간부터 술잔에 입을 대지 않았다.

"그래, 식사가 끝나면 의원을 시켜 약을 지어 오라 명해야 되겠구나."

"……감사합니다."

라하트의 제안은 단호히 거절할 수 있어도 그들의 말은 거역할 수 없었다. 어쩔 수 없이 한 박자 느리게 긍정의 답을 내놓았다.

그나마 약만 지어 준다는 것이 희소식이라면 희소식이었다. 의원을 직접 만나게 되면 여간 귀찮아지는 게 아니었다. 건강한 몸으로 아프다고 박박 우기는 것도 일이었다.

그럴 일은 없을 듯해 남몰래 한숨을 내쉰 엘로라는 힐끗 라하트를 보았다. 이 상황을 누구보다 즐기고 있는 라하트는 자신의 감정을 전혀 숨기려 들지 않았다. 차갑게 노려보아도 마찬가지였다.

그렇게 황제와 황후 몰래 눈싸움을 하고 있을 때였다.

일순 커다란 돌멩이가 던져져 파문을 일으켰다.

"둘 사이가 좋다고 소문이 자자하더니 거짓이 아니었구나."

헛소문이었다. 대체 누가 어디서 그런 헛소문을 퍼뜨린 건지는 몰라도 명백히 허위였다.

애초에 사이가 좋을 만한 행동은 전혀 하지 않았는데 그런 소문이 퍼진다는 것이 이해가 되지 않았다. 심지어 말을 꺼낸 황후 또한 소문을 진실이라 여기고 있었다.

잔뜩 당황한 엘로라가 황후를 보았다.

"오늘 라하트가 선물을 보냈다지?"

"……아, 예."

드디어 이 얘기가 나왔다. 역시 앞선 대화는 이 주제를 꺼내기 위한 애피타이저일 뿐이었는지 오늘 급히 만나고자 한 이유를 이제 슬슬 밝힐 듯했다.

대화의 흐름을 종잡을 수 없어진 엘로라는 바짝 긴장했다.

"괜한 참견을 하는 것이 아닐까 싶다만, 노파심에 말하자면 다투었을 때는 얼굴을 자주 보는 것만큼 좋은 방법이 없단다. 합방도 해야 하는데 언제까지 고집만 부릴 수는 없지 않니."

"예?"

"서로 마음이 있는데 시간만 보내 봤자 미루기밖에 더 되겠느냐. 어차피 봐야 하는 아이라면 이르면 이를수록 좋은 것을."

"……예?!"

멍청히 되묻는 목소리 톤이 살짝 올라갔다. 도대체 지금 무슨 얘기를 하는 건지 이해가 되지 않았다. 분명 모국어를 듣고 있는데 머릿속에서 입력되지 않고 빙빙 돌았다. 이야기를 듣고 있자니 낯선 외국어를 듣는 것처럼 어질어질해졌다.

황제와 황후는 제대로 완성된 문장 하나조차 꺼내지 못하는 엘로라 앞에서 무언가 많은 이야기를 꺼냈다. 설득과 강요와 명령이 기묘하게 섞인 언어를 듣던 엘로라는 당황하여 아예 넋이 나갔다.

그 뒤로 무슨 대화를 나누고, 입에 어떤 음식을 욱여넣었는지 정확히 기억나지 않았다. 정신을 차리고 보니 지옥 같은 만찬이 끝나고 라하트와 함께 밖으로 나가고 있었다.

퍼뜩 깨어난 엘로라는 무사히 고비를 넘겼다는 것에 혼자 자축했다.

어디서부터 짚어 줘야 할지 모를, 혼란스러운 상황이었다. 제정신이 아닌 채로 어영부영 넘기긴 했으나 일단 넘긴 건 넘긴 거였다.

방금 전까지 나눈 대화가 불현듯 떠올라 오스스 몸을 떤 엘로라는 답지 않게 조용히 있는 남자를 힐끔 쳐다보고는 조심스레 입을 열었다.

"알고 계셨어요?"

"무엇을?"

"그……, 그 말씀 하시려고 불렀다는 사실이요."

차마 '합방'이라는 구체적인 단어는 말하지 못하고 두루뭉술하게 얘기했으나 라하트는 전부 알아들었다. 당황함을 아직 지우지 못한 엘로라와 눈을 마주치며 고개를 저었다.

"오면서도 말했지만 전혀 몰랐어."

"정말요?"

"내 신부님은 부모님과 내가 뒤에서 작당을 벌였다고 생각하는 거야?"

"……."

"무엇을 위해서 그러겠어."

잔뜩 경계하는 엘로라를 보고서는 라하트가 깊은 한숨을

내쉬었다. 그런 그 또한 피로에 젖은 얼굴이었다.

"몰랐어. 정말."

"의심해서 죄송해요."

"나야말로 난처한 상황을 겪게 해서 미안해."

황제와 황후와의 대화로 술이 확 깼는지 마른세수를 한 라하트가 중얼거렸다. 그들이 이런 식으로 압박을 넣을 거라고는 라하트도 예상하지 못한 듯했다.

깊게 가라앉은 보랏빛 눈동자가 바닥을 향했다. 축 처진 그를 보고 있자니 덩달아 한숨부터 나왔다.

"그동안 저희에게 관심을 두고 계셨나 봐요. 얘기하시는 걸 들어 보니 전하께서 제게 선물을 보냈다는 소식을 듣고 상황을 단정 지으신 모양인데, 지금까지 교류가 없었던 걸 다투었다고 지레짐작하시다니. 그보다 어떤 식으로 와전되어야 저희 사이가 좋다는 소문이 퍼지는 거죠?"

"그러게."

"전 아무것도 하지 않았어요."

"나도."

공석에서는 하지 못했던 말이 터져 나왔다.

당황 탓에 잠시 가동을 멈췄던 두뇌가 빠르게 회전하기 시작했다.

후계를 낳으라고 등 떠밀어지는 건 아예 예상하지 못한 건 아니었으나 떨이 처리하듯이 한 결혼인 데다 황태자인 아히발트가 멀쩡히 살아 있으니 곧바로 압박을 주지 않을 거라고 계산했다.

당장 급한 건 라하트가 아닌 황태자인 아히발트였다. 황위 계승권에서 한 발자국 떨어져 있는 라하트야 급할 것 없었다.

그런데 황제와 황후는 매우 조급해했다.

그들이 했던 말로 유추해 보자면 그들은 라하트가 지금 콩깍지가 씌어 있다고 생각했다. 보통 못난 엘로라를 사랑한다는 건 상상조차 못하는 일이지만 라하트가 워낙 별종이니 그러려니 한 모양이었다. 미녀든 야수든 그들이 원하는 건 라하트의 정착이었고, 안정적인 가정이었다.

라하트의 콩깍지가 벗겨지기 전에 관계를 못 박고 싶어서 그 어떤 방법보다 확실한 임신을 택한 것이다. 그 누구도 아닌 황제가 말한다면 그 무게를 무시할 수 없을 테니 시일이 당겨질 거라는 확신이 있었을 거다.

어쩐지 불편한 친절이었다.

맞지 않는 옷을 억지로 입은 듯한 기분이었는데 목을 옥죄던 친절의 근원을 알아내고 나니 허탈해졌다.

천천히 떠올려 보면 저번 만찬 때도 아무 생각 없는 라하트의 행동을 일방적으로 오해하고 흡족해하셨던 분들이었다. 그런 분들이 라하트가 선물을 보냈다는 소식을 접하고 더한 오해를 못할 리 없었다.

사랑 없이 진행된 라하트의 행동은 의도치 않게 그들의 가정에 부채질한 꼴이 되었다.

오늘 만찬은 선물을 거절했다는 이유로 추궁당하거나 국고를 탕진했다는 이유로 꾸지람을 받는 건 아니었으나 라하트가 보낸 선물이 도화선이 된 건 확실했다.

이게 다 좋아하지도 않으면서 좋아하는 척해서 그런 거였다. 적당히 했어야지. 사람들 앞에서 싸우지 않는 것만으로도 충분하다고 생각했다.

선물을 나누거나 하는 과도한 것은 필요 없었다.

그런 관계니까.

"계기는 전하께서 보낸 선물인 것 같아요."

책망하고 싶지 않아서 최대한 유하게 말하려고 애썼다.

선물을 보낸 의도는 정확히 알 수 없었으나 보석을 고르던 그의 얼굴은 너무나 선명히 기억나서 모질게 말하고 싶지 않았다. 꼭 어린아이처럼 신이 나 있던 얼굴이었다.

"선물을 보지도 않았다며."

잠자느라 소식을 접하지 못한 게 아니었다.

알면서도 함구한 거였다.

고저 없는 라하트의 대꾸에 엘로라는 저도 모르게 눈치를 보게 되었다.

"화나셨어요?"

"아니."

느릿하게 고개를 저은 라하트가 빙그레 웃었다.

"선물이잖아. 그걸 받는 건 네 마음이지."

"거절당할 걸 알면서도 보내신 거예요?"

"선택지는 두 개니까."

거절당할 걸 고려하면서도 그렇게 기뻐하면서 보석을 고르다니. 알 수 없는 남자였다.

보통 거절당할 것 같으면 두려워서 아예 시도조차 하지 않았다. 그리고 못난 얼굴에 성격도 안 좋은 여자가 뭐가 좋다고 보석을 산더미처럼 주는가.

지금도 곁에 있는데 아는 것보다 모르는 게 훨씬 많았다.

"그래도 무엇을 보냈는지 궁금해할 줄 알았어. 예쁘게 포장한 상자가 있으면 호기심이 드는 법이잖아."

"……."

"혹시 궁금해할까 봐 얘기해 주자면 사파이어, 루비, 오팔, 다이아몬드, 자수정, 토파즈 같은 다양한 보석을 세공해서 보냈었어. 어떤 보석을 좋아하는지 모르니까 최대한 다양하게 골랐지."

"그래서 양이 많았던 거네요."

"딱히 놀란 표정이 아니네."

"아니요, 놀랐어요. 전하께서 이 정도로 섬세한 분인 줄 몰랐거든요."

이미 알고 있었지만 전혀 몰랐었다는 것처럼 연기하기 위해 애썼다. 라하트가 평소처럼 장난스럽게 받아친다면 조용히 넘어갈 일이었다. 그러나 돌아오는 대답은 진지하기 그지없었다.

"거짓말."

"거짓말이라니요. 저는 지금……."

"놀란 얼굴이 아니야. 그렇다고 지친 것도, 화난 것도, 풀이 죽은 것도 아니고……, 음."

불쑥 얼굴을 들이댄 라하트가 유심히 관찰했다. 까딱 실수하면 키스할 듯이 가까웠다. 지나치게 좁혀진 거리에 당황한 엘로라가 밀어내려 했으나 그 전에 답을 찾은 라하트가 나지막하게 속삭였다.

"질린 것 같아."

일순 소름이 돋았다. 그 많은 보석을 떠올리기만 해도 질리는 건 여전했다. 속으로만 생각했어야 하는데 얼굴에서도 드러났던 듯했다. 빠르게 표정을 갈무리하려 했지만 이미 늦었다.

무작정 아니라고 우기려 하는데 라하트의 행동이 더 빨랐다.

"혹시 로이스가 얘기한 거야? 그러면 곤란한데. 비밀을 지키겠다고 내 앞에서 약속했거든. 심지어 손가락까지 걸었다고."

그런 적 없었다. 비밀은 지켜 주겠다고 했으나 어린아이처럼 손가락은 걸지 않았다.

거짓이 한 줌 섞여 있음을 알았지만 이번에는 티를 내지 않도록 애썼다.

이상한 데에서 감이 좋은 사람이니만큼 조금이라도 방심했다가는 큰일이었다. 그나마 그가 멋대로 오해한 덕에 난처한 상황이 벌어지지 않았으니 불행 중 다행이었다.
"다음에는 조금 더 은밀하게 선물을 준비해야겠어."
"하지 마세요."
"왜?"
정말 모르겠다는 듯한 얼굴이다. 불과 몇 분 전에 선물 때문에 이 사달이 났다고 얘기를 했건만.
불쾌함을 드러내기 위해 옅게 인상을 찡그린 엘로라가 단호히 말했다.
"오해하시잖아요. 그리고 받을 이유도 없어요."
"이유가 없긴 왜 없어. 내가 선물을 주면 네게는 특별한 날이 되는 거잖아. 그러면 된 거 아니야?"
"그게 무슨……."
"지정된 날에 특별한 이유가 있어야 선물을 주는 건 따분해. 하루를 사는 재미가 없잖아."
"……한마디로 재미있어서 그러시는 거네요."
"그렇지."
너무 라하트다워서 할 말을 잃었다.
오로지 본인의 즐거움을 추구하기 위해 움직이는 모습이었다.
더 말을 꺼내 봤자 같은 얘기를 반복할 뿐 별다른 소득이 없을 거란 걸 이미 알고 있었기 때문에 입을 여는 대신 걷는 속도를 높였다.
아침에 일어났을 때 상태가 백이라면 지금은 마이너스였

다. 지쳤다. 어서 마시멜로같이 푹신한 침대에 몸을 누이고 싶을 뿐이었다.

같이 입을 다문 라하트는 엘로라의 빨라진 걸음에 맞춰, 뒤처지지 않고 나란히 걸었다. 그의 존재가 거슬렸지만 마차를 탈 때 떼어 놓을 요량으로 가만히 있었다.

하지만 엘로라가 간과한 것이 있었으니, 피로에 젖은 침묵을 라하트는 다른 의미로 받아들였다는 거다.

"앞서 말했지만 오늘 일을 본보기 삼아 다음부터는 비밀스럽게 보낼게."

"필요 없어요. 그보다 너무 자연스러운 거 아니에요?"

마차에 오를 때 손을 잡아 준 것까지는 좋았다. 보기 드문 신사적인 행동을 미심쩍은 시선으로 보았지만 트집 잡을 만한 일은 아니었기 때문에 감사의 의미로 고개만 한 번 끄덕여 주었다.

그리고 그 찰나의 순간에 라하트는 매우 자연스럽게 맞은편 자리에 앉았다. 내리라고 하기도 전에 문을 닫은 그는 아무 일도 없었다는 듯이 있었다.

"내가 마차를 많이 타 보긴 했지."

"그 뜻이 아니잖아요."

엘로라가 지친 듯이 대답하며 한숨을 내쉬었다. 황제와 황후가 오늘 합방하라는 명령 같은 요구를 했지만 너무 피곤했다.

오전부터 저녁까지 많은 일이 순차적으로 일어났다. 되

도록 고분고분 따르는 척하고 싶었지만 화장을 지우지 못하고 불편한 채로 자는 게 싫었다.
편안한 휴식이 절실한 순간이었다.
“내려요.”
“네가 오려고?”
“아니요. 오늘은 피곤해서 쉬고 싶어요. 다음에 연락할 테니 내려 주세요.”
“그건 좀 곤란해. 아까 들었던 것처럼 오늘 합방하지 않으면 평생 닦달하실 분들인걸. 너도 귀찮잖아. 잔소리 듣는 거.”
“그렇지만…….”
“어차피 잠만 자고 갈 거야.”
육체적인 관계를 맺지 않는 거야 당연한 것이었다.
정말 말 그대로 ‘잠’만 자고 갈 거라는 사실을 알고 있었지만 누적된 피로가 그를 어서 쫓아내라고 외치고 있었다.
비밀을 알지 못하는 그는 언제 어디서나 환영받지 못할 손님이었다.
“오늘을 무난히 넘기면 다음부터는 내가 잘 구슬려 볼게.”
“전하께서요?”
말투에서 불신이 잔뜩 묻어 나왔다. 의도한 것은 아니었다. 반사적으로 진심이 튀어나왔다.
무엇을 하건 썩 믿음직스럽지 않은 남자가 무려 황제와 황후를 구슬리겠다고 하다니. 무조건 실패할 것 같은 예감이 스멀스멀 올라왔다.

의심의 눈초리로 보니 라하트가 삐딱한 미소를 지었다.

“자식 이기는 부모 없다잖아.”

“그렇다면 오늘은 넘어가도록 하죠.”

“하루 정도는 부모님의 기대에 부응하는 척해 줘야 안심하시지. 모든 일에는 순서가 있잖아.”

“…….”

“피곤하겠지만 하루만 양보해 줘. 아플 예정인 내 신부님.”

“……알겠어요. 그리고 그 호칭은 집어치워요.”

라하트에 대한 신뢰는 눈곱만큼도 없었지만 엘로라는 결국 동조할 수밖에 없었다. 피곤하다는 어리광으로 오늘 밤을 그냥 보낸다면 내일 더더욱 귀찮아진다는 사실을 인정해서였다.

또 라하트에게 저당이 잡혀 버려 순순히 따라야 하는 입장이 된 것도 있었다. 그가 협박하기 위해 저런 호칭을 쓴 게 아니라 해도 엘로라로서는 충분히 위협적이었다.

아플 예정인 신부님이라니.

라하트가 어디 가서 말을 잘못 흘리지 않기를 바랄 뿐이었다.

자식이라는 지위를 거들먹거리며 부모를 구슬리는 데 성공할지보다 더 중요했다.

하필 라하트에게 덜미를 잡혀 버린 자신의 실수를 책하며 마차에 몸을 맡긴 엘로라는 얼마 가지 않아 무사히 궁에 도착할 수 있었다.

이제는 익숙한 아모몬 궁이었다.

달갑지 않은 손님을 하나 붙이고 가는 탓인지 만찬 때는 그토록 가고 싶었던 아모몬 궁을 보아도 전혀 기쁘지 않았다.

혹 평소처럼 돌아다니고 있던 아몬이라도 마주치게 된다면 뭐라고 둘러대야 할지 걱정이었다. 공식적으로 아모몬 궁에 남은 시녀는 한 명밖에 없으니까.

불안한 기색을 최대한 숨기고 안으로 들어갔다.

다행히 가장 먼저 만난 건 히나였다. 엘로라를 기다리고 있던 그녀는 엘로라와 나란히 걸어오는 남자, 라하트를 보고 눈이 휘둥그레졌다.

자신이 헛것을 보고 있다고 여겼는지 멍하니 두 눈을 껌뻑이는 히나에게 빠르게 눈짓했다. 동요하고 있을 때가 아니었다. 이상한 데에서 눈치 빠른 이 남자가 히나의 행동에서 무언가를 느낀다면 끝장이었다.

"전하께서 오늘 밤 지내고 가실 테니 침실을 정리해 둬."

"예."

절박한 마음의 소리를 들은 건지 빠르게 상황을 파악한 히나가 예의 바르게 허리를 숙이고는 사라졌다.

갑작스러운 상황에 당황함을 감추기 힘들 텐데 대견하게도 처음의 동요를 제외하면 감정 없는 평범한 시녀처럼 보였다.

속으로 안도의 한숨을 내쉰 엘로라는 라하트를 돌아보았

다. 그는 무엇이 신기한지 주위를 둘러보고 있었다. 애초에 히나를 보고 있지 않았던 듯했다.

"갑자기 찾아오셔서 준비하는 데 시간이 걸릴 것 같아요. 기다리는 동안 차라도 드실래요?"

"정원을 구경하고 싶어."

"정원이요?"

"응."

"볼 것도 없어요."

"너랑 걷고 싶어서."

"말은 항상 번지르르하게 하시네요."

"못할 것도 없지."

달콤하게 속삭인 라하트가 습관처럼 미소를 지었다. 잠깐이라도 혹할 만한 외견이었으나 엘로라는 그 얼굴을 보며 정원에 책잡힐 만한 것이 있는지 떠올려 봤다.

정원에는 현재 열심히 가꾼 흔적이 남아 있었다. 좋게 말하면 자연스럽고, 나쁘게 말하면 정리돼 있지 않았던 수풀이 깔끔해져 있었다. 그 외에 특이 사항은 없었다. 아몬의 존재나 엘로라의 정체를 유추할 만한 단서는 없었다.

간헐적으로 들리던 기괴한 울음소리는 아몬이 바깥으로 나오면서 사라져서 그곳은 평범한 정원이 되었다. 라하트의 궁에서도 볼 수 있는 정원.

딱히 걸리는 점이 없다고 판단한 엘로라는 굳이 라하트를 막을 이유가 없다고 결론을 내렸다.

왜인지 제대로 살피지 않은 것처럼 찜찜했지만 정확한 이유는 몰랐다. 몇 번이나 정원에 대해 생각해 봐도 별달리 문제 될 만한 게 없었다.

엘로라는 허락이 떨어지자 기뻐하는 라하트를 이끌고 정원으로 향했다.

커다랗게 뜬 달이 밝게 지상을 비추는 밤이었다. 등불이 없어도 사위를 육안으로 구분 가능했다. 내리는 달빛을 밟으며 엘로라는 라하트와 나란히 서서 걸었다.

밤공기가 제법 차가웠다. 온몸을 에는 시린 바람에 팔을 쓸었다. 실내에 있을 거라 생각했기 때문에 옷이 얇았다.

견딜 수 없을 정도로 추운 건 아닌 터라 조용히 라하트를 따라가고 있는데 불현듯 라하트가 대충 입고 있던 겉옷을 벗어서 걸쳐 주었다.

"뭐 하는 거예요."

"춥잖아."

"필요 없어요."

"떨고 있는걸."

"착각이겠죠."

당황스러웠다. 열기를 전하기 위해 팔을 어루만진 건 두어 번이었다. 그마저도 괜한 관심을 받고 싶지 않아서 조심스럽게 행동했다. 라하트의 시선은 줄곧 정원을 향하고 있었는데 어떻게 알아챘는지 의문이었다.

겉옷을 다시 돌려주려고 하는데 라하트가 저지했다. 그

는 벗으려는 옷을 더욱 꼼꼼히 여며 주었다. 서툰 솜씨였다. 헛손질도 많이 하는. 밀어낼 거라 생각했는지 어설픈 손짓으로 빠르게 겉옷을 여몄다.

"네 말이 예언이 될 수도 있어."

"제 말이요?"

"아플 예정이라는 거."

"……."

"진짜로 아프면 곤란하잖아."

"전하께서는요?"

"난 튼튼해서 괜찮아. 질병조차 날 피해 가는걸."

말도 안 되는 소리였다. 사람을 가리는 병이 있을 리 없었다.

엘로라는 살짝 인상을 찡그렸다. 라하트는 겉옷을 벗은 탓에 꽤 추워 보였다. 하지만 본인 생각은 전혀 안 하고 있었다. 매우 흡족한 얼굴로 어설프게 걸쳐진 겉옷을 보더니 작게 속삭였다.

"역시 조금 더 튼튼하고 말랑말랑해질 필요가 있어."

바람에 스치듯, 쉽게 지나칠 수 있는 음성이었으나 사위가 조용했기 때문에 귀에 정확히 꽂혔다.

이미 한 번 들었던 말이었다.

다른 얼굴, 다른 시간, 다른 장소에서.

멍해진 엘로라의 어깨를 가볍게 툭툭 친 라하트가 앞장서서 갔다. 잠시 우뚝 서 있던 엘로라는 뒤늦게 정신을 차리고 주위를 두리번거리는 그를 황급히 쫓아갔다.

창백한 빛 아래 반짝이는 금발을 따라가면서도 혼란스러웠다. 별다른 뜻으로 한 말이 아니더라도 찔리는 게 있는 입장으로서 별별 생각이 다 들었다.

로이스와 엘로라.

성별도 다르고 접점도 없는 인물이니 동일 인물이라고는 절대 상상할 수 없었다. 이때까지 제법 완벽하게 연기했지 않았는가. 일반적인 사고를 가진 자라면 절대 동일 인물이라는 생각 같은 건 하지 않을 것이었다.

당장은 그가 잠시 착각했던 것뿐이라고 믿고 싶었다.

그저 술기운에 내뱉은 아무 말이었으면 했다.

힐끔 라하트를 흘겨보았다. 결정적인 증거를 알아냈다면 떠보는 것만으로 끝나지 않았을 텐데 아무 말도 하지 않은 것처럼 태연한 것을 보니 잠시 착각한 게 맞는 것 같기도 했다.

왜 그런 말을 하냐고 묻고 싶어 입이 근질근질했다.

하지만 묻는 타이밍을 놓친 엘로라는 아무렇지 않게 이어지는 라하트의 말에 다시 못난이 엘로라의 가면을 썼다.

"관리가 잘 돼 있네."

"그런가요."

"이전에 왔을 때는 난장판이었거든. 확실히 달라."

정말 난장판이긴 했다. 나무가 외치지 않는 이상 정원을 꾸민 사람이 누구인지 탄로 날 리는 없었기 때문에 잠깐 아모몬 궁에 왔던 첫날을 떠올리던 엘로라는 아무것도 모르는 척 잡아뗐다.

"저는 잘 모르겠네요. 시녀가 유능한가 보죠."

"혼자서 해치울 규모는 아닌 것 같은데. 확실히 네 말대로 시녀가 유능한 것 같네."

그렇게 말한 라하트가 주위를 살폈다.

꼭 무언가를 찾는 것 같았다.

덜미가 잡힌 것일까? 증거를 찾기 위해 주위를 둘러보는 건 아닐까.

바짝 긴장했다. 꼭 언제 터질지 모르는 폭탄을 들고 움직이는 기분이었다.

엘로라가 안절부절못하는 것도 모르고 몇 번이나 어둠을 주시하던 라하트가 고개를 갸웃거리더니 물었다.

"내 신부님은 유령을 본 적 있어? 로이스도 별다른 말 없던데."

"유령 같은 건 없어요."

이제야 라하트가 어째서 정원을 둘러보자고 했는지 알 수 있었다. 그는 지금 유령을 찾고 있었던 것이다. 속으로 허탈한 한숨이 나왔다.

저번에는 입에 침이 마르도록 유령 타령을 하다가 오늘은 조용하기에 잊은 줄 알았더니 크나큰 오산이었다. 입 다물고 있었을 뿐이지 유령에 대한 집념은 포기하지 않았다.

어쩌면 오늘 아모몬 궁에 오겠다고 한 것도 유령을 보기 위함이 아닐까 하는 의심이 갔다.
“정말 없어?”
“네.”
“이상하다. 다들 있다고 하던데.”
“겁주기 위해 일부러 만들어 낸 소문이겠죠. 전하께서도 허상에 대한 미련을 버리세요.”
“내 신부님은 너무 감성이 메말랐어.”
“감성이 메마른 게 아니라 바른 소리를 하는 거예요. 없는 걸 있다고 할 수는 없잖아요.”
“진짜 못 봤나 봐.”
“제가 거짓말한다고 생각하세요?”
“아니, 어쩌면 유령의 머리카락이라도 보지 않았을까 생각했어. 아쉽네.”
라하트는 진심으로 아쉽다는 표정을 지었다. 어지간히 유령이 보고 싶었다는 걸 알 수 있었다.
엘로라는 입맛을 다시는 라하트를 보며 고개를 저었지만 그가 유령이라고 착각하는 존재와 매일 얼굴을 맞대고, 얘기를 나누고, 같은 공기를 마시고 있었다.
굳이 따지자면 유령이 아닌 요정이지만 신화적 존재에 관심을 보이는 라하트로서는 그다지 상관없을 터였다.
유령이든 요정이든 진실을 알게 된다면 환장할 라하트가 눈에 선했다.
“그러고 보니 로이스는?”

"지금쯤 자고 있지 않을까요."
"벌써?"
"제가 알 바는 아니죠."
"음, 그렇지."
계속 유령 타령이나 하지 이번에는 로이스 얘기를 꺼냈다. 유령에 대한 미련과 집착은 버린 걸까. 아니면 한 발짝 물러선 걸지도 몰랐다. 당장 유령으로 노래를 부른다 하여 유령이 눈앞에 나타나는 건 아니니까.
뚱하게 대꾸한 엘로라는 꼬리가 밟히지 않기 위해 관심 없다는 입장을 고수했다.
"그가 어떤 그림을 그리는지는 알고 있어?"
"풍경화를 그린다는 것만 알아요."
"분명 좋은 작품이 나올 거야."
"그렇겠죠. 전하께서 데려온 화가이니."
"네가 좋아하는 화가이기도 하지."
"……."
"궁금하지 않아?"
"무엇이요?"
"그가 그린 그림이."
"아니요."
"너무 단호한걸. 이만큼도 궁금하지 않아?"
"전혀요."
엄지와 검지로 아주 작은 틈을 만든 라하트가 엄청나게

작다는 걸 표현하기 위함인지 눈도 가늘게 떴다. 오만상을 찡그리는 라하트의 노력이 가상했으나 돌아오는 반응은 차가웠다.

하지만 북풍한설처럼 냉랭한 엘로라의 태도에 굴할 라하트가 아니었다. 풀이 죽은 기색 없이, 평소와 같은 미소를 지었다.

"실력 있는 화가야. 다음에는 어떤 작품을 낼지 궁금해질 정도로."

바로 앞에서 칭찬을 들으니 낯간지러웠다. 눈앞에 있는 사람이 당사자인 줄 모르고 꾸밈없이 속내를 털어놓으니 더욱 그런 기분이 들었다.

나지막한 라하트의 말에 엘로라는 표정 관리를 하기 위해 몹시 애썼다. 자칫하다가는 살며시 달아오른 얼굴이 들킬 것만 같았다.

다음 작품이 기다려지는 화가.

다음 기회가 주어진다는 것이 얼마나 소중한지 익히 알고 있었기에 심장이 평소보다 살짝 빠르게 뛰었다.

"나의 잘생김을 완벽하지는 않지만 비슷하게 표현했거든. 칭찬할 만하지."

"……아, 그렇군요."

달아올랐던 얼굴이 빠르게 식었다. 말투도 딱딱하게 나왔다. 두근대던 심장은 언제 그랬냐는 듯이 원래의 맥박을 유지했다.

그러면 그렇지. 라하트가 잘생겼다는 사실은 부정할 수 없었지만 지나친 자기애는 단번에 질색하게 만들었다.

"그가 그린 풍경화를 보고 싶어."

"전하께서 보고 싶다 하셔도 아시다시피 일손이 부족해서 당장은 무리……."

"저거 아니야?"

라하트의 곧은 손가락이 어느 한 방향을 가리켰다. 그것을 따라 시선을 옮긴 엘로라는 외출하기 전과 같은 자리에 그대로 있는 캔버스를 보고 아차 싶었다.

그림을 다 그리고 나면 매일 정리했는데 오늘은 새까맣게 잊고 있었다.

정신없는 하루라 히나 또한 뒷정리하는 걸 깜빡한 듯했다. 물감과 붓이 이젤 주위에 널브러져 있었다. 급히 나간 티가 났다.

환영이라 우기고 싶어도 달빛이 밝은 밤이라 믿어 주지 않을 것이었다.

실수하지 않으려고 그토록 노력했는데 결국 오점이 남았다. 굳이 풍경화를 보여 주지 못할 이유는 없었지만 괜한 트집을 잡히지 않기 위해 노력했던 것들이 한순간에 부서지는 기분이었다. 불쾌했다.

작은 구멍으로 큰 구멍이 생기는 법이었다.

사소한 실수라며 그냥 넘길 수 없었다.

"……그런 것 같네요."

"가 보자."

바보 같은 자신을 탓하며 입술을 깨문 엘로라는 라하트를 따라 캔버스 근처로 다가갔다. 어둠을 헤치고 캔버스 앞에 선 라하트는 그림에 대해 짧게 평가했다.

"좋은 그림이야. 안 그래?"

"그림에 대해서는 문외한이라 잘 모르겠네요."

"나도 잘 몰라."

보랏빛 눈동자가 아직 완성되지 않은 세계를 담았다.

흐리멍덩하고 장난기 가득했던 평소와는 다른 눈빛이었다.

"보자마자 그런 생각이 들었을 뿐이야."

라하트가 뜻 모를 미소를 지었다.

그 안에 담긴 감정을 파악하지 못해 당황한 엘로라는 그림과 라하트의 얼굴을 번갈아 보았다.

본인의 그림을 평가 절하하는 듯해도 객관적으로 말하자면 흔한 풍경화였다. 열과 성을 쏟았지만 수많은 풍경화 사이에 섞인다면 특별한 점을 찾지 못할 풍경화.

이 그림을 통해 라하트는 무엇을 본 것일까. 묻고 싶었지만 이 질문은 못난이 엘로라가 아닌 로이스가 해야 하는 것이었다.

물음을 꾹 삼킨 엘로라는 눈 깜짝할 사이 이때까지 알고 있는 라하트의 얼굴로 돌아오는 것을 목격했다. 흐리멍덩한 주정뱅이의 얼굴이었다.

"그런데 이 갈색 머리칼의 사람은 뭘까?"

"아, 앗. 그러게요."
"사람, 맞겠지?"
"저는 잘 모르겠네요."
그는 즉흥적으로 그려 넣은 아몬의 뒷모습을 가리키고 있었다.
식은땀이 흘렀다. 라하트가 아몬의 존재를 모르기 때문에 그림 속 여인이 누구인지는 아무리 봐도 모르겠지만 추궁은 피할 수 없을 터였다.
다음에 로이스로 만날 때 꺼내야 할 변명거리를 준비해야 할 듯했다.
잔뜩 당황한 엘로라의 옆에서 라하트가 고개를 숙여 그림을 뚫어져라 쳐다봤다. 그림에 구멍이 뚫리는 건 아닐까 걱정이 될 정도였다. 그는 갈색 머리칼을 한 존재에 집중했다.
눈싸움이라도 하듯, 눈 한 번 깜빡이지 않았다.
계속 본다고 하여 누굴 그렸는지 알 수 있는 것도 아닌데 완전히 집중하고 있었다. 덩달아 긴장한 엘로라는 라하트가 그림에 대한 집착을 버리길 기다렸다.
그리고 제법 긴 시간이 흐르고 난 후, 라하트가 천천히 입을 열었다.
"……유령이야."
"예?"
"로이스가 유령을 본 거야!"

정답을 찾은 그가 외쳤다.

유령을 외치는 그의 목소리에는 생기가 넘쳤다. 너무나 라하트다운 답을 찾아냈기에 엘로라는 어이가 없어서 관자놀이를 지그시 누를 수밖에 없었다.

어찌 근접한 답이기는 했으나 결국은 유령이었다. 돌고 돌아 대화의 주제가 제자리로 온 느낌이었다.

"당장 로이스에게 물어봐야겠어."

"전하, 진정하세요!"

한걸음에 달려가려는 라하트를 붙잡았다.

아모몬 궁에서 라하트를 만나 줄 로이스는 존재하지 않았다. 제멋대로 행동하게 내버려 뒀다가는 작은 구멍이 큰 구멍으로 번지기 십상이었다.

이것만은 꼭 막아야 한다고 판단한 엘로라가 빨리 로이스를 만나야 한다고 주장하는 라하트를 막았다.

그렇게 두 사람이 한창 실랑이를 벌이고 있을 때, 다행히도 히나가 찾아왔다.

합방 준비를 마쳤다는 히나의 말에 아모몬 궁에 온 진짜 목적이 떠올랐는지 꼭 붉은 깃발을 눈앞에 둔 투우처럼 굴던 라하트가 금세 진정했다.

분명 정원을 한 바퀴 돌았을 뿐인데 피곤이 배가 된 엘로라는 잔뜩 지친 얼굴로 라하트와 함께 이동했다.

이대로 하루가 끝났으면 하는 바람만이 무럭무럭 자라는 순간이었다.

씻는다는 핑계로 수정 화장의 기회를 노리게 된 엘로라는 욕실에서 히나에게 상황을 설명했다. 황제와 황후의 과도한 친절이나 라하트의 유령에 대한 집착 같은 건 제외한, 최대한 간결한 상황 설명이었다.

간단하게 얘기했을 뿐인데 안색이 파리하게 질린 히나는 아가씨가 고생이 많다며 호들갑을 떨었다. 더불어 아몬은 혹 모를 사태를 대비하여 임시 감금에 처해졌다는 얘기 또한 해 줬다. '감금'이라는 단어 탓에 가혹한 처사처럼 보일 수 있었는데 그냥 구석진 방에서 하루만 가만히 지내 달라고 부탁한 것이었다.

이전의 대화로 사태의 심각성을 인지한 아몬은 선뜻 히나의 부탁에 긍정해 주었고, 지금쯤 아주 잘 자고 있을 거라고 했다.

엘로라로서는 갑작스러운 사태에 어리둥절했을 친구가 좋은 꿈 꾸며 자길 바랄 뿐이었다.

히나에게 감사의 인사를 한 엘로라는 수정 화장과 목욕을 마치고 침실로 갔다.

히나가 말끔하게 치운 덕에 화장품이나 가발 같은 위험한 물품이 사라진 침실에는 침대 헤드에 기대어 앉은 라하트가 꾸벅꾸벅 졸고 있었다.

라하트 또한 고단한 하루였던 듯했다.

그의 손에 들린 파이프를 보고 작게 한숨을 쉰 엘로라는 슬금슬금 침대에 올라가서 반듯하게 누웠다. 라하트와 일정 거리를 유지한 채였다.

아무 짓도 안 하기로 약조했다 하더라도 가까이서 자는 건 꺼려질 수밖에 없었다.

라하트를 깨우지 않도록 최대한 불필요한 행동을 줄이고 숨도 죽인 채 누웠다. 하지만 예민하게 기척을 느낀 라하트는 엘로라가 눕자마자 눈을 떴다.

잠기운이 아직 남아 있는지 느릿하게 눈을 껌뻑였다. 초점이 맞지 않는 보랏빛 눈동자와 마주하게 된 엘로라는 그냥 눈을 감았다.

어차피 목적은 잠이었다. 쓸데없이 잡담이나 나누려고 지금 이 시간에 같이 있는 게 아니었다.

조용히 한숨 자다가 아무 일 없이 돌아가는 것. 황제와 황후는 다른 것을 원했지만 라하트와 엘로라는 이미 사전 협의를 보았다. 그들이 원하는 일은 절대 일어날 수 없었다.

만약 라하트의 돌발 행동만 아니었어도 엘로라는 그렇게 피곤한 몸뚱이를 휴식시키기 위해 잠을 청했을 거다.

"좋은 향이 나네."

잠긴 목소리로 중얼거린 라하트가 기다란 은발을 끌어당겨 냄새를 맡았다. 아직 덜 깬 게 분명했다. 깜짝 놀란 엘로라는 손바닥으로 라하트의 이마를 짚어 밀어냈다.

강한 힘은 아니었으나 라하트를 깨우기에는 충분한 몸짓이었다. 그제야 정신을 차린 라하트가 황급히 머리칼을 놓았다.

"아, 미안."

"허튼수작 부리지 말고 자요."

고저 없는 음성이 사위를 울렸다.

하지만 딱히 라하트에게 닿은 것 같지는 않았다. 반사적으로 미안하다고 사과한 것인지 몇 번 더 느릿하게 두 눈을 껌뻑거리던 라하트는 자신이 왜 이곳에 있는지조차 기억하지 못하는 표정을 지었다. 바보 같은 얼굴이었다.

이대로 일어난다면 필시 벽이나 바닥에 얼굴이 부닥쳤을 것이었다.

잠기운을 떨쳐 내지 못한 라하트를 내버려 두고 다시 눈을 감았다. 그런데 시간이 지나도 라하트는 눕지 않았다. 대신 엘로라를 가만히 내려다보았다. 눈을 감아도 느껴지는 부담스러운 시선이었다.

얼굴이 포크로 콕콕 찔리는 듯한 기분이었다.

아직도 잠에서 덜 깬 걸까.

눈썹이 꿈틀거렸다. 당장에라도 눈을 뜨고, 제발 좀 자라고 외치고 싶었다. 그랬다가는 의미 없는 대화가 쭉 이어질 것만 같아 꾹 참았다.

이런 엘로라의 노력을 알 리 없는 라하트가 제법 긴 시간이 흐른 후 드디어 입을 열었다.

"정말 괜찮은 거야?"

"네."

"무엇에 대해 묻고 있는지 말하지 않았잖아. 대답이 빠른걸."

한 치의 망설임도 없는 즉답에 라하트가 작게 웃음을 터트렸다.

독심술을 배우지 않은 탓에 라하트가 지금 무슨 생각을 하고, 무엇을 걱정하면서 묻는 건지는 몰라도 대답은 정해져 있었다.

그 누가 묻는다 하여도 한결같이 똑같은 대답이었다.

"전하께서 무슨 말을 하고 싶은지는 모르겠지만 저는 괜찮아요."

결국 눈을 떴다. 올곧은 푸른 눈동자와 마주하게 된 라하트는 웃음기를 지웠다.

바보 같은 얼굴은 어디로 가고 멀쩡하다 못해 제법 근사하게 생긴 남자가 있었다. 흐릿한 촛불만이 너울거리는 방안에서 라하트의 얼굴에 길게 그림자가 졌다.

익히 알던 얼굴이 아니라고 느껴졌기 때문에 눈을 깜빡였다. 그러자 아까 보았던 그 얼굴이 사라졌다. 대신 흐리멍텅한 눈동자를 한 라하트가 그곳에 있었다.

어둠으로 인한 착각이었던 걸까.

어쩐지 찜찜하여 다시 눈을 감지 않고 라하트의 얼굴을

유심히 보고 있는데 그가 천천히 말을 꺼냈다.

"네 오라비에게 자주 편지를 보낸다고 들었어."

"뒷조사하신 거예요?"

"주위에서 항상 그 얘기이니 모르고 싶어도 모를 수가 없는걸."

비밀스럽게 편지를 보낸 것도 아니니 소문이 퍼지는 건 자연스러운 현상이었다. 마치 소문이 나길 원하는 것처럼 보란 듯이 편지를 보냈지 않은가. 에곤 또한 남들 보라는 것처럼 단 한 번도 히나에게 답장을 쥐여 준 적이 없었다. 모두 의도된 행동이었다.

그리고 이 얘기를 꺼내는 라하트 또한 엘로라가 계산한 대로 편지를 보낸 것에 이상함을 느끼지 않았다. 다른 이들 또한 그럴 것이다. 엘로라가 보낸 편지를 굳이 펼쳐 보지 않았어도 저들끼리 내용을 추측하고, 소문의 그녀라면 충분히 할 수 있는 행동이라 단정 지었을 것이다.

이상한 곳에서 예민한 라하트마저 에곤과 무슨 비밀 계획을 주고받았는지 짐작도 하지 못하고 있으니 성공이었다.

단지 소문 같은 걸 딱히 듣지 않고 살 듯한 라하트의 귀에도 이 얘기가 들어간 것이 살짝 의외였다.

황궁에 얌전히 있을 때가 없는 라하트가 들었을 정도면 황궁에서 엘로라가 에곤에게 보내는 편지의 존재를 모르는 사람이 없다고 보아도 될 듯했다.

황궁에 떠도는 소문을 직접 접할 기회가 없는 엘로라로

서는 제법 재미있는 사실을 알게 된 기분이었다.

얼굴을 보고 있으면서도 다른 생각에 빠진 엘로라의 귀에 불쑥 이어지는 라하트의 목소리가 꽂혔다.

"그리고 신부가 답이 오지 않는 편지를 매일 보내는데 남편인 내 귀에 들리지 않을 리 없잖아."

그 순간 라하트가 어째서 이 얘기를 꺼냈는지 대충 알 것 같았다.

답이 오지 않는 편지, 유령이 나오는 허름한 궁.

그리고 제 가족에게 매달린다고 소문이 난 여자.

눈앞에 있는 이 남자는 만들어 낸 불행을 목도하고선 걱정하고 있었다. 그래서 두서없이 괜찮냐는 물음을 던진 것이고.

이러니 나쁜 사람이 아니라는 평을 내릴 수밖에 없는 것이었다.

"거듭 말하지만 저는 괜찮아요."

"……."

"정말."

라하트가 허튼짓을 하지 않도록 못 박았다.

거짓이 담기지 않은 진심이기도 했다.

괜찮았다. 모든 것이.

남들은 엘로라가 아모몬 궁에서 억지로 버티고 있다고 생각하고 있지만 자진해서 들어온 곳이었다. 비밀 통로도 찾고, 의도치 않았지만 아몬이라는 친구도 알게 되었고, 이제 황태자의 신부만 찾으면 원래 생활로 돌아갈 수 있었다.

황태자의 신부가 될 만한 사람을 찾는 것도 그다지 힘들지 않았다. 국외로 눈을 돌리니 후보가 제법 많았다. 나이 차도 많이 나지 않고, 신분도 적절한 여성이.

적당히 계획을 세워, 필연을 우연으로 둔갑시켜서 황태자가 사랑에 빠지길 기다리면 끝나는 일이었다. 라하트가 걱정할 일 따위는 하나도 없었다.

그의 과분한 관심은 오히려 독이었다.

더는 가까이 다가오지 않길 바라는 마음으로 마주친 시선을 피하지 않았다. 이에 어둠 속에서 가만히 보고 있던 라하트가 깊은 한숨을 내쉬었다.

"어머니께서도 말씀하셨지만 불편한 점이 있다면 언제든 말해. 그냥 하는 말 아니야. 이곳이 저택보다 좋다는 것도 거짓말이잖아."

"다 듣고 계셨네요."

"반쯤."

이런저런 상황이 라하트의 걱정을 부채질한 듯했다.

쓸데없는 걱정이었다. 최대한 표정을 굳힌 엘로라는 냉랭하게 라하트를 쳐 냈다.

"어차피 헤어질 사이인데 내버려 두세요."

"하지만……."

"말했잖아요. 결혼 전과 변함없는 생활을 하면 된다고. 계약을 잊지 마세요."

차분하게 이어지는 말에 라하트는 당황한 것처럼 보였다.
그 얼굴을 보고 있자니 문득 궁금해졌다.
라하트가 보는 엘로라라는 여자는 어떤 사람인지에 대해서.
히나가 보는 엘로라는 이타적인 사람이었고, 아몬이 보는 엘로라는 마법사 같은 사람이었다.
그렇다면 라하트는 자신을 어떤 식으로 보고 있을까.
세상에서 제일 불쌍한 여자? 주제도 모르고 자존심만 세우는 여자?
부정적인 문장이 여럿 떠올랐다. 대부분 '동정을 받아야 하는 사람'이라는 것이 주였다.
엘로라는 지금 동정받을 가치도 없는 사람을 표현하고 있지만 원래 보는 이에 따라 다르게 느낄 수 있는 법이었다. 그림을 그릴 때도, 글을 쓸 때도, 연기할 때도 사람마다 해석이 미묘하게 달랐기에 알고 있었다.
이 질문에 대한 대답은 라하트만이 내놓을 수 있었다.
그러나 이 상황에서 날 어떻게 보고 있냐고 물을 수는 없기 때문에 엘로라는 궁금증을 마음에 담아 두었다. 하지만 라하트는 자신의 궁금증을 마음에만 담아 두지 않았다.
"내가 네 미적 기준에 맞게 생겼더라면 상황이 조금은 다르게 흘러갔을까?"
"이야기가 왜 그쪽으로 튀는 건지 모르겠네요. 그리고 전하께서 제시한 전제 조건은 이루어질 수 없는 거예요."
"만약의 상황을 떠올려 보는 거지."

소모적인 대화의 시작일 뿐이었다. 대답할 가치도 못 느끼겠다고 딱 잘라 말하려던 엘로라는 떠오르는 기억 하나에 충동적으로 대답하고 말았다.

"그랬다면 다른 여자를 찾았겠죠."

"……."

"전하께서는 여자가 많으시잖아요."

그가 많은 여자를 만난다는 건 새삼스러울 것 없는 사실이었다. 술과 여자를 좋아하는 망나니 황자. 치정 관계로 인해 암살당할 뻔하기도 한 남자이기도 했다.

처음 만났을 때도 여자와 함께 있었던 그는 그 많은 여자들 속에서 자신에게 관심 없는 여자를 찾고 있었다. 그래서 우연히 눈에 띈 로즈를 택했다.

비록 로즈는 죽었지만 결혼 상대가 이혼부터 제안하니 흥미를 보였다. 굳이 로즈를 대체할 여자를 찾을 필요가 없었기 때문이었다.

나사 빠진 행보로 가려져서 그렇지 평소 행동만 본다면 바람둥이의 표본이 아닐 수 없었다.

"다른 여자라니. 네 생각만 하면서 지내고 있는데."

"오늘따라 거짓말을 많이 하시네요. 전하께서 만나는 여자가 많다는 건 저도 아는 사실이에요."

"안 만나."

단호하게 말한 라하트가 빠르게 말을 이었다.

"결혼하고 나서부터 다른 여자는 안 만나고 있어."

"어째서요?"

순수한 궁금증이었다. 엘로라는 라하트에게 단 한 번도 다른 여자를 만나지 말라고 한 적이 없었다. 오히려 평소처럼 술 마시고, 여자를 만나고, 방탕한 생활을 계속하라고 계약서까지 썼다.

그런데 지금까지 쭉 이어 오던 생활을 바꿨다고 한다.

무엇이 계기가 되었는지 모를 일이었다.

"최소한의 예의잖아."

"전하께서는 그 최소한의 예의도 안 지키는 경우가 많잖아요."

"그거랑 이건 다른 경우지."

"……."

"넌 내게 하나뿐인 신부잖아."

항상 듣기에 좋은 말만 했다. 하나뿐인 신부라니. 상황을 전혀 모르는 타인이 듣는다면 사랑에 빠진 남자가 할 법한 말이 아닌가.

어쩐지 기분이 나빠졌다.

오랜만에 로즈였을 때가 떠올랐기 때문일까.

이 자리에 있는 자신은 로즈와 전혀 관계없는 사람이어야 된다는 걸 인식하고 있건만 입이 먼저 움직였다.

"누구라도 될 수 있는 허울 좋은 신부 자리잖아요. 거창하게 포장하려 들지 마세요."

"그렇게 보여?"

"네."
라하트의 입꼬리가 살짝 올라갔다.
입은 웃고 있었지만 눈은 전혀 그렇지 않았다.
습관적인 미소였다.
"여러모로 내가 더 노력해야겠는걸."
"지금 말고 다음에 노력하세요."
상처가 될 법한 말이라는 건 알고 있었다. 말을 하면서도 심장이 따끔하고 아파 왔으니까. 하지만 미안하다고 사과할 수 없었다. 지금 이 자리에 있는 건 못난이 엘로라라는 사실을 계속 상기시킬 필요가 있었다. 동정할 가치도 없는 여자가 돼야 했다.
입술을 꾹 다문 엘로라는 등을 돌렸다.
숨 막히는 정적이 사위를 에워쌌다. 손가락 하나 까딱하지 못하는, 불편한 정적이었다.
일 분이 한 시간이라고 느껴질 만큼 힘든 시간이었다.
경직된 채로 가만히 있는데, 한참 지나서 눕는 소리가 들렸다. 드디어 라하트가 잠에 들기 위해 누운 것이었다.
그제야 눈을 감았다.
어둠이 드리웠다.
어서 내일이 오길 바랄 뿐이었다.

엘로라는 감은 눈에 힘을 주었다.
자고 싶다고 하여 잘 수 있을 리 없었다. 곤히 자려면 마음이 편해야 하는데 신경 쓰이는 게 한두 가지가 아니었다.

일단 화장하고 있는 채라 얼굴이 괜히 거슬렸고, 라하트에게 한 폭언 때문에 가시밭에 뒹굴고 있는 기분이었다. 폭신한 침대의 감촉 따위는 전혀 느껴지지 않았다.

숨 쉬는 것마저 조심스러웠다. 한 번 숨소리를 의식하니 자연스럽게 호흡하는 법을 잊어버려, 스스로 느끼기에 어색한 호흡을 계속하게 되었다. 마음 같아서는 당장 몸을 돌려 미안하다고 외치고 싶었다.

대화가 끝난 후 라하트가 죽은 듯이 조용한 것도 모두 자신 탓인 것 같았다. 깊은 침묵을 통해 편안함보다 불안함을 느끼게 되는 순간의 연속이었다.

자책으로 얼룩진 시간을 보냈다.

동이 틀 때까지 절대 끝나지 않을 자책이었다.

속으로 차라리 다른 말을 할 걸 그랬다며 끊임없이 번뇌하고 있는데 라하트가 처음으로 기척을 냈다.

귀가 절로 쫑긋 세워졌다. 긴 정적 끝에 라하트가 드디어 움직였다.

가만히 소리를 듣던 엘로라는 이상함을 느꼈다. 잠결에 뒤척이는 것이 아니었다. 아예 일어나서 침대를 벗어나고 있었다.

살며시 실눈을 떠서 보니, 어둠 속에서 라하트의 형체가 흐릿하게 보였다. 그리고 그는 점점 멀어지고 있었다.

혹 상처받아 나가는 것일까.

심장이 덜컥 내려앉았다.

이때까지 엘로라가 겪은 라하트는 그렇게 섬세한 남자가 아니었지만 무디다 하여 상처를 안 받는 것이 아니었다.

아무리 단단한 표면이라고 해도 여러 번 베이고 쓸리면 생채기가 생겼다. 몇백 년간 물방울이 한곳에 떨어진다면 돌덩이마저 파이지 않는가.

심지어 물체가 아닌 사람의 마음이었다.

언어의 무게와 힘을 익히 알고 있는 엘로라로서 여간 걱정되는 게 아니었다. 나가려는 라하트를 그대로 보내려다가 결국 몸을 일으켰다.

"……어디 가세요?"

"담배 피우러."

놀란 기색 없이 라하트가 평소와 같은 얼굴로 파이프를 흔들었다. 목소리 또한 변함없었다. 마치 아무 일도 없었던 것처럼.

묘한 위화감을 느낀 엘로라는 지그시 라하트를 주시했다. 맞지 않는 퍼즐 조각을 억지로 끼워 놓은 그림을 보는 기분이었다.

어디가 잘못된 걸까. 걱정과 다르게 조금도 변치 않은 그 얼굴을 가만히 보던 엘로라는 조심스럽게 말을 꺼냈다.

"……안 돌아오실 거죠?"

"왜 그렇게 생각해?"

눈꼬리까지 접히게 빙긋 웃었다.

꼭 상처받은 적 없는 사람 같았다.

라하트가 정말 상처받지 않았을 수도 있었다. 괜한 말을 했다고 혼자 땅을 파고 있었을지도 몰랐다. 그러나 지금 당장 마주한 얼굴에서 부자연스러움을 느꼈다. 그 사실이 중요했다.

"이때까지 단 한 번도 돌아온 적이 없으니까요."

"그랬던가."

라하트는 파이프를 손안에서 굴리며 능청을 떨었다.

언뜻 보기에는 전혀 기억나지 않아서 하는 행동인 것 같아도 그가 대답을 회피하기 위해 저런 행동을 취하고 있다는 걸 쉽게 알 수 있었다.

확신이 들지 않은 상태에서 질문을 던졌는데 부정하지 못하는 그의 대답으로 정확히 깨달았다.

이번에도 돌아오지 않을 생각으로 나가는 것이었다.

"첫날밤에도, 그 후에도. 계속."

"내 의지가 아니라는 걸 알고 있잖아."

술, 담배, 여자. 혹은 도박까지.

라하트가 즐기는 그 모든 유흥이 밤에 즐기기에 좋은 것이었다. 중독에 가까운 그의 평소 행동 탓에 굳이 말을 꺼내지 않아도 밤중에 나가면 그중 하나를 즐길 거라고 예상되었다. 엘로라 또한 이때까지 그렇게 생각했다.

왜 더 일찍이 깨닫지 못한 걸까.

라하트는 담배 냄새가 난다며 차가운 바닥에서 자고 다

른 여자를 만나지 않느냐는 물음에 최소한의 예의라며 선을 긋는 사람이었다.

바람둥이 기질 탓에 얼떨결에 나온 말을 마음대로 해석한 것일 수도 있어도 매번 잘해 주려고 노력하는 그 진심은 진짜였다.

한없이 가벼워 보이는 행동에 시선이 빼앗겨 그가 악한 사람이 아니라는 걸 잊어서는 안 됐다.

다가설수록 선명해졌다.

하나둘씩 다시 맞춰지는 퍼즐에 손에 힘이 들어갔다. 주먹 쥔 손 아래, 침대 시트가 사정없이 구겨졌다. 어둠으로 인해 라하트는 이를 보지 못했다.

“한 대만 피우고 올게.”

아무 말도 하지 않고 가만히 있자 한쪽 눈을 찡긋거린 라하트가 등을 돌렸다. 오늘따라 커다랗게 보이는 등을 보는 순간 조급해진 엘로라는 이것저것 따질 여유 없이 옷자락을 잡았다.

예상치 못한 행동이었는지 라하트가 흠칫했다. 그것을 느끼고는 엘로라 또한 잠시 멈칫했으나 옷자락을 잡은 손은 놓지 않았다.

지금 이 손을 놓는다면 방금 전의 상황이 반복될 뿐이었다.

상처 주고, 상처받고, 자책하고, 고통받고.

이 얼굴로 이런 행동을 해도 되는지에 대한 냉철한 판단은 잠시 물러서 있었다.

"입 돌아갈 거예요."

"걱정해 주는 거야? 이거 영광인데."

"걱정을 안 할 수가 없잖아요."

"괜찮아, 볼흐라스 어디든 내가 눕는 곳이 침대거든. 추위 따위는 큰 문제가 되지 않아."

"……."

"그리고 금방 돌아올 거야."

다정함을 가득 담은 보랏빛 눈동자를 반짝이며 그 어느 때보다 달콤하게 속삭였다. 그 목소리를 듣고, 짙은 보라색 눈동자를 마주하고 있노라면 정말 금방 돌아올 것 같았다.

하지만 알고 있었다. 라하트가 두 번 문턱을 밟을 리는 없다는 걸. 안심시키기 위해서 일부러 저런 표정을 짓고, 저런 목소리를 내는 것이었다. 비슷한 입장에 서 본 적이 있었기 때문에 모를 수가 없었다.

입술을 깨문 엘로라는 라하트의 옷자락을 쥔 손에 더욱 힘을 주었다. 응어리진 죄책감이 온몸을 따끔하게 찔러 왔다.

모진 말을 하지 않았더라면 그를 붙잡지 않았을까, 하는 생각이 짧게 들었다가 이내 지워 버렸다. '만약'이라는 가정만큼 부질없는 건 없었다.

내뱉은 말은 담을 수 없었고, 진실에 가까워진 이상 되돌아갈 수 없었다.

"지키지 못할 약속은 하지 않는 게 나아요."

어둠은 사람을 더욱 솔직하게 만든다.

타인에게 내 얼굴을 숨길 수 있다고 믿게 되니까.
반대로 타인 또한 얼굴을 숨길 수 있음을 간과하면서.
"저 때문인 거죠?"
"아니."
"전하께서 오늘 거짓말한 횟수를 세었다면 두 손으로 다 꼽지 못했을 거예요."
"엄지만 접어도 되지 않아? 내가 알기로는 이번이 처음인걸."
딴청을 피운다 해도 통하지 않을 걸 눈치챈 라하트가 조금 전의 대꾸가 거짓말임을 시인했다. 함께 침대를 공유해야 하는 일이 생길 때마다 자리를 비운 게 의도적이었다는 뜻이었다.
막상 본인 입으로 듣고 나니 무어라 말을 꺼내야 할지 엄두가 나지 않았다.
목구멍에 차오르는 다양한 단어를 짓이겼다.
기저에서부터 올라온 언어는 소리가 되지 못하여 입술만 달싹이게 했다. 몇 번이나 말을 고르던 엘로라는 용기를 냈다.
차오르는 수많은 단어들 중에서 지금 해야 하는 말이 무엇인지 이미 알고 있었다.
진실로 해야 하는 말은 단 하나였다.
"미안해요."
"……."

"아까 한 말, 상처받았다면 미안해요."

죄인처럼 고개를 푹 숙였다.

그토록 하고 싶었던 말을 하고 나니 시원하기보다는 더욱 마음이 아팠다. 그동안 자신이 불편해한다는 걸 알고 일부러 밤마다 자리를 비켜 줬는데 다음번에 노력하라는 말이나 하다니. 라하트가 화를 내도 달리 할 말이 없는 상황이었다.

푹 숙인 고개를 들지 못했다. 가만히 그런 은빛 머리통을 내려다보던 라하트가 옷자락을 구명줄처럼 쥔 하얀 손가락을 조심스럽게 떼어 냈다. 어찌나 세게 쥐고 있는지 손이 바들바들 떨렸다.

"미안하면 다음에 소원 하나만 들어줘."

"……전하께서 나가지 않으면 들어줄게요."

"그건 조금 곤란해. 실내는 금연이잖아."

"굳이 오늘 밤에 흡연할 필요는 없잖아요."

"이런, 지금도 금단 현상 때문에 손이 덜덜 떨리고 있는 사람 앞에서 할 이야기는 아닌 것 같은데."

라하트가 자신의 손을 눈앞에서 흔들어 보였다.

단순 농담이 아니었다. 그의 손이 잘게 떨리고 있었다. 당황한 엘로라는 덥석 라하트의 손을 잡았다.

떨림이 전해졌다. 그것이 잦아들길 바라는 마음으로 손을 잡고 있으니 라하트가 의외라는 듯이 쳐다보았다. 그래도 놓지 않고 가만히 있자 그의 시선이 한곳에서 멈췄다.

"손등, 다 나았네."

"……네."

아몬 덕분에 찻물을 엎어 생겼던 상처는 깔끔히 나아 있었다. 평소라면 라하트가 이 점을 지적하자마자 벌레라도 본 듯이 화들짝 놀라며 손을 치웠을 텐데 지금은 그럴 수 없었다.

지금 이 자리에 있는 사람은 진짜 자신이니까.

라하트와 거리를 벌리는 대신 더욱 꼭 손을 잡았다.

손을 잡는다 해서 금단 현상이 나아질 리 없다는 건 알고 있었지만 놓을 수 없었다. 엘로라는 그가 자신 때문에 나가지 않길 바랐다.

"다행이다."

다른 한 손으로 깨끗하게 나은 엘로라의 손등을 톡톡 친 라하트가 미소를 지었다. 그리고 벌떡 일어났다.

"이제 내 손도 나아야 할 차례지?"

"하지만……."

차마 말을 잇지 못하고 입술을 다물었다. 언제 다가온 건지 얼굴이 지나치게 가까웠다.

긴장으로 온몸이 뻣뻣하게 굳었다. 마치 키스를 할 듯, 더욱 좁혀지는 거리에 밀어내야 한다는 생각도 못하고 두 눈을 질끈 감았다.

"어서 자."

입술이 가볍게 닿았다가 떨어졌다.

이마에.

자신이 속았음을 깨달은 엘로라가 눈을 떴지만 이미 늦었다. 그가 가까이 다가온 것만으로도 뻣뻣하게 굳은 몸은 천 마디 말보다 더 솔직하게 다가왔을 터였다. 라하트는 이미 알고 있다는 표정을 짓고 있었다.

"내일은 또 내일의 선물을 기다려야지."

"어린아이 취급하지 마요."

"어린아이만이 선물을 기다리는 건 아니야."

다정하게 속삭인 라하트가 은빛 머리칼을 귀 뒤로 넘겨주었다. 그리고 손에 힘이 풀린 틈을 타, 자연스럽게 떨쳐내고 한 걸음 뒤로 물러섰다. 어둠에 잠기는 라하트를 다급히 불렀다.

"전하."

"괜찮아."

"그래도……."

"정말 괜찮아."

엘로라는 저 괜찮다는 말의 의미를 익히 알고 있었다.

이미 한 번 엘로라의 입에서도 나왔던 말이었으니.

방금 전까지도 꽉 잡고 있었던 손에 온기가 남아 있었다. 그 손으로 라하트를 붙잡는 대신 두 손을 맞잡았다. 붙잡고 싶어도 붙잡을 수 없는 상황이었다.

"좋은 꿈 꿔."

그 말만 남기고 문 너머로 사라지는 라하트를 지켜보았다.

어찌 한다 해서 해결할 수 있는 일이 아니었다. 당장 그를 쫓아간다 해서 좋아할 사람은 없었다.

단지 라하트가 몰랐던 것이 있다면 그렇게 떠난 사람을 두고 엘로라가 편히 잠들 수 있을 리 없다는 것이었다.

제법 긴 시간 동안 멍하니 침대 위에 앉아 있다가 겨우 누워도 정신이 또렷했다. 한동안 세 명이서 같이 잤던 탓인지 아무도 없는 옆자리에 계속 시선이 갔다.

그러다가 결국 동이 트기 전에 문을 열었지만, 문밖은 썰렁했다. 어디 숨어서 자는가 싶어서 주위를 둘러보았지만 마찬가지였다.

머리카락 한 올 보이지 않는 라하트의 행방에 잠옷 차림으로 아모몬 궁을 돌아다녔지만 그는 이미 떠나고 없었다.

싸늘한 복도에서 희뿜히 밝아 오는 새벽을 홀로 맞이한 엘로라는 만감이 교차하는 얼굴로 고개를 숙였다.

기나긴 하루가 끝나고 있었다.

그날 이후 라하트의 신부인 엘로라로서 라하트를 만날 수 없었다.

자식 이기는 부모는 없다는 말이 그대로 통했는지 황제

와 황후는 엘로라에게 무리하게 합방하라는 요구를 하지 않았다. 덕분에 로이스만이 일주일에 세 번 라하트를 만나 열심히 그림을 그렸다.

합방 이후 풍경화에 그려진 갈색 머리칼의 정체를 궁금해하는 라하트에게는 허전해 보여서 한번 그려 봤다는 변명을 했다. 그리고 싶어서 그렸다는데 뭐라 할 사람이 아니라는 걸 알기 때문에 수많은 고민 끝에 결정한 변명이었다.

그래도 유령을 들먹거리면서 호들갑 한 번쯤 피울 줄 알았는데 얌전히 수긍하고 넘어갔다. 그건 조금 예상 밖의 일이었다. 또 예상 밖의 일이 하나 더 있다면 합방 이후 어쩐지 라하트가 멍해 보였다는 것이다.

원래 멍한 사람이긴 하지만 정도가 더욱 심해졌다.

아예 영혼을 다른 곳에 두고 온 사람처럼 굴어서 그림 그리는 데는 편했지만 시기가 시기다 보니 묘하게 신경 쓰였다.

다른 날도 아니고 합방한 날 직후 상태가 이상해져서 혹 자신이 영향을 끼친 건 아닐까 걱정이 되었다.

직접 물어볼 수 있는 위치가 아니라서 그냥 눈치만 살필 뿐이었다.

그렇게 흐르는 시간 속에서 꾸준히 노력한 덕에 초상화와 풍경화가 무사히 완성됐다. 건국제를 일주일 앞둔 시점이었다. 아슬아슬하게 시기를 맞춘 것이다.

가장 걱정했던 초상화는 생각보다 더 완성도 있게 마무리가 되어서 매우 뿌듯했다. 라하트 또한 완성된 그림을 보며 기뻐했으면 좋았겠지만 그는 그때마저도 넋이 나간 상태였기 때문에 싱거운 반응을 보였다.

그냥 한 번 쓱 보고 고개만 끄덕였을 뿐이었다. 그게 좋은 의미인지 나쁜 의미인지는 모르겠으나 긴 시간 끝에 그림은 완성됐다. 그리고 그림이 완성됐다는 건 이제 로이스가 사라질 시간이라는 의미였다.

더는 무리하게 변장하지 않아도 되고 라하트를 만남으로써 난처할 일이 없다는 뜻이기도 했다.

기뻐해야 함이 분명한데 그림을 다 그리고 나서 든 생각은 섭섭함이었다. 제법 오랫동안 로이스로 살아와서 애착이 가는 듯했다.

하지만 로이스가 더는 존재해야 할 이유가 없었다.

미련 없이 보내 줘야 할 때였다.

이른 아침, 로이스로 변장을 마친 엘로라는 구색을 맞추기 위해 들고 왔던 짐을 챙기고 아모몬 궁에 대기하고 있는 마차에 올라탔다.

로이스의 집에서 내린 후 비밀 통로를 통해 다시 궁으로 돌아가는 것이 오늘의 계획이었다. 중간에 뮐런 씨와 직접 만나 작별 인사를 할까 고민했지만 굳이 만나면 미련만 남을 것 같아 간단하게 편지만 남겨 놓았다. 뭐든 깔끔한 게 좋았다.

마차가 움직였다. 엘로라는 등받이에 몸을 기대어 빠르게 지나가는 창밖 풍경을 보았다.

이 얼굴로 살아가는 것이 오늘로 끝난다는 게 딱히 실감 나지 않았다. 어쩌면 사고로 죽이지 않고 조용히 이별을 맞이하기 때문일지도 몰랐다.

마지막은 특별했다.

오늘은 평범하기 때문에 특별한 마지막이었다.

로이스로서 겪었던 지난날을 돌아봤다. 만약 황궁을 빠져나가던 마차가 급정거하지 않았더라면 그렇게 계속 여운을 씹었을 것이다.

잘 가던 마차가 갑자기 멈춘 탓에 크게 흔들렸다. 창문에 콩 이마를 박은 엘로라는 깜짝 놀라 주위를 둘러봤다.

무슨 일인지 전혀 짐작 가지 않았다. 아직 황궁이었고, 이른 아침부터 잘 가는 마차를 세울 만한 무언가는 황궁에 존재하지 않았다.

바깥으로 나가 상황을 살펴보기 위해 문고리를 잡았다. 그리고 문고리를 잡자마자 벌컥 문이 열리고, 쏟아지는 빛과 함께 라하트가 모습을 드러냈다.

"이른 시간에 나가네."

"……라하트 전하?"

엘로라가 재차 확인하듯, 당황스러움이 묻어난 목소리로 라하트를 불렀다.

만약 누군가 꿈이라고 속삭였다면 믿었을 것이다. 하지만 눈앞에 있는 라하트는 환상이 아니었다.

갑자기 열린 문 탓에 균형을 잃은 엘로라는 볼썽사납게

라하트의 품으로 넘어질 뻔한 걸 겨우 모면하고는 무사히 마차에서 내렸다.

라하트는 괜찮다고 했지만 예법상 전혀 괜찮지 않은 행동이었다.

허겁지겁 마차에서 내리니 라하트가 작게 웃음을 터트리며 마차를 세운 이유를 설명했다.

"생각해 보니 작별 인사를 제대로 하지 않은 것 같아서 찾아왔어."

"아."

"요즘 고민거리가 많았거든."

"지금은 다 해결되셨나요?"

"음, 거의?"

한결 가벼워진 표정으로 어깨를 으쓱였다.

확실히 최근에 봤던 넋 나간 모습보다 훨씬 나은 상태였다.

"앞으로 뭐 하고 지낼 생각이야?"

"견문을 넓힐 겸, 해외로 나가서 그림을 그릴까 생각 중이에요."

"그렇구나. 나쁘지 않은 선택이지."

젊은 화가가 돈을 벌어서 해외로 나간다는 것이 전혀 이상하지 않았기 때문에 라하트 또한 수긍했는지 고개를 끄덕였다.

"앞으로 보기 힘들겠네."

"그렇죠. 해외니까요."

"그건 좀 아쉬울 것 같아."

무어라 답해야 할지 몰라 어색하게 웃음만 흘렸다.

그런 엘로라를 가만히 내려다보던 라하트가 천천히 말을 꺼냈다.

"원래는 그녀와 함께 있는 그림을 그려 달라고 부탁할 생각이었어."

"……."

"그런데 생각해 보니까 무조건 거절할 것 같더라고. 그래서 따로 맡긴 거였는데 좋은 그림이 나와서 만족하고 있어. 이것도 하나의 추억이 되겠지."

"그림, 보셨어요?"

"무슨 소리야. 계속 봤었잖아."

"맞아요, 그랬죠. 제가 잠에서 깬 지 얼마 안 돼서 헛소리를 했네요. 제 그림을 좋아해 주시니 저도 기분이 좋아요."

한 번 쓱 보고 지나가기에 제대로 보지 않은 줄 알았다.

그의 머릿속에 남지 않은 그림이 될 거라 생각했는데 마음에 든다고 하니 다행이었다. 그간 고생이 헛되지 않았음을 알리는 지표니까.

화가의 마음에도, 의뢰인의 마음에도 드는 그림을 그리는 건 굉장한 일이었다.

"아, 맞아. 이걸 주고 싶었어."

퍼뜩 떠올랐는지 라하트가 주머니를 뒤졌다. 대금은 이미 지불했기 때문에 라하트에게 받을 건 없었다.

무엇인가 싶어 유심히 보고 있으니 라하트가 손바닥만 한 유리병을 꺼냈다. 그 안에는 색색의 알사탕이 가득 들어 있었다.

햇살 아래에서 반짝이는 사탕을 보고 로이스가 단것을 좋아하지 않는다는 걸 바로 떠올린 엘로라는 손사래를 쳤다.

"저 사탕은 별로……."

"쓴 거 안 좋아하잖아. 그래서 들고 왔는데 별로야?"

충격으로 입이 다물어지지 않았다. 이때까지 단맛보다 쓴맛을 더 선호하는 로이스를 충실히 연기해 왔다고 생각했다. 실제로 그 누구에게도 들키지 않았으니 완벽에 가까운 연기라고 부를 만했다.

단 한 사람.

지금 눈앞에 있는 이 남자가 눈치채지만 않았더라면.

정말 이상한 데에서 관찰력이 좋은 남자였다.

로이스와 엘로라가 동일 인물이라는 걸 들키지 않았다는 사실이 다행이라 느껴질 정도였다.

충격으로 아무 말도 하지 못하고 뻣뻣하게 굳어 있던 엘로라는 소소한 진실을 간파당했다는 것에 부정하기보다 백기를 들었다. 이번이 마지막 만남이기에 관대해진 것이었다.

"아니요, 감사히 먹을게요."

알사탕이 든 유리병을 건네받자 라하트가 활짝 웃었다. 햇살처럼 반짝이는 미소였다. 진심으로 기뻐 보이는 그 얼굴을 잠시 넋 놓고 볼 수밖에 없었다.

"그 사탕, 굉장히 달고 맛있으니까 마음에 들 거야."

"감사합니다."

"사탕이 먹고 싶으면 언제든 날 찾아와."

"……네, 그럴게요."

라하트가 주는 사탕을 더는 먹지 못한다는 사실을 이미 알고 있지만 외면해야 했다.

지금 이 순간, 로이스는 가상의 인물이 아닌 살아 숨 쉬는 한 사람이니까. 제 미래를 모르는 건 당연한 일이었다.

"내가 너무 오래 붙잡아 둔 것 같네. 피곤할 텐데 어서 가 봐."

"네."

손이 내밀어졌다. 이별의 악수를 하자는 의미였다. 커다란 손을 내려다본 엘로라는 장갑을 벗었다. 숨겨야 할 흉터가 없었기 때문에 붕대를 감지 않아 깨끗한 손등이었다.

라하트가 그 손을 유심히 보는 것도 모르고 그대로 손을 맞잡으려던 엘로라는 잠시 머뭇거리다가 모자까지 벗었다.

라하트가 그토록 벗기고 싶어 했던 모자를.

"드디어 너와 친해졌네."

눈이 마주쳤다. 라하트는 가감 없이 드러난 푸른 눈동자를 지그시 쳐다보았다. 부담스러워서 살짝 고개를 숙이자 소리 내어 웃은 라하트가 나지막한 목소리로 얘기했다.

"오늘이 마지막이 아니어서 다행이야."

"……."

"우린 또 만날 거야."

"저도 그러길 바랄게요."

가볍게 손을 맞잡았다. 서로 아프지 않을 정도의 약한 힘을 주어 악수했다. 억지로 미소를 짜낸 엘로라는 이만 헤어지기 위해 한 걸음 뒤로 물러섰다.

"네가 그린 그림은 소중히 간직할게."

"저도 사탕 잘 먹을게요."

허리를 숙여 꾸벅 인사한 후 마차에 올라탔다. 그동안 라하트는 떠나지 않고 자리를 지켰다.

"잘 가."

마차의 문을 닫기 전, 그의 마지막 인사를 들을 수 있었다. 마치 지나가는 바람과 같아 금세 흩어져 버린 인사였다.

곧바로 창밖을 본 엘로라는 손을 흔들어 주는 라하트를 발견할 수 있었다. 매우 기쁜 듯한 얼굴이었다.

반사적으로 따라서 손을 흔들어 주려다가 정신을 차리고 어색하게 고개만 끄덕였다.

마차가 움직였다. 다른 풍경에 밀려난 라하트는 금방 시야에서 사라졌다. 그럼에도 창밖에서 시선을 떼지 못한 엘로라는 한참 지나서야 편히 앉을 수 있었다.

"……다행이다."

로즈와 다르게 좋은 추억으로 남을 수 있어서.

로즈를 그런 식으로 끝낸 게 마음에 계속 걸렸던 모양이었다. 그동안 외면했던 거스러미를 뜯어낸 기분이었다.

손안에서 유리병을 만지작거리던 엘로라는 고심 끝에 사탕을 하나 꺼내 먹었다. 라하트가 자신만만했던 데에는 다 이유가 있었는지 레몬 향을 내며 혀 위를 굴러다니는 사탕은 맛이 좋았다. 이보다 더 좋을 수 없었다.

천천히 단단한 사탕을 녹여 냈다. 그런 엘로라의 시선은 허공을 향해 있었다.

로이스로서의 마지막이었다.

# 10. 비와 고백

# 10. 비와 고백

로이스의 퇴장을 뒤로하고, 바야흐로 손꼽아 기다리던 건국제 당일이 되었다.

현재 제국의 자리까지 오른 볼흐라스가 개국한 역사적인 날인 만큼 엄청난 규모를 자랑하는 행사였다. 귀족과 평민 모두 태양이 뜰 때까지 춤추고 먹고 즐기는 것은 물론이고 타국의 사신이 볼흐라스의 건국을 축하하기 위해 값어치 있는 선물을 들고 물밀듯이 몰려왔다.

모두가 즐기는 축제는 총 3일에 걸쳐 진행됐다.

짧다고 하면 짧고 길다 하면 충분히 긴 이 시간 동안 엘로라는 에곤이 뽑아 준 명단에서 고르고 고른 총 세 명의 여성 중 한 명이라도 아히발트 황태자와 잘 되길 바랄 뿐이었다.

황태자비가 되기에 적당한 지위를 가진 영애의 최고령이 국내에는 열세 살인 것에 비해 해외는 비참할 정도로 나이 차이가 많이 나지 않았다.

타국의 공주와 공녀 중에서 외모부터 시작해서 성격, 평판 등을 꼼꼼히 따졌다. 지위만 적당히 맞춘다고 하여 해결될 일이 아니었다.

최종 결정은 아히발트의 마음이었다. 그의 마음에 들어야 하니 최대한 취향에 맞는 여인을 고르고 골랐다. 그의 취향은 전적으로 사별한 전 부인을 참고했다.

고르면서도 다소 끔찍한 일을 하는 기분이 들었지만, 아히발트가 재혼하지 않는다면 또다시 무리한 합방 요구를 받아야 했다. 그것만큼은 피하고 싶었다.

영원히 황궁에 묶인 채 라하트의 아이를 낳으라는 요구를 받으며 사는 삶이라니. 너무 끔찍한 악몽이라서 도망치는 게 정신 건강에 이로울 것 같았다.

아히발트는 황제가 될 몸이었다. 어깨가 무거운 책무인 만큼 후계를 잇는 건 필수적인 일이기 때문에 언젠가는 해야 했다. 그 시일을 당기는 것뿐이라고, 역한 기분이 솟을 때마다 스스로를 다독였다.

이번 계획에서 가장 큰 활약을 보인 건 역시 에곤이었다. 아히발트의 친우이기도 하고, 행사 진행에 전반적으로 발을 담그고 있는 그는 행사에 참여하는 사신의 명단을 넘겨주고, 후보 세 명이 건국제 동안 볼흐라스에 체류하도록 살짝 손도 썼으며, 엘로라가 몰래 참여할 수 있도록 명단을 조작하기도 했다. 덕분에 엘로라는 에곤이 없었더라면 계획을 실행하기 힘들었다는 걸 자주 느끼게 됐다. 권력의 힘이란 이토록 무서운 것이었다.

평소에는 그냥 오라버니였을 뿐인데 이번 기회를 통해 어마어마한 능력을 가진 남자임을 상기할 수 있었다. 더불어 잘나가는 혈육이 있으면 일이 편하게 돌아가는 것 또한.

물론 에곤만이 전폭적으로 계획을 지지해 준 건 아니었다. 자연스럽게 계획에 끼게 된 요제프는 물질적인 지원을 아끼지 않았다.

요제프는 밤새도록 이어지는 연회에서 입을 옷과 가면을 계속해서 보냈다. 비밀 통로를 통해 몰래 들고 오는 게 살짝 버거웠을 정도로 많은 양이었다.

이렇듯 정신없이 건국제를 준비했다.

당일도 아침 일찍 일어나 타국의 사신 중 한 명인 척하기 위해 열심히 변장한 엘로라는 해가 지고 나서야 모든 준비를 마쳤다. 아직 시작도 안 했는데 잔뜩 지친 기분이었지만 피곤하다고 쓰러져 있을 시간이 없었다.

조심하라는 히나를 다독여 주고 아몬과 함께 살며시 아모몬 궁을 빠져나왔다.

어느덧 해가 지고 어둠이 내려 있었다. 캄캄한 밤하늘에 떠 있는 달빛에 의지하며 약속 장소에 도착한 엘로라는 주위를 둘러봤다.

지금쯤 도착해야 할 사람이 보이지 않았다.

너무 일찍 온 건가, 하고 생각하고 있는데 근처에서 기척이 느껴졌다. 곧바로 고개를 돌린 엘로라는 기다리던 사람을 볼 수 있었다.

"엘로라."

"오라버니!"

라엘이었다.

한걸음에 달려가 그를 꼭 끌어안았다. 조심스럽게 그런 엘로라의 등을 토닥여 준 라엘은 조그마한 갈색 머리통을 내려다보았다. 익숙한 은빛은 가발에 덧씌워져 보이지 않았지만 분명 사랑스러운 막냇동생이었다.

"갈색이네."

"응, 내 친구랑 맞춰 봤어. 아, 맞아. 이쪽은 내 친구인 아몬이야. 사정을 다 알고 있으니까 걱정하지 않아도 돼."

"친구?"

"응, 사정이 조금 길어."

라엘이 고개를 갸웃거렸다. 친구라고 부를 존재는 히나밖에 없는 엘로라가 낯선 여자를 친구라고 부르니 의아하게 느껴지는 것이었다.

최근 경황이 없기도 했고 종족의 특수성 때문에 설명하기가 애매하여 가족 중 누구에게도 아몬에 대한 얘기를 꺼내지 않았는데 이런 식으로 인사하게 되었다.

아차 한 엘로라는 난처한 미소를 지었다.

처음부터 이야기를 꺼내기에는 너무 막막했다.

"아몬, 이쪽은 내 오라버니야. 라엘 아르미트."

"안녕! 반가워!"

아몬이 특유의 미소를 지으며 씩씩하게 손을 흔들었다.

기분이 굉장히 좋은 탓에 평소보다 배로 활기찬 아몬에게 짧게 시선을 준 라엘은 고개만 살짝 끄덕여 화답해 주었다.

라엘이 딱히 사교성 있는 편이 아님을 익히 알고 있는 엘로라는 서둘러 다음으로 넘어갔다.

"준비는 다 됐지?"

"응."

앞장서는 라엘을 따라가자 흑마 두 필을 볼 수 있었다. 연회장까지 무사히 이동시켜 줄 친구들이었다.

남장을 했기 때문에 별 탈 없이 말에 올라탄 엘로라는 머뭇거리는 아몬을 내려다보았다.

볼흐라스의 건국제를 위해 타국에서 건너온 남매라는 설정으로 옷을 입어서 아몬은 드레스 차림이었다. 엘로라는 아몬이 무사히 말 위에 올라탈 수 있도록 손을 내밀었다.

"조심해서 내 뒤에 타."

"응!"

고개를 끄덕인 아몬이 뻗어진 손을 맞잡았다. 그대로 아몬을 당긴 엘로라는 그녀가 안전하게 올라타는 것을 확인하고 고삐를 단단히 쥐었다.

"떨어지지 않도록 허리를 꽉 잡아."

곧바로 아몬이 엘로라의 허리에 팔을 감았다. 등에 딱 달라붙는 아몬을 느끼고는 라엘을 따라 말을 몰았다.

어둠을 헤치고 빛을 향해 말이 달리기 시작했다. 혼자서 승마를 한 적은 있지만 누군가를 뒤에 태우고 한 적은 없었기 때문에 혹시나 아몬이 떨어지지는 않을까 노심초사하며 가야 했다.

황태자비를 구하러 가는데 아몬과 동행하는 것이 다소 뜬금없다고 여겨질 수 있지만 같이 가도 딱히 상관없다고 판단했기에 데려가는 것이었다.

건국 당시 그 자리에 있었던 아몬이 건국제가 궁금하다고 하는데 단호하게 안 된다며 궁에 처박아 둘 수는 없는 노릇이었다.

일이 잘 풀리지 않는다면 함께 축제를 즐기지 못하는 상황이라서 이왕이면 추억거리를 하나라도 남기면 좋을 것 같았다. 이렇게 타국 사신으로 변장한 것만으로도 큰 추억거리가 될 듯하지만.

말을 몰아 달리던 엘로라는 연회장에서 조금 떨어진 곳에서 멈췄다. 말을 끌고 올 수 있는 곳은 여기까지였다. 더불어 라엘과 헤어질 시간이었다.

"오라버니는 오늘 계획이 어떻게 돼?"

"순찰."

"연회는 참석 안 할 거야?"

"응, 사람 많아."

단호한 대답이었다. 예측했던 대답이기도 했다. 사람 많은 곳에서 사교 행위를 해야 한다는 건 라엘에게 곤혹이었다.

사람과 대화를 나누기보다 검을 들기를 중시하는 그가 건국제라 하여 참여할 리 없었다. 그래도 라엘이 그런 성향이어서 볼흐라스의 건국제를 안전하게 보낼 수 있었다.

중요한 책무를 맡고 있는 라엘에게 손을 내밀었다.

"기사님, 오늘도 볼흐라스의 안전을 부탁드릴게요."

매일 배웅하던 일상처럼 조심스럽게 엘로라의 손을 쥔 라엘이 고개를 숙여 손등에 입을 맞추었다. 살짝 과장스럽게 중얼거린 엘로라가 웃음을 터트렸다.

만약 아무것도 모르는 제삼자가 이 광경을 목격한다면 우스꽝스럽다 여길 것이었다. 남성으로 변장한 채 이런 인사를 나누는 것이니까.

그저 진지하게 받아 주는 라엘에게 감사했다.

동생을 위해 잠시 시간을 내 준 라엘과 인사를 나눈 엘로라는 아몬을 이끌고 연회장으로 들어갔다.

가는 동안 그 누구도 그들을 의심하지 않았다. 사전 준비도 완벽했고, 변장도 완벽했다. 심지어 가면을 쓰고 활동하는 연회인 만큼 황자비와 요정이 타국의 사신으로 위장한 채 입장했다는 사실은 아무도 모를 일이었다.

연회가 진행된 중반부에 들어왔기 때문에 분위기는 한창 무르익어져 있었다.

가면을 쓴 귀족들은 각각 짝을 이루어 춤을 추거나 서로의 신분을 모르는 척 대화를 나누었다. 고상한 음악과 사람들의 말소리로 가득 찬 연회장이었다.

널찍한 공간을 차지한 수많은 사람들에 아몬은 가장 먼저 감탄사를 내뱉었다.

"이렇게 많은 사람들이 다 축하하러 온 거야?"

"맞아."

"대단해."

꼭 바깥세상을 처음 본 소녀 같았다. 두 눈을 동그랗게 뜬 아몬이 주위를 살피느라 정신이 없었다.

"케르단이 있었으면 좋았겠다."

"그러게. 아마 매우 기뻐하셨을 거야."

본인이 세운 나라가 제국이라는 칭호를 얻었는데 기뻐하지 않을 리 없었다. 초기 볼흐라스는 그다지 강한 나라가 아니었다는 점을 고려하면 더욱.

그때만 해도 대륙을 제패한 거대한 나라가 될 거라고는 상상도 하지 못했으리라. 500년이라는 세월은 많은 변화를 주기에 충분한 시간이었다.

"그런데 다들 가면을 쓰고 있네."

"건국 왕께서 왕좌에 오르기 전까지 가면을 쓰고 활동했다는 이야기 때문에 초기에 몇몇 사람들이 가면을 썼는데 그게 꽤 멋있어 보였는지 이제는 아예 가면을 쓰고 나오는 게 고착화됐어. 이 시기에는 전 국민이 가면을 쓰고 돌아다니지.”

“맞아, 케르단의 목숨을 원하는 자가 워낙 많아서 가면을 쓰긴 했어.”

“잠시만. 그거 진실이었어?”

“응, 진짜야.”

고개를 끄덕인 아몬이 아무렇지 않게 말을 이었다.

“내가 옆에서 지켜봤는걸.”

엄청난 말을 마치 오늘의 날씨처럼 얘기하는 아몬을 보니 새삼 옆에 서 있는 존재가 500년의 세월을 거슬러 오른 요정임을 자각하게 됐다.

“덕분에 역사 공부는 확실히 할 수 있을 것 같아.”

“좋은 거야?”

“나쁜 건 아니지.”

가볍게 대꾸한 엘로라가 인파에 섞여 천천히 주위를 둘러봤다. 아히발트와 에곤은 가면을 쓰더라도 눈에 띄는 존재였기 때문에 금세 찾을 수 있었다.

사람들을 상대하는 아히발트와 그런 그와 거리를 두고 홀로 서 있는 에곤. 마치 주위에 벽을 세워 둔 것처럼 에곤의 주위에는 사람이 없었다. 근처에 사람이 바글바글한 아히발트와는 대조되는 모습이었다.

에곤이 다른 귀족을 상대하는 모습을 보는 건 처음이었는데, 저러니 세간에 냉혈한이라는 소리를 듣는 거였다. 집에서 보여 줬던 모습과 확연한 온도 차를 느낄 수 있었다.

에곤과 아히발트의 위치를 확인한 엘로라는 다음으로 흑백 사진으로만 보았던 여성을 찾은 후 라하트가 참석했는지 알기 위해 살펴보았다. 하지만 라하트로 추정되는 남자는 보이지 않았다. 특징이 워낙 강한 터라 가면을 쓰더라도 금방 알 수 있었는데 전혀 눈에 띄지 않았다.

언제 어떤 돌발 행동을 벌일지 모르는 시한폭탄 같은 남자가 이 자리에 없다는 사실은 한시름 놓게 만들었다.

만약, 아주 만약의 상황은 무시할 것이 못 되니 주의를 기울일 필요가 있었다.

계획을 실행하기에 완벽한 상황이라고 판단한 엘로라는 더 시간 끌 것 없이 먹을 것에 시선이 빼앗긴 아몬에게 속삭였다.

"아몬."

"우와, 저거 먹어도 돼?"

"응, 당연하지. 잠깐 갔다 올 데가 있어서 그런데 여기 가만히 있을 수 있지?"

"네 말대로라면 나는 500살이 넘었는데 가만히 있는 것 쯤이야 잘할 수 있지. 맛있는 음식도 있잖아!"

"그러면 잠시만 기다려 줘."

"응!"

아몬을 두고 잠시 자리를 떠야 한다는 사실이 살짝 마음에 걸렸으나 이미 핑거 푸드를 입 안에 넣고 있는 모습을 보니 크게 걱정할 필요는 없는 것 같았다. 돌아왔을 때는 상당수의 그릇이 비워져 있을 거라 예상한 엘로라는 시작을 알리기 위해 에곤과 거리를 좁혔다.

어느 정도 가까워질 때까지도 에곤은 엘로라가 근처에 있음을 알지 못했다. 체격이 커 보이도록 손을 본 데다가 가면을 쓴 탓이었다. 에곤의 주위를 맴돌았으나 전혀 눈치채지 못한 그에게 실수인 척, 지나가다가 살짝 어깨를 부딪쳤다.

"죄송합니다."

"……아닙니다."

눈이 마주쳤다. 슬쩍 눈짓하자 곧바로 엘로라를 알아본 에곤이 고개를 살짝 끄덕였다.

서로 무언의 메시지를 나눈 그들은 아무 일도 없었던 것처럼 스쳐 지나갔다. 이상한 낌새를 느낀 사람은 없는 것 같았지만 혹시 몰라 의심을 사지 않기 위해 마치 볼 일이 있는 척 홀을 크게 한 바퀴 빙 돌았다.

이제 아몬과 합류하여 다음 행동을 개시하면 됐다.

그런데 얌전히 음식을 먹고 있어야 할 아몬이 보이지 않았다. 증발이라도 한 듯이 자취를 감춘 아몬의 행방에 당황한 엘로라가 빠르게 몸을 돌려 눈으로 아몬을 찾았다.

사람이 너무 많았다. 아몬의 키가 작은 터라 바로 눈에 띄지도 않았다.

짧은 시간 내에 멀리 가지 못했을 거라 판단하여 필사적으로 근처를 돌아다닌 엘로라는 저 멀리서 언뜻 아몬처럼 보이는 사람의 뒷모습을 발견했다.

그녀는 금발 남자와 함께 발코니로 향하고 있었다. 그런데 아무리 봐도 아몬의 옆에 있는 금발 남자가 아히발트 같았다.

복장, 가면, 머리카락 색이 전부 일치했다.

아몬과 아히발트가 같이 있을 이유가 없는 터라 비슷한 사람일 거라고 애써 부정한 엘로라는 그들을 쫓기 위해 걸음을 옮겼다. 지금까지 아몬이 타국 사신 흉내를 잘 내고 있기를 바라며 한 걸음 내디딘 순간, 누군가 팔목을 붙잡았다.

첫걸음부터 턱 막힌 엘로라는 뒤를 돌아보았다. 마음이 급해서 상대를 보지 않은 채 속사포로 말했다.

"무슨 용건으로 저를 잡으셨는지 모르겠지만 놔주세요."

"내 신부님이 여기 있네."

"……예?"

멍청하게 대꾸한 엘로라는 그제야 상대의 얼굴을 제대로 볼 수 있었다. 아니, 보지 않아도 충분히 알 수 있었다. 이 목소리, 이 체취. 무엇 하나 익숙하지 않은 게 없었으니까.

헛숨을 들이켠 엘로라는 초점이 없는 보랏빛 눈동자와 마주할 수 있었다.

라하트였다.

가면을 쓰고 있어도 단번에 알아볼 수 있었다.

"착각하고 계시는 것 같은데 저는 남자예요."

"내 신부님이 남자였구나. 그럴 수 있어."

"뭐가 그럴 수 있어요! 아니, 그보다 저는 당신의 신부가 아니라는 말이에요."

정신을 차리고 빠르게 해명했지만 라하트에게는 씨알도 먹히지 않았다. 오히려 수긍하는 그의 태도에 말문이 막힐 지경이었다.

옷도 남성용으로 입고, 목소리도 평소보다 낮게 내고 있었다. 심지어 가면을 쓰고 있어 정확한 이목구비를 확인하지 못할 텐데 라하트는 지금 엘로라의 정체를 정확히 알아맞히고 있었다.

술 취한 김에 지나가는 사람을 아무나 붙잡고 이러는 건 아닐까, 하는 의문이 잠깐 들었으나 이어지는 라하트의 대꾸로 인해 심장만 덜컥 내려앉았을 뿐이었다.

"이렇게 맑고 예쁜 푸른 눈동자를 가진 사람은 내 신부님밖에 없지."

정확히 눈을 마주치며 속삭였다.

비록 발음이 몇 번 꼬이긴 했지만 확신을 가지고 하는 말이었다. 당황한 엘로라는 동요한 모습이 들키지 않길 바라며 슬쩍 고개를 돌렸다.

"……취하셨네요."

"아니, 제정신이야."

이번에도 발음이 꼬인 라하트는 무엇이 그리도 즐거운지 크게 소리 내어 웃었다. 이런 걸 보면 확실히 제정신은 아니었다.

이런 남자 앞에서 농담이라도 자신이 엘로라가 맞다고 수긍했다가는 큰일이 벌어질 게 뻔했다. 헤실헤실 웃고 있는 라하트에게서 살짝 시선을 비껴 낸 엘로라는 목소리만큼은 단호하게 못을 박았다.

"저는 남자고, 전하의 신부가 아니며, 전하께서는 술에 잔뜩 취하셨어요."

"안 취했어!"

주정을 부리는 라하트를 내버려 두고 힐끗 아몬이 사라진 방향을 보았다. 아몬은 머리카락 한 올도 보이지 않았다. 라하트에게 잡혀 시간을 지체했으니 당연한 일이었다.

계획이 하나둘씩 어긋나고 있음을 느끼며 이번에는 에곤을 찾았다. 금세 엘로라의 시야에 들어온 에곤은 아히발트를 찾지 못한 듯 분주히 돌아다니고 있었다.

계획이 어긋나다 못해 아주 박살 나 버렸다.

이제 겨우 시작인데 바로 알 수 있었다.

"누구 찾아?"

"아니요."

"내가 도와줄까?"

"사양할게요."

하나부터 열까지 다 엉망이었다. 아몬을 데려와서는 안 됐던 걸까. 그도 아니라면 라하트의 위치를 더욱 면밀히 살피지 못한 자신의 잘못인 걸까. 복잡하게 얽히는 생각을 따라가던 엘로라는 머릿속의 모든 생각을 다 지워 버렸다.

본인도 알고 있지 않은가. 이제 막 시작했다고. 그것은 자책하기에는 아직 이르다는 뜻이었다. 끝을 보기 전까지 포기해서는 안 됐다. 이렇게 포기한 채로 있다면 상황만 더욱 악화될 뿐이었다.

결심한 엘로라는 지금이라도 계획을 바로 잡기 위해 슬금슬금 뒷걸음질 쳤다.

"어디 가?"

"거듭 말씀드리지만 저는 전하의 신부가 아니에요."

"그렇다면 내가 나라는 건 어떻게 알았어?"

손가락으로 가면을 톡톡 건드린 라하트가 눈꼬리를 접으며 웃었다. 그에게는 엄청난 확신이 있었다. 지금 눈앞에 있는 사람이 엘로라라는 확신이.

술에 취해서 제정신이 아닌 주제에 집착이 엄청났다. 몇 번이나 엘로라가 아니라고 외쳐도 순순히 보내 주지 않을 기세였다. 쉬이 라하트에게 벗어날 수 없음을 예감한 엘로라는 빠르게 머리를 굴렸다.

"그거야 딱 보면 알죠. 가면을 쓰더라도 황족만큼 알아차리기 쉬운 사람이 어디 있나요."

"그런가?"

"네."

"너 말고는 아무도 모르던데."

"……."

"그 누구도 내게 알은체하지 않았어."

"……그건 전하께서 워낙 높으신 분이라."

"형 근처에는 사람이 많던걸."

입을 꾹 다물었다.

사람들이 그를 피한다는 사실을 차마 말할 수 없었다.

악명이 워낙 자자한 탓에 결혼 후에도 라하트는 귀족들 사이에서 기피 대상 1위였다. 그건 타국인이 가득 찬 이 연회장에서도 마찬가지였다.

황실의 품위는 어디에 팔아먹었는지 평민과 즐겨 놀고, 항상 취해 있으며, 황자다운 행동은 전혀 하지 않는데 존중받을 리 없었다. 더불어 귀족 영애라면 피해야 할 요주의 인물인 것도 그대로였다.

차라리 황궁 밖에 있을 때가 나을지도 몰랐다.

그때는 옆에 사람이라도 많으니까.

"섭섭하세요?"

"아니."

"……."

"덕분에 널 다시 만날 수 있었잖아."

"……저희 초면이에요."

"초면 같은 구면이지. ……아, 방금 내가 뭐라고 했어?"

3초 전에 한 말을 까먹은 듯 라하트가 머리를 긁적였다. 만취하니 이번에는 동네 바보 같은 라하트의 행동에 속으로 한숨을 내쉰 엘로라는 이내 기회라는 것을 깨닫고 싱긋 미소를 지었다.
"아무 말씀도 안 하셨어요."
"그래? 뭐라고 중얼거린 것 같은데. 흠."
"조용히 계셨어요."
"그런가."
상태가 심각했다. 대체 얼마나 마셔 대면 이 지경이 되는지 물어보고 싶었다.
저번에는 길거리에서 자려고 하더니 이번에는 금붕어에 비견할 만한 기억력이었다. 둘 중 무엇이 나은지 고를 수 없었다.
그나마 희소식이라고 할 만한 건 라하트가 이전 대화를 기억하지 못하는 지금이 빠져나갈 찬스라는 것이었다.
"네 이름은 뭐야?"
"타크스키예요. 그보다 제가 바빠서 이만 가 봐야 할 것 같은데 헤어지는 게 어떨까요?"
"북부 쪽 이름이네. 북부인이었구나. 어쩐지 억양이 평소랑 다르더라."
"아니, 전하. 제가 지금 바빠서……."
"오늘 같은 날에 바쁠 일이 뭐 있어. 함께 놀고 즐기면 되는 거지."
이번에도 놓아줄 생각이 없었다.
뭐가 좋다고 사람을 이리 붙잡아 두는 것인가!
엘로라는 제자리에서 발을 동동 굴렀다. 아몬은 시야에

잡히지 않았고, 에곤은 여전히 아히발트를 찾고 있었다.

"한잔할래?"

시종이 들고 다니던 유리잔을 두 개 집어 든 라하트가 물었다. 그 안에서 찰랑이는 칵테일을 보는 순간 엘로라의 머릿속에 기발한 생각 하나가 번뜩였다.

"예, 좋아요!"

적극적으로 유리잔을 받은 엘로라는 먼저 건배를 하자고 제안했다. 갑작스레 바뀐 엘로라의 태도에 이상함을 느끼지 못한 라하트는 건배를 한 후 단숨에 술을 비웠다. 마시는 척하던 엘로라는 라하트의 술잔이 비자마자 바로 새로운 술을 쥐여 주었다.

마시고, 마시고, 또 마시고.

계속 술을 권했다. 라하트의 잔은 술이 마를 때가 없었다.

나중에는 아예 지나가는 시종을 불러 세워, 술을 병째로 들고 오라고 해서 따라 주었다.

영문도 모른 채 쉬지 않고 알코올을 섭취하게 된 라하트는 그저 좋다고 웃었다.

아주 긴 시간 동안.

미쳐 돌아 버릴 지경이었다.

퍽 취한 상태이니 몇 잔 마시면 아예 뻗을 거라는 계산하에 술을 계속 권하던 엘로라는 자신이 라하트를 얕보고 있었다는 걸 깨달았다.

매일 술독에 빠져 있는 남자였다. 이미 취한 상태이지만 몇 잔 더 마신다고 하여 뻗을 리 없었다. 한 병을 비우고, 두 병을 비워도 라하트는 그대로였다.

제정신이 아닌 상태를 일정하게 유지하고 있었다.

몸속에 혈액이 아닌 붉은 포도주가 흐른다는 소문이 진짜일지도 몰랐다. 그렇지 않고서 이렇게 끝없이 들어갈 리 없었다. 바닷물을 퍼내듯, 도통 끝이 보이지 않는 여정이었다.

슬슬 지치기 시작하니 주둥이에 술병을 꽂는 상상까지 하게 되었다. 과격한 상상이었다.

다행히 인내심이 남아 있어 직접적으로 술병을 꽂는 일은 없었다. 그러나 그와 비슷한 속도로 술을 건네주었다.

영양가 없는 대화와 술을 주고받는 시간이었다.

실낱같은 희망을 잡고 있던 엘로라가 좌절로 나가떨어지기 충분한 시간이기도 했다.

커다란 술병을 네 개쯤 비웠을 때, 라하트도 인간이긴 인간이었는지 드디어 엘로라가 원하는 말을 내뱉었다. 마침내 한계에 다다른 것이다.

"……졸려."

"전하를 안전히 모실 사람을 찾아올게요."

"아냐, 괜찮아."

라하트가 손을 휘휘 저었다. 그리고 몇 발자국 앞으로 나아가려다가 다리에 힘이 풀렸는지 근처 기둥에 몸을 기댔다.

살짝 액체 상태가 된 그는 빨갛게 상기된 얼굴을 손바닥으로 가리다가 눈을 감았다. 감은 눈은 일 분이 지나도 떠지지 않았다. 대신 고개만 끄덕거렸다.

아슬아슬하게 균형을 잡고 있는 남자의 모습은 매우 불안해 보였다. 당장 앞으로 고꾸라지지 않는 게 신기했다.

몇 번 휘청거리는 남자를 지그시 쳐다보던 엘로라는 그의 얼굴 앞에서 손을 흔들었다. 하지만 남자는 감은 눈을 뜨지도 않고 움찔하지도 않았다.

드디어 라하트가 나가떨어졌다.

그에게서 벗어날 수 있는 것이었다.

엘로라는 잔뜩 지친 얼굴로 지나가는 시종에게 라하트를 맡기고는 아몬이 사라졌던 방향으로 뛰어갔다.

시간이 너무 지나서 아직 근처에 있을지 확신할 수 없었다. 하지만 누군가에게 도움을 청할 수도 없는 상황이라, 근처에 없다면 혼자서 연회장을 쥐 잡듯이 뒤져야 했다.

그래도 없다면……. 그건 최악의 상황이니 눈앞에 닥치면 생각하기로 했다.

무엇 하나 단정 지을 수 없는 이 상황에서 한 가지는 확신할 수 있었다.

계획은 실패였다. 처참하게.

3일이라는 기간 중, 하루를 통째로 날려 버렸다.

만회하기 위해서 플랜 B를 계획해야만 했다.

머릿속이 복잡했다. 입술을 꽉 깨문 엘로라는 우선 아몬을 찾기 위해 실내에 그녀가 없음을 확인하고 발코니로 갔다.

다행히 발코니에 들어서자마자 익숙한 갈색 머리칼을 발

견할 수 있었다. 최악의 상황은 아니었다.

곧장 달려가 어깨를 잡자, 움찔한 아몬이 고개를 돌렸다.

항상 별처럼 반짝이던 녹색 눈동자는 다른 곳을 보듯, 멍한 눈빛을 하고 있었다. 분명 아몬이었지만 평소와 달랐다. 당황한 엘로라는 가면을 벗었다. 익숙한 얼굴이 보이자 정신을 차린 아몬이 그제야 환호성처럼 이름을 외쳤다.

"엘로라!"

이곳에 서 있는 사람은 엘로라가 아니었다. 짐짓 엄한 표정을 지은 엘로라는 무언으로 경고를 주었다. 아차 한 아몬은 주위에 사람이 없는지 둘러본 후 황급히 말을 돌렸다.

"앗, 이름이 뭐였더라. 기억이 안 나. 어쨌든 들어 봐! 나 케르단을 닮은 사람을 만났어!"

아몬은 평소보다 배로 흥분해 있었다. 그 원인에 케르단을 닮은 사람이 있음을 눈치챈 엘로라는 아몬이 더 얘기하기 전에 말을 잘랐다. 케르단을 닮은 사람이 누구인지 짐작 갔기 때문이었다.

"아무래도 여기서 할 얘기가 아닌 것 같아. 밖으로 나가자."

"응!"

다시 가면을 쓴 엘로라는 아몬이 또 다른 데로 샐까 봐 손을 꼭 잡고 연회장을 나왔다.

밤이 늦었음에도 불구하고 낮처럼 환하고 활기찬 연회장을 나오자 먼저 자리를 뜨는 사람들을 볼 수 있었다. 자연스럽게 그들을 지나친 엘로라는 인적이 드문 곳으로 아몬을 이끌었다. 멀리서 노랫소리와 풀벌레 우는 소리만이 들렸다.

"이제 다시 얘기해 봐."

"있잖아, 케르단을 닮은 사람이 내일 또 만나자고 해서 알겠다고 했어!"

"뭐?"

어째 상황이 이상하게 흘렀다. 인상을 와락 찌푸린 엘로라는 다급하게 되물었다.

"아히발트 전하께서 내일 또 만나자고 했다고?"

"응! 그런데 아히발트 '전하'야? 어디서 많이 들어 봤는데……."

아무것도 생각나지 않는 듯, 아몬이 고개를 갸웃거렸다. '아히발트'와 '아히발트 전하'를 따로 생각했는지 두 인물을 전혀 매치하지 못하는 모양이었다. 순진하게 큰 눈망울을 반짝이는 아몬을 내려다보며 지친 엘로라가 중얼거렸다.

"볼흐라스의 하나뿐인 황태자 아히발트. 오늘 내가 연회에 온 이유지."

말이 끝나기도 전에 상황의 심각성을 파악한 아몬이 눈을 동그랗게 떴다. 우연히 만난 남자가 아히발트일 줄은 전혀 몰랐던 게 표정에서 드러났다.

그도 그럴 것이 아는 사람이라고 생각해서 따라갔더니 착각한 그 사람의 후손이라는 일은 쉬이 벌어지는 일이 아니었다. 하지만 아몬에게는 가능했다. 그녀에게는 500년의 공백이 있었다. 그 기나긴 시간의 차를 전혀 인지하지 못했던 아몬이었다.

"미안, 몰랐어. 나 때문에 난처하게 된 거야?"

'난처하다'라는 단어로는 부족했다. 짧은 시간 동안 일어난 일련의 사건들은 엘로라로 하여금 다양한 감정을 느끼게 했다. 대부분 부정적인 감정이었다.

"잠시 자리를 비운 사이 너는 황태자 전하로 추정되는 인물과 함께 사라졌지, 따라가려니까 라하트 전하는 갑자기 날 붙잡고 헛소리를 하시지. 최악의 연회였어."

"오, 엘로라."

주위에 기척은 느껴지지 않았지만 혹시 몰랐다. 검지를 입술에 갖다 댄 엘로라는 경고처럼 가명을 속삭였다.

"타크스키."

"미안해. 타크스키."

아몬이 고개를 푹 숙였다. 죄책감으로 얼룩진 그녀는 차마 고개를 들지 못했다.

"나는 그냥……, 케르단과 너무 닮은 기운을 느껴서……."

"반가웠던 거지?"

"……응."

더듬더듬 말을 이었다. 그 목소리에는 이루 말할 수 없는 그리움이 담겨 있었다. 엘로라는 절대 따라갈 수 없는 500년의 시간이었다.

"얼굴마저 닮았어. 그래서 정말 케르단인 줄 알았어."

아몬이 어째서 자신에게 말 한마디 하지 않고 자리를 떴는지 알 것 같았다.

절로 깊은 한숨이 쉬어졌다. 그 소리에 아몬은 꾸중을 들은 것처럼 움찔거렸다. 탓하고 싶지 않은 터라 그 모습을 보니 마음이 아파진 엘로라는 아몬의 머리를 부드럽게 쓰다듬어 주었다.

"네가 무사하니 됐어. 하지만 아무 말 없이 사라져서 내가 걱정했다는 건 알아줘."

"다음부터 안 그럴게."

지금 함께 있어도 아몬은 결국 자기가 살던 시간대를 그리워하고 있었다. 육체는 가까이 있지만 정신은 500년 전에 머물러 있는 것이다. 쓰디쓴 미소가 지어졌다.

"황태자 전하와는 언제 만나기로 했어?"

"내일 오후에 후문에서 만나기로 했어."

"후문에서?"

"내가 이곳에 대해 잘 모른다고 하니까 축제도 즐길 겸, 수도 구경을 시켜 준다고 했어. 약속은 취소할까?"

지은 죄가 있기 때문에 아몬이 살살 엘로라의 눈치를 봤다. 그 모습이 안쓰러워 괜찮다고 대답해 주고 싶었지만 엘로라는 엘로라 나름대로 머릿속이 복잡했다.

아무리 생각해도 아히발트가 수도 구경을 빙자한 데이트 신청을 한 것 같다는 느낌을 떨칠 수가 없었다.

그 많은 사신 중에서 하필 아몬을 택했다. 대귀족도 아니고 적당히 지방 귀족으로 꾸며낸 신분을 가진 아몬을.

아히발트는 볼흐라스의 가이드가 아닌 황태자였다. 아무나 붙잡고 황궁 밖에 나갔다가 돌아올 위치에 서 있는 사람이 아니었다. 본인이 짊어진 무게를 잘 아는 인물인 만큼 더 정치적이고, 더 계획적이어야 했다.

정문이 아닌 후문에서 만나자고 한 것을 보아 몰래 나갈 생각인 듯한데 '정치적'이라는 단어와 '계획적'이라는 단어를 신발을 벗어 던지듯 훌훌 털어 내게 한 계기가 무엇인지 유추해 보려 해도 딱 한 가지밖에 떠오르지 않았다.

생각을 여러 방향으로 뻗어 보려 했지만 결국은 데이트였다.

사랑, 데이트, 고백, 연애.

관련된 단어만 빙빙 맴돌았다.

겨우 그것들을 떨쳐 낸 엘로라는 죄인처럼 서 있는 아몬에게 대답할 수 있었다.

"내게 허락을 구할 필요 없어. 내가 네 의사를 억압할 위치는 아니잖아."

"미안해. 내가 괜히 건국제 구경하고 싶다고 고집을 부려서 이렇게 된 거잖아."

"아니야. 이렇게 될 줄 누가 알았겠어."

미래를 엿보지 않는 이상 아무도 알 수 없는 일이었다. 그러니 자책해서는 안 됐다.

"돌아가자."

가볍게 아몬의 어깨를 토닥인 엘로라가 궁으로 돌아가기 위해 앞장섰다. 왔던 것처럼 말을 타고 돌아가면 되었다. 하지만 그 전에 깜빡한 것이 있는 것 같아 골똘히 생각하던 엘로라는 에곤을 만나야 한다는 사실을 깨달았다. 정신이 없어서 깜빡하고 있었다.

걸음을 우뚝 멈춰 세워, 아몬을 돌아보았다. 갑자기 멈추자 어리둥절한 표정으로 아몬이 엘로라를 올려다보았다.

"아몬, 잠시만. 여기서 기다리고 있어. 오라버니를 만나고 올게. 아주 잠깐이면 돼."

"이번에는 정말 어디 안 갈게."

결의에 가득 찬 표정으로 아몬이 고개를 끄덕였다. 작게 웃음을 터트린 엘로라는 재차 금방 다녀오겠다는 것을 강조하고 다시 연회장으로 돌아갔다.

많은 사람과 넓은 공간에서 에곤을 찾는 것이 살짝 힘들 수도 있겠다고 예상했는데 때마침 에곤이 밖으로 나오고 있었다. 구석에 숨은 엘로라는 에곤이 지나가길 기다렸다가 바로 옆을 스쳐 지나가려고 할 때 그의 옷자락을 잡아 끌어당겼다.

강한 힘으로 인해 갑작스레 행선지가 바뀐 에곤은 한순간 미묘하게 인상을 찡그렸다가 바로 앞에 있는 사람이 누구인지를 보고 곧바로 표정을 바꿨다.

"날 기다리고 있었다면 늦게 나와서 미안하다."

"아니야, 나도 방금 왔는걸. 그보다 전하께서 별다른 말씀 안 하셨어?”

엘로라가 아몬을 만났을 때 에곤 또한 아히발트를 만났을 테니 두 사람은 분명 그 전에 같이 있던 사람에 대한 이야기를 나눴을 것이었다. 얘기하고 싶지 않아도 에곤이 얘기하도록 부추겼을 테고.

잔뜩 긴장한 엘로라는 에곤이 대답하길 기다렸다.

“운명적인 사랑을 만났다고 아주 좋아하더군.”

“……뭐?”

“그 아히발트가 ‘첫눈에 반했다’라는 표현까지 썼다. 대신 처음 듣는 이름이었는데 아몬? 그런 이름이었다지. 출신과 성은 밝히지 않았는지 이야기하지 않아 모르겠다. 너를 도운다고 했는데 제대로 도움이 되지 않은 듯해 미안하다. 엘로라.”

충격적인 얘기가 쏟아졌다. 줄줄 이어지는 에곤의 말에 엘로라는 이마를 짚었다.

황태자가 ‘첫눈에 반했다’라는 표현까지 쓴 것도 놀라웠지만 에곤의 입에서 아몬의 이름이 나온 것 또한 충격이었다.

기껏 가명을 지어 줬건만 너무 어렵고 익숙하지 않은 이름이라 기억도 못했는지 본인의 애칭을 알려 준 듯했다. 발코니에서 가명 대신 ‘엘로라’라고 불렀으니 뻔했다.

“알려 줘서 고마워.”

에곤의 말을 들으니 하나둘씩 정리가 됐다.

역시 데이트였다. 아히발트가 아몬에게 한 것은 데이트

신청이었다.

사심이 듬뿍 담긴 데이트 신청!

놀랍게도 시작도 제대로 하지 못한 연애 조작단이 성공했다. 미리 봐 두었던 후보가 아닌 뜬금없는 사람에게 사랑을 속삭인다는 것이 매우 큰 문제이지만. 차라리 실패하는 게 더 나았을 결말이었다.

"안색이 안 좋구나. 아픈 거라면 내일 쉬는 게 좋을 듯한데……, 안 된다고 하겠지."

한 번 시작하면 무리해서라도 밀어붙이는 엘로라의 성격을 잘 아는 에곤이 걱정하면서도 차마 말리지 못했다. 엘로라는 그의 다정함에 살포시 미소를 지었다.

"내일은 연회에 참여하지 않을 거야."

"네 목적을 이루어서 그런 거라면 정말 다행이다."

"딱히 이룬 건 아닌데……, 애매하지. 혹시 아히발트 전하께서 내일 첫눈에 반한 여인을 데리고 몰래 외출한다는 얘기는 하지 않았어?"

"전혀."

사랑에 빠진 남자는 어린 시절부터 알고 지낸 친우 앞에서도 입이 무거워지는 모양이었다. 완벽한 계획을 세우고 있는 아히발트의 야망을 엿본 엘로라는 앞으로 무엇을 해야 할지 깨달았다.

"정말 고맙고 수고했어. 덕분에 일이 수월하게 풀려서 얼마나 다행이었는지 몰라."

"……."

"나머지는 내가 정리할게. 즐거운 건국제 보내."

연애 조작단은 활동한 지 하루 만에 해산이었다. 사실 활동을 했다고 말하기에도 부끄러운 행보였지만 끝은 끝이었다.

나머지를 정리한다는 말에 아직 일이 남았음을 알아챈 에곤이 걱정스런 표정을 지었으나 못 본 체하며 인사한 엘로라는 자리를 떴다.

에곤과 오래 대화를 나눌 수 있는 장소도 아닐뿐더러 아몬이 기다리고 있었다. 말과 요정을 오랫동안 기다리게 할 수는 없었다.

곧장 아몬에게 달려간 엘로라는 아몬과 함께 말을 타고 궁으로 돌아갔다.

아히발트가 첫눈에 사랑에 빠졌다는 충격적인 사실을 들었지만 아무렇지 않은 것처럼 감정을 숨기고 있으니 그새 기운을 찾은 아몬이 조잘조잘 이야기보따리를 풀기 시작했다. 주된 이야기는 아히발트와 무슨 대화를 했는지, 케르단과는 어떤 점이 닮았는지 같은 것들이었다.

얘기만 듣는다면 아히발트와 케르단은 놀라울 정도로 닮은 점이 많은 사람이었다. 더불어 아몬이 아히발트에게 호감을 느끼는 이유가 케르단을 그만큼 닮았기 때문이기도 했기에 아히발트에게는 딱히 희소식이 아니었다.

좋아하는 여자가 다른 남자와 닮았다는 이유로 자신을 좋아하는 거라면 얼마나 비참하겠는가.

아히발트가 사랑이라면 아몬은 호감이었다.

긴 고독 끝에 사랑을 찾은 아히발트에게는 정말 안타까운 일이었다.

신나게 떠드는 아몬의 말을 듣는 엘로라는 머릿속이 복잡하여 따라 웃을 수 없었다. 차라리 아몬이 평범한 귀족 여식이었다면 어땠을까, 하는 말도 안 되는 상상을 하다가 씻고 침대 위에 올라왔을 때 결국 물음을 던졌다.

“아몬, 정말 말도 안 되는 소리인 건 아는데 하나만 물어볼게.”

“응.”

“인간이랑 결혼할 생각 있어?”

“응?”

“나도 내가 헛소리하는 건 알아. 하지만 정말 궁금해서 그래. 농담으로 받아들이지 말고 진지하게 대답해 줘.”

동그랗게 눈을 뜬 아몬이 느릿하게 속눈썹을 팔랑였다. 그녀는 잔뜩 당황한 듯했다.

아히발트가 연애 감정으로 자신을 좋아하고 있음을 눈치채고 있었던 걸까? 아몬의 대답을 기다리던 엘로라는 곧이어 충격적인 사실을 들을 수 있었다.

“엘로라, 난 돌아가야 해.”

“어디로?”

“원래 내가 가야 할 곳으로.”

처음 듣는 얘기였다. 가야 할 곳이라니. 아몬이 가야 할 곳이 어디 있단 말인가.

500년 전, 자신이 있던 곳? 그곳밖에는 떠오르지 않았다.

"당장은 아니지만 때가 되면 돌아갈 생각이야. 그러니 인간과 결혼할 수 없어."

"그런 중요한 사실을 왜 이제 말하는 거야?"

"헤어짐을 먼저 생각하게 되는 만남은 너무 슬프잖아."

"그래서 말없이 떠날 생각이었어?"

"아니, 때가 되면 얘기할 생각이었어. 미안해. 엘로라. 네 마음을 받을 수 없어서."

"……무슨 말이야?"

마음을 받을 수 없다니. 뜬금없었다. 핀트가 어긋나도 한참 어긋난 듯한 대화에 갈피를 잡지 못하고 있으니 아몬이 고개를 갸웃거렸다.

"나한테 고백하려고 했잖아. 그래서 물어본 거 아니야?"

"전혀 아니야. 나한테 남편 있는 거 알잖아. 네게 사랑 고백이라니. 말도 안 되는 소리야."

"반려를 한 번에 여러 명 두는 종족도 있다는 게 떠올라서 혹시나 했지. 착각해서 미안해!"

자신의 실수를 인지하고 크게 헛숨을 들이켠 아몬이 두 손을 꽉 붙잡고 미안함을 표현했다.

아무 말 없이 서로 마주 보던 두 사람은 잠깐의 정적 끝에 웃음을 터트렸다. 청량한 웃음소리가 번지고, 한순간에 진지했던 분위기가 빠졌다.

"있잖아, 엘로라. 아히발트에게는 내가 잘 이야기해 볼게. 내가 끼어들어서 일이 꼬인 거잖아. 책임져야지."

"무슨 말을 하려고?"

"비밀! 나만 믿어!"

원래의 활기찬 분위기를 되찾은 아몬이 침대에 벌러덩 누웠다.

어쩐지 불길함이 가장 먼저 들었다. 침대에서 뒹굴거리는 아몬을 내려다보던 엘로라는 한숨을 푹 내쉬었다. 모든 일이 잘될 거라고 하는 아몬을 보고 있자니 목구멍에 차오르던 말들이 쏙 들어갔다.

어쩔 수 없이 따라서 누운 엘로라는 불길함을 떨치지 못한 채 하루를 정리했다. 정말 정신없는 하루였다.

이른 아침, 아몬의 외출을 위해 엘로라는 화장 도구를 들어야 했다. 케르단을 닮은 아히발트와 다시 만난다는 사실이 기쁜 건지 아몬은 아침에 눈을 뜨자마자 기쁨을 감추지 못했다.

기분만큼은 홀로 축제 분위기가 물씬 나는 아몬을 꾸며 주고 나니 약속 시간보다 훨씬 이른 시각이었다.

화장이야 살짝 인상만 변화시키면 되었고, 가발을 쓸 필요도 없는 데다 코르셋으로 몸을 조여야 입을 수 있는 복잡한 드레스를 입는 것도 아니니 준비 시간은 얼마 걸리지 않았다.

조금 더 빈둥대다가 나가도 충분했지만 아몬은 그 기다림이 싫은지 어젯밤에 썼던 가면을 들고 나갔다. 그런 그녀의 뒷모습을 지켜보는 엘로라는 여전히 불길했다.

날씨마저도 엘로라의 기분을 반영하기라도 했는지 꿀꿀했다. 비는 오지 않았지만 금방이라도 쏟아질 듯한, 그다지 유쾌하지 않은 날씨였다.

뛰어나가는 아몬과 회색빛 하늘을 번갈아 보던 엘로라는 선택을 해야 했다. 아몬이 아히발트에게 다소 잔인한 발언을 했다는 소식이 들릴 때까지 기다릴지, 지금 당장 따라갈 준비를 해야 할지.

결론적으로 승자는 후자였다.

어젯밤부터 내내 엘로라를 괴롭힌 불길함의 승리였다.

짧은 고민 끝에 방에 들어가 가벼운 외출용 원피스로 갈아입은 엘로라는 머리를 틀어 올렸다. 가발을 쓸 시간이 없었다. 은발이 보이지 않도록 머리를 묶은 후 모자를 쓸 예정이었다.

화장 또한 대충 해야 했다. 시간이 촉박하니 어쩔 수 없었다.

어떤 모자를 쓸지 고민하고 있는데 벌컥 문이 열리고, 히나가 다급하게 얼굴을 내밀었다.

"아가씨!"

"히나, 왜 그래?"

"라, 라, 라하트 전하께서……."

"라하트 전하께서 어쨌는데?"

거친 호흡과 불안한 눈빛 그리고 더듬더듬 나온 그 이름. 절대 희소식일 수 없었다. 히나가 어떤 폭탄 발언을 들고 왔을지 짐작조차 되지 않았다. 잔뜩 긴장한 엘로라는 매도 먼저 맞는 게 낫다고, 어서 라하트가 무엇을 했는지 알려 줬으면 했다. 하지만 말을 잇는 대신 옆으로 고개를 돌린 히나가 벌레를 밟은 것처럼 히익 경기를 일으켰다.

"……히나?"

"이곳이야?"

괴생물체라도 나타났나 싶어 한 발자국 앞으로 나아갔던 엘로라의 시야에 라하트의 얼굴이 불쑥 튀어나왔다. 깜짝 놀란 엘로라는 고개를 푹 숙이고, 쥐고 있던 모자를 머리에 욱여넣다시피 썼다.

심장이 튀어나올 것 같았다. 입을 열면 갓 잡은 생선처럼 펄떡펄떡 뛰는 심장을 토할 수 있을 것만 같았다.

얼굴을 보았을까? 못 봤어야 했다.

눈을 마주치지 않았으니 봤을 거라는 명확한 확신이 없었다. 보지 않았을 거라는 확신 또한. 입술을 잘근잘근 깨문 엘로라는 혹시 모르니 최대한 불안한 티를 내지 않도록 노력했다.

"안녕, 내 신부님. 우락부락한 아침이야."

"오신다는 연락을 받은 적이 없는 터라 당황스럽네요. 이러면 안 되는 건 아시죠?"

목소리가 살짝 떨렸다. 지금쯤 숙취에 시달려야 하는 라하트가 어째서 이곳에 있는지에 대한 의문보다 맨얼굴을 봤는지 안 봤는지가 더 궁금했다.

"나도 급하게 올 생각은 없었는데 어젯밤에 만난 누군가가 권한 술을 마신 후 기억이 완전히 끊겼어. 정신 차려 보니 지금 이 시간이더라고. 그런데 실내에서 모자 쓰고 있네. 웬일이야?"

"말 돌리지 마시고, 변명도 하지 마세요."

"한 번만 봐 줘. 내 소원을 하나 들어주기로 했잖아."

다행히도 라하트는 맨얼굴을 보지 못한 듯했다. 만약 보았더라면 지금쯤 얘기를 꺼냈어야 하는데 별다른 말도 없을뿐더러 목소리도 변화가 없었다.

그러나 모자는 임시방편일 뿐이기 때문에 숙인 고개가 올라가지 않았다. 어색해 보이지 않길 바라며 평소처럼 날카롭게 대꾸했다.

"그날 밤 전하께서 나가지 않았더라면 그럴 생각이었죠."

"미안함을 느낀다면 소원을 들어 달라고 한 거였지."

"……."

"그때 그 감정은 유효한 거지?"

차갑게 나가야 하는데 그날의 일을 떠올리면 차마 아니라고 할 수 없었다. 몇 번 입술을 달싹인 엘로라는 결국 백기를 들었다.

"……어째서 오신 건가요. 쓸데없는 이유라면 당장 쫓아내겠어요."

"축제여서 다들 웃고 떠들고 즐기고 있는데 혼자 꽁하니 있으면 너무 슬프잖아. 내가 구제해 주려고 왔지. 일명 볼흐라스 수도를 탐방하다!"

"쓸데없는 이유네요. 나가요. 어서."

"내가 도와줬는데 이러기야?"

"도와주기는 언제 도와주셨다고 생색내세요."

"오늘 아플 예정이었잖아."

이래서 약점이 하나 잡히면 곤란했다. 언제 걸고넘어질지 모르니까. 약점이 잡힌 사람은 불리할 수밖에 없었다. 특히 더 큰 약점이 언제 밝혀질지 몰라 전전긍긍하는 사람이라면 더더욱.

"아니면 약속이라도 있어?"

지금 이 자리에서 라하트는 절대적으로 유리했다. 본인도 그걸 잘 알고 있었기에 이용해 먹고 있는 거였다. 상황은 모두 라하트가 원하는 대로 흘러가고 있었다.

"약속이라니. 그런 거 없어요."

"잘됐네. 선약이 없어서. 그러면 자, 이거 써. 오늘만큼 네가 돌아다니기 좋은 날도 없잖아."

라하트가 성큼 다가왔다. 바닥만 내려다보던 엘로라는 가까워진 라하트의 신발 앞코를 볼 수 있었다. 뒤이어 얼굴을 다 덮을 수 있는 가면이 시야에 가득 들어찼다.

지금 이 순간만큼 건국 왕, 케르단이 가면을 쓰고 활동한 게 기뻤던 적은 없었다. 얼굴을 가리는 데 있어 가면만큼 좋은 게 없었다.

바로 앞에 라하트가 있고, 화장을 안 한 지금 더할 나위할 것 없이 필요한 것이었다. 건국제 만세였다.

라하트의 손에서 빼앗다시피 들고 간 가면을 뒤돌아서서 빠르게 썼다. 모자를 쓸 때는 불안했는데 가면을 쓰고 나니 조금은 안심이 됐다.

확실히 아까보다는 들킬지 모른다는 불안감이 덜했다.

"가면도 썼으니 함께 나가는 거다?"

"알겠어요, 갈게요. 대신 준비할 시간을 주세요."

"준비할 게 뭐 있어. 옷도 그 정도면 적당하고, 가면도 썼고, 심지어 네 머리칼이 드러나지 않고 있잖아. 지금만큼 완벽할 수 없어."

"완벽하지 않아요."

"한두 시간 기다리게 할 속셈이지? 그러면 늦어."

아몬을 뒤쫓겠다고 준비한 게 이런 식으로 변질될 줄은 몰랐다. 차라리 꼴이 말이 아니었더라면 라하트 또한 이해하고 기다려 줬을 텐데 지금 복장은 스스로 보아도 시가지에 나가서 사람들의 틈바구니 속에 섞이기에 적합했다.

외출 준비를 한다는 핑계로 못난이 엘로라로 화장할 계획은 처참히 실패했다.

"축제는 이미 시작했어! 가자, 미지의 세계로!"

머뭇거리고 있으니 라하트가 가볍게 엘로라의 손목을 잡았다. 그리고 달렸다. 마치 뷔로스에서 있었던 한 장면을 떠오르게 하는 순간이었다.

밖으로 나가자 문밖에서 대기하고 있었던 히나와 눈이 마주쳤다. 그녀는 갑자기 가면을 쓴 채로 납치당하고 있는 엘로라의 모습에 소리 없는 비명을 지르고 있었다.

사정 설명을 해 주고 싶었지만 그럴 만한 상황이 아니라 괜찮다고 눈짓만 해 줬는데 너무 빠르게 지나간 터라 전달이 잘 됐는지 알 수 없었다.

"전하, 빨라요!"

"조금만 더 가면 돼!"

언제나 그렇듯, 라하트는 속도를 줄일 생각이 전혀 없었다. 선물을 풀기 전의 소년처럼 들뜬 표정으로 외친 라하트와 함께 달리고, 달렸다.

다행히 이 달리기에는 끝이 있었다. 시내까지 달려갈 생각은 아니었는지 미리 준비해 놓은 마차에 올라탈 수 있었다.

"대체 왜 이러시는 거예요?"

"재미있잖아."

"본인만 즐거우면 끝이죠?"

"너도 재미있을걸."

매력적인 미소를 지은 라하트가 근처에 있는 가면을 집어 들었다. 세로로 반쪽만 얼굴을 가릴 수 있는 가면이었다. 아무래도 얼굴을 다 가리는 것이 아닌, 반은 대놓고 보여 주는 가면이었기 때문에 구색을 맞추기 위해 쓰는 티가 났다.

"무려 축제야."

"매년 있는 게 축제죠."

"기나긴 일 년 중에 단 한 번뿐인 행사지."

"굉장히 좋아하시네요."

"더불어 네가 한 번도 즐겨 보지 못한 특별한 날이니까."

라하트가 아무 말도 하지 않고 불쑥 찾아온 이유를 알게 되었다.

뷔로스에 있었을 때와 상황이 비슷하게 흐른다고 생각했는데 그 이유마저도 비슷했다. 평생을 수도에서 살았으나 못난 얼굴 때문에 평소에 바깥 활동을 하지 않는다고 알려져 축제마저 한 번도 즐기지 못했다고 생각하고 있었다.

실제로는 매년 축제를 즐기고 있었던 엘로라로서는 한숨이 먼저 나왔다. 결혼 전까지 수도 밖을 나간 적이 없으니 뷔로스 때는 그렇다 쳐도 이번에는 제대로 오해하고 있었다. 절대 해결해 주지 못할 오해였다.

"식사는 했어?"

"네."

"그러면 구경하다가 맛있는 게 보이면 사 먹자."

"돈은 들고 오셨어요?"

예전에 로이스로 변장했을 때 실컷 나가서 먹자고 끌고 가서는 돈을 한 푼도 들고 오지 않았던 사건이 떠올라 물었다.

굳이 돈을 들고 오지 않아도 '라하트'라는 존재 자체가 수표가 되긴 했으나 그렇게 되면 가면을 쓰고 돌아다니는 의미가 전혀 없어졌다.

"응, 당연하지. 보여 줄까?"

"아니요, 됐어요."

"금방 꺼낼 수 있어."

"넣어 둬요."

당장에라도 돈을 꺼내 보여 주려는 라하트의 행동에 고개를 저었다. 사실 확인은 말로 해도 충분했다. 마차 안에서 라하트가 얼마나 들고 왔는지 일일이 확인할 필요는 없었다.

굳이 보여 주겠다는 라하트를 말리는 동안 마차는 축제가 한창인 시가지에 도착했다. 워낙 유동 인구가 많아서 깊숙이는 못 들어가는 터라 축제 구경도 할 겸 마차에서 내린 그들은 돌아다니기 시작했다.

거리는 붐볐다. 오른쪽을 보아도 왼쪽을 보아도 모두 사람이었다. 어딜 가도 사람이 없는 곳이 없었다. 다들 가면을 쓰고 가족, 연인 혹은 친구끼리 삼삼오오 돌아다녔다.

그들 사이를 지나며 축제가 한창인 거리를 둘러보았다.

길거리에서는 건국 왕이 알에서 태어났다는 신화 때문에 달걀을 파는 행상을 흔히 볼 수 있었다. 축제인 만큼 달걀은 알록달록 색이 칠해져 있어 모여 있으면 꽤 눈이 즐거운 볼거리가 되었다.

삶은 달걀을 사서 먹는 사람 또한 종종 볼 수 있었는데 신화 내용을 떠올린다면 퍽 기괴한 장면이 아닐 수 없었다. 알에서 태어난 건국 왕과 그런 상징성을 지닌 달걀을 먹는 사람. 기묘한 일이었다.

광대들은 묘기를 부리고, 배우들은 연극을 하고, 악사들은 악기를 들고 와 노래를 연주했다. 흥겨운 음악을 듣고 있자면 가만히 있지 못하는 사람들은 그 앞에 서서 음악에 맞춰 몸을 움직였다.

춤을 못 추더라도 비난하지 않았다. 그런 축제이니까. 다들 웃고, 박수 치고, 떠들면서 축제를 즐겼다.

다양한 복장과 가면을 보는 것 또한 건국제의 볼거리 중 하나였다. 특히 금발인 사람은 대부분 건국 왕, 케르단처럼 꾸미고 다녔다. 금발이 아니더라도 가면에 금색 콧수염을 붙임으로써 금색 가발을 대신할 수 있었다.

케르단처럼 꾸민 사람들을 목격할 때면 괜히 아몬이 떠올라 걱정이 먼저 들었으나 지금 엘로라는 라하트에게 붙잡힌 몸이었다. 뒤늦게라도 아몬과 아히발트의 뒤를 밟을 수 없었다. 그저 아몬이 축제를 즐기고, 꼬인 일을 잘 해결하길 바랄 뿐이었다.

"오늘은 길을 헤매지 않으시네요."

"어? 지금 헤매고 있었는데 몰랐어?"

"……거침없이 나아가시기에 길을 잘 알고 가는 줄 알았죠."

"원래 선택에는 머뭇거림이 없어야 하는 법이야. 항상 당당해야지."

"그래서 길을 헤매는 거예요."

엘로라는 고개를 저었다. 라하트의 절망적인 방향 감각에는 잦은 음주뿐만이 아니라 근거 없는 당당함 또한 한몫하고 있었다. 저러니 길을 헤맬 수밖에 없었다.

마음대로 가는 것치고는 이상한 데로 새지 않는 라하트를 따라 이곳저곳 돌아다녔다. 지치면 잠시 앉아 있다가 기운을 차리면 걷고, 구경하면서 축제를 즐기니 어느덧 해가 지고 밤이 찾아왔다.

태양은 자취를 감췄지만 사방에서 화려한 불빛이 켜져, 낮보다 더 거리가 반짝였다. 여전히 비는 안 오지만 흐린 날씨였기 때문에 지상의 빛이 어둠을 몰아냈다.

색색의 불빛을 맞으며 목적지 없이 걸은 엘로라와 라하트는 분수대 앞에 섰다. 예전, 라하트가 로즈를 끌고 왔던 그곳이었다.

"내일 약속 있어?"

"아마 없을 거예요."

있다고 하면 이상하게 보일 게 분명하여 없다고 할 수밖에 없었다. 히나와 아몬과 시간을 보내고 싶어도 라하트가 함께하자고 하면 꼼짝없이 따라가야 할 운명이었다.

"그러면 내일은 시계탑에 올라가서 등불을 띄우는 걸 구경하자.”

축제 마지막 날에 생의 안녕과 행복을 바라는 마음으로 등불을 띄웠다. 한 명당 하나씩 지급되는 등불이었다. 수많은 사람들이 한꺼번에 그것을 띄우면 감탄이 절로 나오는 아름다운 풍경이 되었다. 밤하늘을 오르는 빛은 건국제의 볼거리 중 하나였다.

“가장 높은 곳에서 구경하는 등불 날리기만큼 아름다운 광경은 없지.”

“시계탑은 출입 금지 구역 아닌가요?”

“내 앞에서 그런 게 어디 있어. 내 발걸음이 닿는 곳이 다 길인데.”

“아, 그렇군요.”

명백한 권력 남용이었다. 차게 식은 눈빛으로 라하트를 바라보고 있는데 저 멀리서 누군가 행진이 시작한다고 외쳤다. 그 소리를 들은 사람들이 하던 행동을 멈추고 다들 행진을 구경하기 위해 뛰어갔다.

딱히 행진을 볼 생각이 들지 않았던 터라 가만히 서 있던 엘로라는 달려가는 몇몇 사람들에게 부딪쳐 휘청거렸다. 그런 엘로라를 라하트가 감싸 안았다.

“……감사해요.”

“당연한 일인걸.”

지나치게 가까웠다. 조금 거리를 벌리려고 하는데 가만히 엘로라를 내려다보던 라하트가 물음을 던졌다.

"오늘 즐거웠어?"

"나쁘지 않았다고 해도 제대로 듣지 않을 거잖아요."

엘로라의 볼멘소리에 라하트가 소리 내어 웃었다.

지금 가장 즐거운 건 라하트인 듯했다.

"네가 즐거웠으면 좋겠어."

"어째서요?"

"나의 하나뿐인 신부잖아."

"다른 사람이 전하와 결혼해서 이 자리에 있어도 똑같은 말을 했겠네요."

항상 라하트는 이런 식으로 대답했다. 엘로라가 자신의 하나뿐인 신부이기 때문에 잘해 준다고 얘기했다. 오늘따라 그 대답이 이질적으로 들렸던 터라 다소 뚱하게 되물었건만 라하트는 의외로 순순히 대답을 내놓았다.

"맞아, 사실 누구라도 상관없었어. 네가 아닌 다른 이가 내 옆에 있었어도 잘해 주려고 노력했을 거야. 나로 인해 한 사람의 인생이 망가진다는 건 끔찍하니까."

"죄책감인가요?"

"비슷하지."

"전하께서 그런 감정을 느낀다는 사실이 의외네요."

"나도 사람인걸."

그렇게 말하며 쓰게 웃었다. 반은 가면으로 가려져 있으나 어쩐지 그 얼굴이 슬퍼 보였다.

"가끔 나조차도 놀랄 정도로 특정 감정에 무딜 때가 있지만 기본적으로 너와 같은 사람이지."
"예를 들면 어떤 감정이요?"
"죽음."
보랏빛 눈동자가 깊게 가라앉았다. 라하트의 시선은 더는 엘로라가 아닌 분수대에 머물렀다.
죽음.
문득 라하트가 로즈를 떠올리고 있는 건 아닐까, 하는 생각이 들었다.
"가장 극단적인 슬픔을 느낄 수 있는 상황이지만 아무것도 느껴지지 않아."
"안타까운 일이네요."
"그렇지."
잠시 입을 꾹 다문 라하트는 다시 시선을 옮겨 엘로라를 보았다.
"누구라도 될 수 있는 자리였고, 그게 누가 되었던 신경 쓰지 않은 채 그런 감정만을 느끼며 살아갈 거라고 생각했어."
"실제로 그러고 계시죠."
"아니. 어느 날, 나의 신부가 네가 아니면 안 될 것 같다는 생각이 들었어."
"……."
"널 좋아하는 걸까?"
"취하신 것 같네요. 어서 돌아가죠."
"난 멀쩡해."

서로를 보았다. 반만 가려진 라하트의 얼굴에는 그 어떠한 장난기도 찾을 수 없었다. 또한 그는 술에 취해 있지 않아 있었다. 항상 보던 흐리멍덩한 눈동자가 아니었다.

“진심이에요? 그렇다면 미친 거 아니에요? 이 얼굴 안 보이세요? 아, 지금 가면을 쓰고 있기 때문에 제대로 눈에 뵈는 게 없으시겠죠. 가면을 벗으면 얼굴을 보자마자 아까 한 말을 취소하고 싶으실걸요.”

“한 번이라도 널 제대로 보지 않은 적은 없었어.”

속사포처럼 말을 쏟아 내던 엘로라의 말문이 막혔다.

거짓이 아니었다.

이미 몇 번이나 인식하고 있었다.

라하트는 유일하게 엘로라의 못난 얼굴마저 제대로 봐 주는 사람이었다. 수많은 사람들 중 한 번도 다른 곳을 보지 않고 오롯이 시선을 맞춰 준 사람. 그 사람이 라하트였다.

“좋아해.”

“…….”

“너를.”

헛숨을 들이켰다. 질 나쁜 장난이라 치부하고 싶었다.

애초에 말도 안 되는 상황이었다.

라하트가 자신을 좋아한다고? 도대체 왜?

뒷걸음질 쳤다. 바로 뒤에 분수대가 있다는 사실을 잊고 뒷걸음질하던 엘로라는 분수대에 걸려 뒤로 넘어졌다. 기우뚱하는 엘로라를 보고 라하트가 손을 뻗었지만 이미 늦었다.

균형을 잃고 쓰러진 엘로라는 반사적으로 손바닥을 바닥에 짚어 크게 다치지 않았지만 온몸이 물에 흠뻑 젖었다. 그리고 손목이 시큰거리고 엉덩이가 아팠다. 아니, 아프다고 머릿속으로 생각했다.

무엇 하나 제대로 느껴지지 않았다. 아직 멍했다. 물리적인 충격으로도 라하트가 고백했다는 사실에서 벗어나기 힘들었다.

"괜찮아?"

다급하게 다가온 라하트가 상태를 살폈다.

"다 젖었네. 시간도 늦었으니 돌아가자."

다정하게 속삭인 라하트가 잔뜩 젖은 모자와 가면을 벗겨 냈다. 그래서는 안 된다는 생각이 바로 들지 않았다.

가면이 벗겨지고 나서야, 오랫동안 갇혀 있었던 얼굴이 드러나고서야 무언가 잘못됐음을 깨달았다.

빗방울이 뺨에 닿았다.

차가운 감촉은 엘로라를 현실로 끌어당겼다.

정신을 차렸을 때는 마주한 보랏빛 눈동자가 충격으로 얼룩져 있었다.

소나기였다.

—3권에서 계속

# 그 신부를 믿지 마세요 2

초판 인쇄 2019년 3월  4일
초판 발행 2019년 3월 14일

지은이 윤온
펴낸이 신현호
편집부장 예숙영
편집 최은지
편집디자인 한방울
영업 · 관리 김민원 조인희
물류 이순우 최준혁 박찬수

펴낸곳 ㈜디앤씨미디어
출판등록 2002년 5월 1일 제117-90-51792호
주소 서울시 구로구 디지털로 26길 111 JnK디지털타워 503호
대표전화 (02)333-2513 팩스 (02)333-2514
전자우편 dncbooks@dncmedia.co.kr
디앤씨북스 블로그 http://blog.naver.com/dncbooks

ISBN 979-11-264-4646-9 (04810)
ISBN 979-11-264-4650-6 (SET)